« Au printemps, le garde forestier trouva un pendu dans le bois du Rosier. Le bonhomme avait dû se passer la corde au cou juste avant l'hiver et quand le garde était tombé dessus, il n'était pas beau à voir. Dans ses poches on a trouvé quatorze sous et un petit carnet avec une couverture en toile cirée noire.

« L'homme y avait noté tous les endroits, toutes les entreprises où il avait demandé du travail... "Je suis passé à Manosque, pas de travail, à Gap, pas de travail, à Largentière, pas de travail...". Il y en avait une dizaine comme ça, peut-être plus, avec chaque fois la même annotation : "pas de travail". C'est une chose qui m'a toujours révoltée, je trouve inacceptable qu'un homme ne puisse travailler quand il le veut. Comment parler de progrès ou d'humanité ? Comment oser parler de Liberté, d'Egalité ou de Fraternité ? c'est du vent ! tant qu'un homme ne peut choisir son métier, tout le reste c'est du vent... »

Cette indignation, cette révolte, cette jeunesse, sont celles d'Emilie Carles, Briançonnaise, paysanne et institutrice pendant quarante ans dans les villages de sa montagne. Elle nous raconte sa vie, nous fait goûter à sa soupe d'herbes sauvages. Cette « soupe » nous parle du passé, mais surtout du présent et de l'avenir, car Emilie Carles n'a jamais abdiqué.

ÉMILIE CARLES

Une soupe aux herbes sauvages

PROPOS RECUEILLIS
PAR ROBERT DESTANQUE

ROBERT LAFFONT

Dès les premiers beaux jours de l'année, alors que la montagne est encore imprégnée par l'humidité de la neige à peine fondue, j'ai pour habitude de me reposer, allongée dans mon fauteuil sur la terrasse du Vivier. Dès le matin le soleil vient y dessiner un jeu d'ombres et de lumières qui m'est tout aussi familier que la voix de ceux que j'aime.

La Clarée, cette rivière bénie des dieux, coule à mes pieds. J'aperçois à travers les branches des arbres le mouvement de ses ondes transparentes qui varient en couleurs et en intensité, tour à tour tumultueuses ou calmes, grondantes ou monotones. Autour de moi les oiseaux chantent. Je leur parle et ils me répondent et je prends ce concert pour moi seule. Quelle présomption ! Ils chantent l'hymne au soleil, celui dont Rostand disait : « O soleil toi sans qui les choses ne seraient que ce qu'elles sont. » Les gouttes de pluie de la nuit accrochées aux feuilles des saules irradient sous les rayons. C'est féerique, c'est paradisiaque. J'ai sous les yeux le plus beau pays du monde.

Un peu plus tard, lorsque je descends pour faire une promenade, j'en profite pour cueillir les herbes qui me serviront à faire ma soupe aux herbes sauvages. Je n'ai pas besoin d'aller très loin. Je contourne le Vivier et je marche dans les prés qui bordent la Clarée. Il suffit de se baisser.

Ça, c'est du plantain et voilà de l'oseille sauvage, de la drouille, de l'ortie ou barbe à bouc, du pissenlit, de la doucette, un petit chardon des champs ou chonzio, une plante laiteuse, le laichuron, du mille-feuille, du chala-bréi aux feuilles largement dentelées, de la tétragone ou

5

épinard sauvage, de la langue bogne, une feuille de sauge et un brin de ciboulette. A cela j'ajoute une pointe d'ail, quelques pommes de terre ou une poignée de riz et j'obtiens une soupe onctueuse et délicieuse. Pour la réussir, ce qui importe, c'est de respecter les proportions. Il faut très peu d'herbes de chaque sorte afin qu'aucune ne l'emporte sur les autres, sinon la soupe risque d'être immangeable, ou trop amère, ou trop acide ou trop fade.

Voici donc notre soupe aux herbes sauvages dans son sens propre. Au figuré, j'ai tant de choses variées à raconter, drôles ou dramatiques, truculentes ou sauvages que, de tous ces pays de la montagne briançonnaise où je suis née et où j'ai vécu, nous aurons du début à la fin, une soupe aux herbes sauvages.

Première partie

UN ARBRE MORT PRIVÉ DE SÈVE

A six ans la mort n'a pas voulu de moi. Si je suis en vie, je peux dire que ce jour-là, c'est une chance ou un miracle qui a fait que je m'en suis tirée sans dommage. Lorsque je suis tombée du grenier sur l'aire de battage dure comme du ciment, pour mes sœurs qui m'ont ramassée et pour mon père qui avait été le témoin impuissant de ma chute, j'étais quasiment morte.

C'était en 1906, à l'automne, au moment où les moissons terminées les paysans commencent à battre le blé, l'orge ou l'avoine. A cette époque je ne quittais jamais mon père. Du soir au matin je le suivais comme son ombre et, du moment qu'il était au grenier, j'y étais moi aussi. Je voulais faire comme lui, je voulais prendre les gerbes et les jeter deux étages plus bas, là où les sœurs les étalaient avant de les battre au fléau. Comme tous les accidents ça s'est passé très vite, pendant que mon père me tournait le dos. Je crois qu'il ne s'est rendu compte de rien. Il me voyait jouer avec les gerbes mais il ne pensait pas que je prenais ce jeu au sérieux, que je voulais en envoyer une en bas, tout comme lui. Lorsque je l'ai fait dès la première gerbe je suis partie avec.

Deux étages... je suis tombée comme une masse et je suis restée sans bouger sur le sol. Sur le coup Rose et Catherine crurent que je m'étais tuée... Elles m'ont ramassée et m'ont transportée dans la maison. Ce jour-là mon père s'apprêtait à partir en Maurienne pour y chercher le taureau de commune. Ma chute ne l'émut guère, pour lui c'était un accident de la vie, un accident qui n'empêcherait pas la terre de tourner. Il n'a pas dit, il faut appeler un médecin, ni rien, à mes sœurs qui ne savaient que faire et qui se lamentaient, il avait seulement dit : « Soignez-la, faites-lui des compresses, moi il faut que je parte. »

Rose qui était l'aînée, ne sachant à quel saint se vouer, avait demandé :

« Mais père, si la petite sœur meurt, qu'allons-nous devenir ?

— Si elle meurt, avait répondu mon père, vous irez chez l'ébéniste et vous commanderez un cercueil, on l'enterrera à mon retour. »

Mon père n'était pas un homme sans cœur, au contraire, il était bon, généreux et charitable. De ses six enfants j'étais sa préférée... mais, à cette époque, la vie que menaient les paysans de nos montagnes était si âpre, si misérable, que la mort ne pouvait guère les émouvoir et puis, le taureau de commune était autrement important que la mort d'une enfant. Toute la vie du village en dépendait.

C'était la coutume. Chaque année, le 15 août, le village se réunissait à la mairie pour accorder le taureau de commune à celui qui faisait le meilleur prix, par adjudication. Toute la population était là pour débattre du prix des saillies et, celui qui gagnait le marché se devait d'en respecter les clauses, il devait ramener un taureau de qualité et se conformer au tarif défini. Mon père avait remporté cette adjudication, dans le village c'était une habitude ou presque, il était réputé pour sa probité, pour son savoir-faire et, une fois sa parole donnée, rien ne pouvait le faire dévier de ses engagements.

Il est donc parti, à pied comme il se doit. Il y avait dans la vallée de la Maurienne une race de taureau qui se croise bien avec la nôtre. Plus tard, il m'a souvent parlé de ces voyages. Il passait par les montagnes, par Névache, par Fontcouverte, il longeait les Rochilles au pied du mont Thabor avant de redescendre sur Valloire et Saint-Jean-de-Maurienne où se tenait la foire. Quand il avait terminé son affaire il s'en revenait comme il était parti, avec le taureau, du sel et du pain dans ses poches. Lorsque la fatigue l'obligeait à se reposer il s'arrêtait en chemin. Lui mangeait son quignon de pain, le taureau son fourrage et tous les deux dormaient dans une grange. C'était un voyage qui durait deux ou trois jours. Rien n'aurait pu le retenir.

Tandis qu'il cheminait à travers les sentiers de

montagne, moi je me débattais contre la mort. J'étais dans le coma, dans mon délire je racontais des histoires abracadabrantes, je parlais de l'épicier, du tiroir-caisse, de plaques de chocolat, je disais n'importe quoi. Pendant ce temps mes sœurs veillaient près du lit, comme je délirais elles se disaient : « Si elle parle, peut-être qu'elle ne mourra pas ? » Elles m'ont soignée comme elles ont pu, avec des bouillons, des tisanes et des compresses... il n'était venu à l'idée de personne d'aller chercher le médecin, ce n'était pas dans nos habitudes.

Le sort a voulu que je ne meure pas. Peu à peu je suis sortie du coma et je me suis remise. Je n'avais rien de cassé, une chance ! et, quand mon père est revenu avec le taureau, j'étais tirée d'affaire. En arrivant il a dit le plus naturellement du monde :

« Eh bien, vous voyez, on a eu raison de ne pas déranger le médecin, la voilà remise ! »

Par la suite, j'ai souvent entendu les paysans s'exprimer ainsi. Ce n'était pas de l'indifférence, il s'agissait de tout autre chose. Cette dureté de langage n'était peut-être qu'une manière de se protéger de la douleur. Avant 14, la mort frappait rudement. Dans presque toutes les familles il en mourait un pour un de vivant, j'en ai vu qui en enterrait deux dans la même semaine et, quand un enfant mourait, pour peu qu'il n'ait pas dépassé les cinq ans, on ne s'émouvait guère. L'homme disait à la femme : « Mais pourquoi pleures-tu ? cet enfant ne fait faute à personne, au contraire, voilà une bouche en moins à nourrir. Que diable, ce n'était pas un gagne-pain, cesse donc de pleurer ! » Je me souviens d'une anecdote, elle avait fait le tour du pays et on en riait, parce que les gendarmes en avaient fait les frais. Dans leur tournée les deux pandores avaient rencontré un paysan assis sur une borne au bord du chemin. Le bonhomme pleurait tout ce qu'il pouvait « quoi de plus normal, se dirent les gendarmes, c'est le père Grégoire, il vient de perdre son nouveau-né ».

« Hé ! lui dirent-ils, père Grégoire, il ne faut pas vous désoler, il vous en reste encore. »

Le père Grégoire s'était redressé, piqué au vif il leur avait répondu :

« Ah ! vous croyez ça vous ! je n'ai qu'une vache et elle

ne me donne qu'un veau par an. Cette année je n'aurai rien à vendre puisque son veau vient de mourir. »

C'était ainsi, les paysans avaient bien souvent plus de prévenance pour la vache prête à véler, plus d'attention pour le veau nouveau-né qu'ils n'en avaient pour leur propre femme ou leurs enfants. La misère tout court l'emportait sur la misère du cœur.

Ma mère était morte deux ans auparavant, pendant l'été de 1904. Elle avait été tuée en plein travail, frappée par la foudre, alors qu'elle ramassait les blés avec mon père. Elle avait trente-six ans, moi j'en avais quatre. Les paysans l'avaient redescendue de la montagne sur un brancard... l'image de ma mère allongée sur ce lit de fortune restera à jamais gravée dans ma mémoire, c'est là mon premier vrai souvenir de petite fille. Elle semblait dormir et moi, qui ne l'avais vue que debout, active du matin au soir, j'en avais ressenti comme une joie. J'ignorais la foudre et ses méfaits, j'ignorais la mort et sa rigueur et je m'étais écriée : « Elle fait bien maman de se faire porter. » Autour de moi on me disait : « Va, Emilie, embrasse ta maman pour la dernière fois. » J'étais loin de comprendre ce que cela voulait dire.

Le lendemain je suis allée chercher mon père dans sa chambre, je lui ai pris la main et je lui ai dit : « Papa, viens réveiller maman, il est midi et elle dort encore. » Je n'oublierai jamais son émotion ni la grosse larme qui s'est mise à couler le long de sa joue. Il était désemparé. Il me prit dans ses bras et me dit : « Paouro coco, paouro coco », ce qui voulait dire « pauvre chérie ». Mon père ne parlait que patois.

Ma mère laissait une famille de six enfants, dont la dernière-née Marie-Rose qui avait quatre mois... C'était une perte incalculable. Chez nous la mère était pour ainsi dire la clef de voûte qui supporte l'édifice. Du jour au lendemain mon père se retrouvait diminué de moitié... il m'en a parlé bien plus tard, il m'a dit ce qu'il avait traversé à ce moment-là, son désespoir et son désarroi. Pour bien se faire comprendre il se comparait à un arbre auquel on aurait coupé toutes les branches... « J'étais debout, me disait-il, parce que l'arbre reste toujours debout par ses racines, il reste attaché au sol, moi aussi je suis resté debout, car j'avais des enfants à nourrir, mais je ne vivais plus. J'étais un arbre mort qui n'a plus de sève. »

Pourtant, ils n'avaient pas fait un mariage d'amour. Mon père et ma mère s'étaient unis par raison, sous la pression des familles, un contrat d'intérêt en quelque sorte. Si ma mère n'avait écouté que son cœur, si elle avait pu décider pour elle-même, elle aurait épousé le jeune homme qu'elle aimait. Mais pour une jeune fille c'était à l'époque une chose impossible et, lorsque mon père l'avait demandée en mariage elle n'avait pas eu droit au chapitre. Elle avait bien essayé de se défendre pourtant. Elle avait été trouver sa marraine, la marraine c'était quelqu'un, c'était une personne d'importance dont l'autorité était reconnue et les décisions respectées. Elle lui avait demandé de la comprendre et de l'aider. Peine perdue, pour elle aussi l'affaire était entendue d'avance. « Si tu ne prends pas Joseph, lui avait-elle dit, je ne suis plus ta marraine, je ne te parlerai jamais plus de ma vie. Et pourquoi tu ne veux pas de lui ? Joseph est un gentil garçon, travailleur et courageux, il a du bien, c'est le meilleur parti que tu puisses espérer. »

C'était vrai, mon père avait toutes ces qualités, mais cela ne fait pas de l'amour. La marraine appliquait la loi, car telle était la loi, les filles à marier devaient accepter sans broncher le mari que d'autres avaient choisi pour elles. C'était une question d'alliance et d'intérêts familiaux. La plupart du temps les hommes décidaient entre eux sans demander l'avis de personne. Quand ils se rencontraient dans les foires, ils discutaient de leurs affaires, ils parlaient de l'avenir... Pour eux, les sacs d'avoine, l'élevage des porcs, la tonte des moutons ou les contrats de mariage, c'était la même chose, ils mettaient tout dans le même sac.

« Tiens, toi tu as une fille à marier, moi j'ai mon fils, pourquoi qu'on ne les marierait pas ? Moi j'ai la ferme, toi tu as les terres, si tu es d'accord on peut faire un contrat. »

Voilà ce qu'ils se disaient, après ça ils trinquaient, ils se serraient la main et le marché était conclu.

Il y en a eu des vies brisées par cette coutume, hommes et femmes, mais femmes surtout. Presque toutes les filles de par ici ont été condamnées à vivre une vie de femme qu'elles n'avaient pas choisie. Si encore il n'y avait eu que le mari c'eût été un moindre mal, mais presque toujours la jeune femme épousait la belle-famille, elle s'installait dans la ferme de son mari et devait se plier à l'autorité de ses beaux-parents. Ma mère n'a pas échappé au système, mais elle avait du caractère et elle ne s'est pas résignée à obéir et à se taire. En tous les cas, ceux qui l'ont connue en ont gardé un souvenir impérissable. Mon père lorsqu'il me parlait d'elle avait les larmes aux yeux, il me disait combien c'était une femme exceptionnelle. Elle avait deux qualités : le don de plaire et la générosité.

L'hiver c'est elle qui animait les veillées. Les veillées c'était quelque chose d'important par ici, jusque dans les années 20. Par la suite, c'est une coutume qui s'est perdue mais à l'époque de ma mère ça faisait partie de la vie quotidienne. Elle racontait des histoires, elle chantait, elle était toujours disposée à écouter les autres. C'était une femme qui savait se faire aimer et rendre service. Ça n'a l'air de rien mais, dans un pays comme celui-ci, un pays dur où la méfiance, la jalousie, l'égoïsme, étaient la règle, la générosité de ma mère était un don du Ciel que chacun appréciait à sa juste valeur. Des années plus tard, quand je rencontrais quelqu'un qui l'avait connue, tous m'en parlaient avec le même sentiment de respect. « Ah ! vous êtes la fille de Catherine Vallier ! quelle mort elle a faite ! ça c'était une femme, elle était si douce, si attentive, si drôle... Tout le monde la voulait pour soi. »

Cette générosité était à la mesure de nos moyens, ma mère ne se serait jamais permise de gaspiller mais, c'était dans son caractère, chaque fois que quelqu'un était dans le besoin elle ne pouvait pas s'empêcher de l'aider. Par exemple, elle avait une sœur, une femme mal mariée qui vivait pauvrement et avait eu beaucoup d'enfants. Chaque année il y en avait un qui arrivait et chaque fois ma mère lui donnait ses layettes. C'était une habitude, dès qu'il manquait quelque chose la tante disait aux gosses : « Allez voir chez Catherine, elle a tout ce qu'il lui faut. » Les gosses venaient et ma mère leur donnait ce qu'ils voulaient. Forcément, mon grand-père voyait les allées et venues, il rouspétait et il la soupçonnait de brader la maison. C'est ce qui a fait leur bisbille.

Cette petite guerre entre elle et lui a duré des années.

12

Mon grand-père était un homme de l'ancien temps, un vrai patriarche. La maison était à lui, les terres aussi et il tenait serrés les cordons de la bourse. Ce vieux paysan connaissait le prix des choses. Pour lui, seul comptait le travail et le rendement et il avait pour habitude que rien ni personne ne lui résiste. Ma mère lui a résisté. A sa rapinerie elle a opposé sa générosité.

Ce ne fut pas sans problème et mon père en a beaucoup souffert. Il était pris entre l'arbre et l'écorce et il ne pouvait rien dire. D'un côté il était d'accord avec ma mère, lui aussi était un homme bon et charitable mais, d'un autre côté, il comprenait son père qui avait travaillé dur toute sa vie et qui voyait les choses s'en aller. Entre eux deux il ne pouvait pas faire grand-chose, pourtant il essayait, il leur disait : « A quoi ça sert de vous disputer », mais ni ma mère ni mon grand-père ne l'écoutaient. Ils étaient trop différents pour se comprendre et pour s'entendre.

C'est la mort qui a mis fin à leur querelle. Le sort voulut qu'ils meurent presque en même temps. Mon grand-père tomba d'une échelle, il se cassa le fémur et il mourut au mois de juin 1904. Ma mère fut foudroyée par l'orage quarante jours après, le 16 juillet.

C'est normal que mon père se soit comparé à un arbre mort, debout, mais privé de sève. Sans sa Catherine il n'était plus que l'ombre de lui-même. Et la maison ! une maison si pleine de vie, avec les six enfants ! Du jour au lendemain elle était devenue un corps sans âme. Ça aussi c'était un coup du sort. Un rude coup.

Pourtant, il fallait que la vie continue. Dans ces cas-là il y a la solidarité qui joue. La famille, les voisins sont venus pour aider mon père et pour le soutenir... Mais pour lui c'était si terrible de rester seul avec ses six enfants qu'il ne savait plus quoi faire. Il était complètement perdu. Les plus grands pouvaient encore se débrouiller, ils avaient entre huit et quinze ans et travaillaient déjà, mais les deux autres, les deux petites, posaient un problème. Avant toute chose il fallait s'occuper de Marie-Rose. Elle avait quatre mois et ma mère la nourrissait au sein. On para au plus pressé. Pendant les premiers jours les femmes du pays qui avaient des nouveau-nés vinrent à la maison la nourrir à tour de rôle, le temps de trouver une nourrice.

Restait moi. J'avais quatre ans. J'étais trop petite pour travailler aux champs ou pour aider à la maison. En plein été, au moment où chaque minute compte, j'étais une charge supplémentaire pour mon père. Il fallait qu'il me fasse garder aussi. Le frère aîné de ma mère se proposa :

« Joseph, lui dit-il, que vas-tu faire d'Emilie ? Les autres sont assez grands pour t'aider aux travaux et pour se débrouiller, mais elle, elle va être une gêne pour toi. Si tu veux je la prends avec moi, je l'élèverai et j'en ferai une institutrice. »

Mon père qui ne savait plus où il en était accepta. On me prépara mon balluchon et le soir même je m'en allai avec mon oncle. C'était la première fois que je quittais la maison, l'oncle m'amenait de l'autre côté de Briançon, à Guillestre. Le bout du monde me semblait-il.

De mon séjour à Guillestre je n'ai pas un bon souvenir. Mon oncle était, je crois, plein de bonne volonté, il voulait m'éduquer et faire de moi autre chose qu'une fille de paysan. Il était sincère je pense, mais je n'ai pas pu m'habituer à ses manières ni à celles de sa femme. Lui était un ancien douanier à la retraite, pour arrondir ses fins de mois il était représentant en bijoux. Il allait dans tous les villages du Queyras pour y ramasser les montres ou les bijoux à réparer, il les donnait au bijoutier de Briançon et les ramenait à leur propriétaire la semaine d'après.

Ce n'était pas un mauvais bougre, s'il n'y avait eu que lui ! Mais il était marié à une femme méchante qui ne supportait pas les enfants. Ma vie avec elle fut un véritable cauchemar. Cette tante, qui passait le plus clair de son temps à parader avec ses bijoux, ne me laissait aucun répit. Pour une tache sur mon tablier, pour un accroc à ma robe, j'avais droit à des corrections magistrales... Je me souviens, j'aimais tellement jouer au ruisseau, pour moi c'était comme si je jouais à Val-des-Prés, sur les bords de la Clarée. Ces jeux simples et innocents, quelques gouttes d'eau sur mes vêtements, suffisaient à déchaîner son courroux. Elle était bien plus que méchante, elle était perverse. Ma tante prenait plaisir à me traîner chez les gendarmes pour m'y faire enfermer. C'était la punition suprême, elle m'amenait chez eux et elle leur disait : « Allez, mettez-la au cachot, elle a été vilaine. » Les gendarmes lui obéissaient, je ne sais pour quelles raisons, mais ils le faisaient, ils m'enfermaient à clef dans une pièce noire. J'en ai gardé une sainte horreur de ma tante, des gendarmes et des prisons.

Heureusement ça n'a pas duré. Au mois d'octobre mon père est venu me voir. Il n'était pas venu comme ça, pour le plaisir, mais pour la foire où il devait acheter une vache. Quand je l'ai aperçu, d'aussi loin que j'ai pu je me suis mise à crier : « Mon papa, mon papa », je sautais, je trépignais, rien n'aurait pu me retenir et quand il a été près de moi, je me suis accrochée à son pantalon et je ne l'ai plus lâché... La sensation a été si forte que j'en garde encore le souvenir physique, chaque fois que je repense à ce moment-là, je sens le gros velours côtelé qui roule sous mes doigts. Ma tante était exaspérée, elle ne pouvait pas me détacher de lui, pour passer mes vêtements je lui donnais une main et puis l'autre, jamais les deux à la fois, je ne voulais plus lâcher mon père. A la fin ma tante n'en pouvait plus, elle dit avec son air de pimbêche : « Mais Joseph, vous n'allez pas l'amener à la foire avec vous ? » Elle parlait à mon père comme à un paysan, comme à quelqu'un qui ne fait que travailler la terre alors qu'elle se prenait pour une dame. Mon père lui répondit, en patois évidemment : « Comment voulez-vous que je fasse autrement, vous voyez bien qu'elle ne me lâche pas ! »

Il m'a donc amenée avec lui à la foire de Guillestre. Mon père était réputé bon maquignon, il n'y en avait pas deux comme lui pour juger une bête. Du premier coup d'œil il en voyait les défauts et les qualités. Pour une vache il lui voulait belle encolure, les cornes fines, le poil soyeux et la queue, longue, devait descendre en dessous du jarret. Ce jour-là, tandis qu'il allait d'un lot à un autre, je ne le quittais pas d'une semelle. Il pouvait bien s'occuper des vaches, les toiser, les palper et quand il en avait une qui l'intéressait plus que les autres, s'accroupir et faire jaillir une giclée de lait, moi, je ne voyais que lui, tout le reste ne me concernait pas.

Normalement il aurait dû rentrer avec sa vache à Val-des-Prés, mais là, une fois qu'il eut fait son choix, il avait demandé aux autres paysans de la vallée s'ils voulaient bien ramener sa vache avec les leurs. « Moi il faut que je m'occupe de la petite, je dois la ramener avec moi », leur avait-il dit. Ainsi sa décision était prise. Mon oncle avait bien essayé de le faire revenir : « Mais que vas-tu en faire, lui disait-il, elle est bien jeune pour que tu t'en occupes ? » ; mais mon père n'avait pas cédé. « Je la ramène, je la ramène », répétait-il et l'oncle à bout d'arguments s'était résigné. « Bon, mais puisque tu l'amènes, promets-moi de lui parler français et de lui dire vous. N'oublie pas que je veux en faire une institutrice et, si tu continues à lui parler patois, je viendrai la reprendre. »

C'est ainsi que je suis revenue à Val-des-Prés, trois mois après en être partie. Au début, j'avais tellement bien enregistré les dernières paroles de mon oncle, j'avais tellement peur qu'il revienne me chercher que je suivais mon père partout où il allait. A la cave, au grenier, à l'écurie, aux champs, à la cuisine, où qu'il soit j'y étais aussi. Il acceptait même que je reste avec lui quand il allait aux cabinets, ce n'est pas rien quand on pense à ce qu'était l'éducation à cette époque, et moi, je n'arrêtais pas de lui dire : « Papa, ne me laisse pas, l'oncle va venir, mais je ne veux pas te quitter. »

Mon père acceptait tout de moi, à la fois père et mère, il n'était que prévenance à mon égard. A table, il m'asseyait à côté de lui, il triait ma viande et il me donnait ce qu'il y avait de meilleur dans son assiette. Le soir, il m'acceptait dans sa chambre, il me couchait avec lui et il me réchauffait, disant : « Si je n'étais pas là vous seriez vite morte », en français car, depuis notre retour il s'efforçait de me parler français et de me vouvoyer comme l'oncle le lui avait recommandé. Je crois que lui aussi ne voulait pas qu'on vienne me chercher, ni l'oncle, ni personne.

Mon père disait souvent : « Il faut rendre le bien pour le mal. » C'était un catholique convaincu et dans sa bouche ce n'étaient pas des paroles en l'air, ça voulait dire quelque chose. Non seulement il était croyant et pratiquant jusqu'à la dévotion, mais il mettait en pratique les principes de charité que prônait le curé dans son église. Pour beaucoup, ce n'étaient que des paroles, tandis que pour mon père, il s'agissait de tout autre chose, c'était sérieux et il ne manquait jamais une occasion d'agir selon les Evangiles.

Nous habitions une grande bâtisse, tout le monde l'appelait le « Château », sans ironie, ni malveillance, simplement c'était la plus grosse maison du pays. Elle est toujours debout et c'est toujours la plus grosse mais, aujourd'hui, plus personne n'y vit. De temps à autre, je l'ouvre pour y loger des amis de passage, un soir ou deux. Cet hiver j'y ai laissé des militaires s'y abriter du froid, ce n'est pas que je porte les militaires dans mon cœur, mais il faisait si froid que je n'ai pu résister, j'ai dit au capitaine : « Tenez, prenez les clefs et installez vos hommes, ils y seront mieux que dehors. » En principe ils devaient rester un jour et une nuit, ils y sont restés quatre. Cent bonshommes pendant quatre jours avec leurs chaussures à clous ! Ils m'ont laissé la maison dans un état ! quand j'ai vu ça j'en ai pleuré.

Cette maison a toujours été la maison du Bon Dieu, du temps de mon père déjà, peut-être même avant et, plus tard aussi, avec mon mari. Un de mes aïeux l'avait achetée pour une bouchée de pain, elle n'était même pas terminée. C'est vieux cette affaire-là, ça date du premier Empire. D'après ce que l'on m'en a dit, c'est un marchand italien qui l'avait fait bâtir. Ce bonhomme s'était enrichi dans le commerce des parapluies et il voulait se retirer ici, à Val-des-Prés. Malheureusement il s'était ruiné tout aussi vite en fournissant gratis des chaussures et des uniformes aux soldats de Napoléon. Il paraît qu'ils en avaient besoin. En tous les cas, quand il a fait faillite, il a bien été obligé de la revendre, et elle est devenue la maison familiale.

D'un bout de l'année à l'autre le « Château » était une maison ouverte, mon père y accueillait les marchands ambulants, les colporteurs, enfin tous ceux par qui se faisait le commerce et qui passaient par le village. L'arrivée d'un colporteur était tout un événement, aujourd'hui ça peut paraître dépassé, mais en ce temps-là pour nous, pour les enfants que nous étions, qui ne connaissaient du monde que le clocher de l'église, l'odeur de l'écurie et le sarclage des pommes de terre, le colporteur était tout un spectacle. Il en venait de toutes sortes, le marchand de graines, le mercier, le ferblantier, le marchand d'habits et le plus humble de tous, qui brandissait son inventaire sur un bâton en forme de candélabre, je veux parler du marchand de lacets. Tous savaient qu'il y aurait de la place pour eux et pour le cheval. Mon père recevait aussi les ramoneurs et bien d'autres encore, en fait, tous les voyageurs de passage pouvaient venir à la maison, ils étaient sûrs d'y trouver le gîte et le couvert. C'était ça notre maison, le « Château » comme ils disaient au village. Pourtant, il ne serait venu à l'esprit de personne de traiter mon père de châtelain, c'est à peine si parfois il nous arrivait à nous les filles d'être appelées les « demoiselles du château » ! Non, il s'agissait de tout autre chose que d'un titre. Mon père était un homme exceptionnel, il recueillait l'estime de tous et il était vénéré pour sa droiture et sa bonté.

Les filles de mon âge me le disaient souvent : « Mon Dieu, Emilie, tu as de la chance d'avoir un père comme ça ! » Elles m'enviaient, et moi je leur disais :

« Comment ! moi j'ai de la chance ? Je n'ai plus de maman et toi tu en as une, si tu appelles ça de la chance !

— C'est pas ça, me disaient-elles, il est tellement gentil ton père, ce n'est pas comme le nôtre... Lui, on en a peur tandis que toi tu lui dis tout ce que tu as envie de lui dire, et il t'écoute, il te comprend et il te donne ce que tu veux... Tu es moins à plaindre que nous qui avons père et mère, on ne peut jamais rien leur dire, quand ils vont à Briançon vendre le bois, ils reviennent les mains vides et à la maison on ne mange que de la tome sèche... Et puis ce n'est pas un ivrogne ! »

C'est vrai, mon père n'allait jamais au café, dans une commune où il y avait sept bistrots, un homme qui ne buvait pas, c'était rare. Il n'y avait que ça, le bistrot. C'est tout ce que les paysans avaient comme distraction et ils ne s'en privaient pas. C'était le seul remède contre l'ennui et la fatigue. On y jouait aux cartes, à la Mora et on y buvait. On y buvait même beaucoup. Le pire est que ceux qui buvaient ne s'en rendaient pas compte. Sous prétexte d'être des travailleurs de force, ils se croyaient autorisés à boire du vin en veux-tu, en voilà. « Un litre le matin, un litre à midi et un autre le soir, se disaient-ils, je ne suis pas un ivrogne pour autant, je peux encore aller boire un verre ou deux au café. » Cet alcoolisme ordinaire a pourtant fait bien des ivrognes, et ces ivrognes bien des malheureux. Dans ces cas-là ce sont les femmes et les enfants qui paient les pots cassés. Il y en a eu des drames, j'aurai l'occasion d'y revenir plus d'une fois. En plus, il y avait ce mépris des buveurs pour les autres... Ces hommes qui buvaient ne pouvaient pas s'empêcher de traiter ceux qui ne buvaient pas de « femmelettes ». Il n'y avait pas de terme plus méprisant que ce « femmelette », mon mari y avait eu droit et mon père aussi certainement. Ça voulait dire, incapable, moins que rien et faux jeton. Tout un programme.

Mon père avait les défauts de ses qualités. Je l'ai déjà dit, c'était un catholique rigoureux, un homme de l'ancien temps qui n'avait ni voyagé, ni lu. Pour lui ne comptaient que le travail, l'obéissance et le respect des traditions. Il était intransigeant sur les principes et il se méfiait du changement. Il n'était pas le seul, tous les vieux paysans avaient une méfiance maladive pour tout ce qui est nouveau, comme s'ils craignaient de se faire manger par le progrès. Mon père était de cette race-là. Mais au-delà il y avait sa bonté, sa grande et généreuse bonté, et j'en ai profité. Pendant les mois, pendant les années même qui suivirent la mort de ma mère je n'ai eu que ça. Peut-être que c'est une façon déformée de voir les choses, mais pour moi c'est une bonne déformation. Tout ne fut pas facile entre nous, il y eut des moments où je dus opposer mes idées aux siennes et, quelquefois, il a eu des mots qui font mal. Mais cela n'a jamais terni l'amour que j'avais pour lui et lui pour moi, je pense.

LES LOUPS DANS LA VALLÉE

Aujourd'hui on dit de Val-des-Prés, de la vallée de la Clarée : « Voilà le plus beau pays du monde ! » C'est vrai, je ne connais rien de plus beau, la montagne, la rivière, les maisons même, tout a été préservé. Avant la guerre de 14, on ne se souciait guère de beauté, et ce pays était le plus dur du monde. C'est cette dureté que j'ai connue et c'est elle qui a compté pour tous ceux qui ont vécu ici. Les conditions de vie des paysans étaient vraiment très difficiles, à cause de l'altitude, à cause du climat. Pendant six mois ou presque, le froid et la neige paralysent tout, la neige isole... Elle isolait. A l'époque il n'y avait ni chasse-neige, ni voiture, seulement des chevaux et des mulets avec des traîneaux et pendant l'hiver, nous étions coupés du reste du monde. Partagés entre un hiver trop long et un été toujours trop court, les paysans menaient une existence très rudimentaire. Ils passaient leur temps à se battre pour tirer du sol leur subsistance. Dès l'âge de six ans les enfants étaient obligés de participer à cette économie primitive, ils n'avaient pas le choix, ils devaient garder les bêtes, aller aux champs et accomplir les corvées ménagères. C'était la loi, durs au travail, âpres au gain, comme si à chaque instant le ciel allait leur tomber sur la tête, les paysans vivaient d'un bout de l'année à l'autre accrochés à leur terre. Ils avaient ça dans le sang et c'est encore vrai pour ceux qui aujourd'hui continuent l'agriculture. Cette vie difficile, outre l'endurance et la ténacité, développait chez eux des qualités plus contestables comme l'égoïsme, la méfiance et la suspicion. L'Eglise et le patriarcat les tenaient sous leur emprise. C'était le Moyen Age ou presque, un pays de montagnards qui ne connaissaient que le travail, la maladie et la mort.

Du travail et du pain, du pain et du travail, il n'y avait rien de plus important. A la fin de l'été, quand les récoltes étaient engrangées, les bêtes rentrées, le bois débité, les paysans cuisaient le pain. Ils le faisaient pour six mois, après ce n'était plus possible, la coutume voulant que le pain soit cuit collectivement dans un four communal et, passé novembre, le froid, la neige et le mauvais temps interdisaient ce genre d'activités.

Ces fours communaux étaient de taille respectable, il y en avaient plusieurs dans la commune, un aux Rosiers, un ici, à Val-des-Prés, et un autre à la Draille. Le jour de la Toussaint les paysans apportaient leur bois, chaque famille venait avec sa charrette et sa cargaison et ce bois était mis en commun et réparti en tas. Le premier, pour le démarrage, était énorme et les suivants chaque fois plus petits. La difficulté était de porter le four à la bonne température... Quand il était chaud c'était facile, il suffisait de l'entretenir, mais celui qui cuisait son pain en premier prenait le risque d'avoir un four insuffisamment chaud. C'est la raison pour laquelle, lorsque les tas de bois étaient prêts, pour éviter les discussions et les injustices, les paysans procédaient à un tirage au sort. Chacun tirait un numéro, c'était une loterie toute simple, des bouts de papier pliés dans un chapeau et le sort en était jeté : « Toi tu as le numéro un, toi le deux, toi le trois », et ainsi de suite jusqu'au dernier tas de bois. Celui qui tirait le numéro un était de corvée. C'est lui qui devait allumer le four et le chauffer. C'était un travail extrêmement pénible. Pendant dix heures et plus il fallait enfourner des stères et des stères de bois et cela sans jamais être sûr que le four soit à la bonne température. Ensuite c'était beaucoup plus facile, le four était rodé.

La tradition voulait que le numéro un, le « pas de chance » ait l'initiative du démarrage. C'est lui qui annonçait le jour et l'heure de la mise en route du four et, le lendemain ou le surlendemain, comme il avait été dit, il cuisait son pain. Les autres venaient après. Ces journées étaient tout à fait exceptionnelles, presque des jours de fête, tout au moins pour nous les enfants, car on ne faisait pas que du pain. Les femmes profitaient du four pour confectionner des gâteaux, des tartes et des tourtes au chou. On s'en donnait à cœur joie, chacun pouvant à sa guise modeler une forme de son choix avec la pâte avant de la faire cuire.

Je me souviens que mon père, pendant ces journées-là, était partout à la fois, au pétrin, au four, au grenier. En plus du pain de la famille il faisait le fournier pour ceux qui ne pouvaient s'en acquitter. Dans les villages il y a toujours des vieux ou des malades incapables de travailler, mon père s'en occupait. Il préparait leur pâte et il la cuisait, c'était tout à fait dans sa manière. Nous l'aidions, mes frères, mes sœurs et moi, comme nous pouvions. Lui pétrissait, nous, nous fabriquions les miches. Quand elles étaient suffisamment levées nous les placions sur de grandes planches recouvertes de son et nous les lui apportions. En général il était en train « d'escouber », c'est-à-dire qu'il balayait les braises avec des branches de sapin, ensuite, il prenait la pelle à enfourner et, d'un geste précis il projetait les miches que nous lui passions au fond du four. Le pain était cuit en une heure de temps.

Ce pain, qui devait durer tout l'hiver, nous le portions

au grenier, nous l'étalions sur d'immenses tréteaux suspendus et c'est là que nous allions le chercher au fur et à mesure de nos besoins. Evidemment il était aussi dur que du bois, pour le ramollir on en suspendait à l'avance quelques miches dans la bergerie, juste au-dessus des moutons. La chaleur et l'humidité l'attendrissaient un peu, mais ce n'était pas du pain frais, il s'en fallait de beaucoup et, du début à la fin de l'hiver, nous mangions du pain rassis. Pour le couper, nous avions un couteau spécial tellement il était dur, il éclatait en morceaux qui s'en allaient aux quatre coins de la cuisine. Mais c'était bon... Ce pain avait une odeur extraordinaire, et un goût ! Mes sœurs et moi nous nous disputions les croûtons, nous le sucions avec délice comme si ç'avait été du gâteau. Ce pain trempé dans du café au lait était un vrai régal.

Après le pain, c'était l'hiver. Les premières neiges viennent vite par ici. L'hiver apportait un changement complet dans la vie des paysans. Aujourd'hui, avec le chauffage, la télévision, les voitures et tout le reste, il n'y a presque plus de différences entre les saisons, mais à cette époque c'était la nuit et le jour. Dans les maisons les pièces froides étaient abandonnées, le seul chauffage était celui du bois et les poêles étaient encore rares. Pour se protéger du froid les familles se cantonnaient dans les pièces communes, dans la cuisine où il y avait la cheminée et dans l'étable où la chaleur des bêtes entretenait une température supportable.

L'hiver apportait un peu de répit dans la vie des paysans, cependant, hormis la traite et le soin des bêtes, mille choses restaient à faire : réparer les harnais, entretenir les outils, affûter les lames, filer la laine. On peut dire qu'avec l'hiver venait le temps des petits métiers. Chacun avait le sien, ébéniste, cordonnier, bourrelier, charron, vannier, tisserand, forgeron ; il y en avait même qui tricotaient des chaussettes. Ce n'est pas l'ouvrage qui manquait mais la vie était toute différente, c'était plus calme, plus détendu. Pendant l'été, au moment des récoltes les paysans couraient dans tous les sens, ils se battaient contre la pluie et l'orage et n'avaient pas un instant de répit. Après novembre cette fébrilité inquiète disparaissait, ils étaient plus tranquilles. Le temps lui-même était différent ; on ne courait plus après, il nous appartenait.

On vivait avec le jour et on mangeait tôt... Le soir après la soupe, les familles se réunissaient pour la veillée. Ces réunions se faisaient par affinité, chacun apportait sa chaise, son ouvrage, sa langue pour parler et ses oreilles pour écouter. Les veillées se tenaient dans l'étable... L'étable, c'était tout un monde. Dans un coin il y avait les vaches, dans un autre les moutons, plus loin le mulet. Outre l'odeur, la chaleur, on était éclairé par un unique quinquet suspendu au plafond. Il y régnait une atmosphère très particulière, les gens se regroupaient par catégories, les femmes dans un coin, qui n'arrêtaient jamais de faire aller leurs mains, tricotant ou filant la laine, les hommes dans un autre qui fumaient la pipe et écoutaient, et les jeunes entre eux. On bavardait, on chantait de vieilles chansons que tous reprenaient en chœur et on racontait des histoires. Quand on est petite fille, c'est quelque chose qui marque. J'écoutais émerveillée et terrifiée à la fois, ces récits venus d'un autre temps, du temps où les loups n'avaient peur de rien, où ils attaquaient les troupeaux et dévoraient les imprudents.

Première histoire de loup, racontée par mon père

«... Mon arrière-grand-père a eu maille à partir avec un de ceux-là, un de ces solitaires tout ce qu'il y a de féroce... C'était un soir comme celui-ci, pendant la veillée, il avait été pris par l'envie de faire sa crotte et il était sorti pour aller au « luou [1] ». En ce temps-là, c'était un endroit encore plus isolé et plus rudimentaire qu'aujourd'hui. C'était un simple trou dans la terre avec deux planches de chaque côté pour les pieds. On n'y restait jamais longtemps, surtout en cette saison-là. Il n'était pas installé depuis une minute ou deux, qu'il sentit lui tomber sur les épaules une grosse masse toute velue. Son sang ne fit qu'un tour mais, en même temps que ses cheveux se dressaient sur sa tête, il eut la

1. Luou, littéralement le lieu. Ce mot désignait familièrement la fosse d'aisance.

présence d'esprit de se saisir des deux pattes de l'animal, de les serrer autour de son cou et de se mettre à courir comme un dératé jusqu'à l'étable. Vous parlez d'une apparition ! Le pépé avec cette bête sur le dos et son pantalon en accordéon en bas des jambes. C'était d'un comique ! On n'a pas pris le temps de s'amuser, pas tout de suite ! Il a lâché le loup et celui-ci s'est mis à bondir dans le râtelier aux vaches. Il ne savait plus où il en était et les vaches non plus. Alors on a pris tout ce qui nous tombait sous la main, les houes, les tridents, les faux, les manches d'outils et on lui a fait son affaire. Mais, vous parlez d'une histoire, le grand-père avec son machin à l'air qui n'arrivait pas à se reculotter tellement il tremblait d'émotion. La bête morte on pouvait en rire et les femmes, qui n'en avaient jamais vu d'aussi près une aussi belle paire, n'arrêtaient pas de glousser et les autres de se moquer. Ça avait donné du piquant à la veillée. N'empêche que le grand-père l'avait échappé belle.

Deuxième histoire de loup, racontée par une femme

« Tu sais, Joseph, toutes les histoires de loup ne se terminent pas aussi bien. Je ne sais si tu te souviens de la petite Marie, celle qui vivait à la Calla. Elle n'a pas eu la même chance que ton grand-père... Tu penses, dans ce quartier personne ne pensait aux loups. Les maisons sont pour ainsi dire les unes contre les autres et pourtant tu vas voir ! Cette Marie habitait seule avec son bébé et chaque soir elle avait pour habitude de quitter la veillée pour aller lui donner son biberon. Après, c'était selon, des fois elle revenait pour finir la soirée avec nous, d'autres fois elle restait chez elle et se couchait. Personne n'y faisait attention. Cette fois-là, elle n'est pas revenue et on ne s'est pas inquiété outre mesure. Mais le lendemain matin ce fut une autre affaire. Voilà que les voisins de la Marie entendent le bébé pleurer. Ce n'était pas normal, et ils sont allés voir ce qui se passait. Ils ont frappé, ils ont appelé et comme personne ne répondait et que la porte était fermée à clef, ils ont bien été obligés de la forcer pour voir de quoi il retournait. Le bébé était seul, il était dans son berceau et il criait famine. Comme le lit de la Marie n'était pas défait ni rien, on sut tout de suite qu'elle ne s'était pas couchée. Elle avait disparu depuis la veille. Aussitôt les hommes ont organisé une battue et comme il avait neigé pendant la nuit ils ont tourné en rond un bon moment avant de la retrouver, enfin, ce qui en restait. C'étaient les loups. Ils l'avaient tirée en dehors du village, après les dernières maisons, sous le bois de la Casse. Il ne restait que des bouts de vêtements déchirés et des traces de sang, ils l'avaient traînée jusque-là avant de la dévorer. »

Troisième histoire de loup, racontée par une femme

« ... On l'appelait le violoneux. Il faisait toutes les noces, on l'invitait pour faire danser la jeunesse avec son crin-crin. Il n'y en avait pas deux comme lui pour la gigue. Après, au milieu de la nuit, il s'en retournait chez lui ; il emportait toujours des restes et des morceaux de tarte pour sa famille. Une nuit, comme il s'en revenait d'une de ces fêtes, il fut attaqué par une bande de loups, entre Val-des-Prés et les Rosiers. Vous parlez d'une rencontre ! mais lui non plus n'a pas perdu la tête. Sans s'arrêter de marcher il a commencé par leur jeter toute la mangeaille qu'il ramenait de la noce, mais ce n'était pas grand-chose et les loups n'en ont fait qu'une bouchée. Alors le bonhomme a pensé à son violon. Tu parles d'une idée ! Mais il ne voulait pas se mettre à courir « si je cours, qu'il se disait, ils vont me sauter dessus ». Alors il a gardé le même pas et il s'est mis à jouer. Il a joué n'importe quoi, il tirait de son violon tout ce qu'il pouvait, à en faire péter les cordes. Ça a fait un tel raffut que les loups se sont écartés. Mais ça n'a pas duré bien longtemps, au bout d'un moment ils sont revenus à la charge, ils avaient compris le manège et plus il raclait sur ses cordes, plus les loups s'approchaient. Il a quand même tenu jusqu'à la chapelle du Rosier, il n'a eu que le temps d'ouvrir la porte et de la refermer. Une fois dedans, comme il n'y avait ni serrure ni loquet, il est resté toute la nuit à la tenir tandis que les loups, de plus en plus furieux, grattaient de la patte et poussaient de la gueule. Ce n'est qu'au petit matin que le violoneux a été libéré, il peut dire qu'il a eu chaud au pantalon lui aussi.

J'en ai entendu des histoires comme celles-ci, c'est à croire que les paysans avaient vraiment été marqués par les loups. Autrement pourquoi en auraient-ils parlé autant ? Ils ne parlaient pas que de ça évidemment, mais les histoires de loups revenaient comme un refrain dans une chanson. Si j'en parle, c'est qu'aujourd'hui encore dans les villages de la région, la présence du loup et de tout ce qui va avec, n'est pas complètement morte. Les gens gardent encore la crainte des loups, qu'il y en ait ou pas, peu importe. A la moindre alerte ils pensent aux loups. Je me souviens lorsque j'étais institutrice ici à Val-des-Prés — je parle des années 40 —, j'avais comme élève une petite fille qui venait depuis les Alberts. C'est un hameau qui se trouve à trois kilomètres, c'était tout petit, si petit qu'il n'y avait plus assez d'enfants pour y ouvrir une école. Eh bien, son père n'a jamais voulu qu'elle vienne seule, il préférait payer une pension pour qu'elle reste chez moi, par peur des loups. Ici, ils ont tous des moutons, ce sont tous des bergers et, pour eux le loup c'est l'esprit du mal, c'est le voleur de moutons.

Il y a quelques années de ça, des chiens sauvages s'attaquèrent aux moutons. Malgré les articles dans les journaux, malgré les informations, personne ici ne voulait croire aux chiens sauvages, ils ne parlaient que de loups. Un jour un paysan descendit de la montagne tout excité, il en avait aperçu un. « J'en ai vu un, j'en ai vu un », criait-il à travers tout le village, tout le monde l'avait cru et cette fois-là encore les hommes étaient partis pour la battue aux loups. Quand ils revinrent ils en avaient attrapé un, c'était un chien sauvage, pas un loup.

Mon père n'avait pas de second métier. Au contraire des autres paysans il n'était ni menuisier, ni tanneur, ni rien. L'hiver il s'occupait bien de la maison mais uniquement pour lui. C'était un cultivateur et, comme la terre est avare, qu'elle ne suffit pas à nourrir son monde, il était cultivateur et contrebandier.

Je voudrais bien me faire comprendre... Mon père n'était ni un bandit, ni un voleur. Etre contrebandier, faire de la contrebande de moutons entre l'Italie et ici, ce n'était pas être malhonnête. Il ne serait jamais venu à l'esprit de mon père de faire quelque chose de sale, mais dans l'économie paysanne, à cette époque, subvenir aux besoins de la famille c'était forcément avoir plusieurs cordes à son arc. Et puis, pour un paysan, même pour un homme comme mon père, très rigoureux sur les principes, il existait un vieux fond de révolte contre l'Etat. La plupart des paysans respectaient les traditions, l'autorité, mais, quand ils le pouvaient, ils ne manquaient jamais une occasion pour s'arranger avec la loi. Pour les montagnards aussi, l'Etat était le premier des voleurs et, à leurs yeux, il n'y avait aucune malice à le rouler. Alors, comme il était excellent berger, qu'il connaissait la région comme sa poche, qu'il parlait couramment les patois qui se parlent des deux côtés de la frontière, chaque année il allait en Italie acheter des moutons et il les ramenait en France pour les vendre. Ça faisait un bon bénéfice. Ces randonnées ne pouvaient se faire qu'au printemps, après la fonte et il ne les faisait pas seul, il se faisait aider par d'autres paysans comme lui. Ces voyages étaient de véritables expéditions. Pour éviter les douaniers ils devaient passer par des endroits impossibles, suivre les crêtes et prendre des cols où normalement personne ne s'aventure jamais. C'est lui qui me l'a raconté : « C'était toute une affaire, il fallait tout combiner de façon à se faire remarquer le moins possible. Ici, dès que tu fais un pas en dehors des habitudes tout le village le remarque et, je vais te dire, ces histoires de contrebande ce n'est pas de la plaisanterie, parce que si on te prend, tu es bon comme la romaine. Non seulement les douaniers te confisquent le troupeau, mais encore tu as droit à une amende et tu risques de faire de la prison. Il fallait bien calculer son coup et tromper son monde de manière à ce que les langues ne se mettent pas à raconter n'importe quoi... Ensuite, ces voyages devaient correspondre avec des foires, tout au moins une foire de la région. Tu comprends pourquoi ? Tu partais les mains vides et tu revenais avec cent, cent cinquante têtes et tu n'avais qu'une chose à dire pour répondre aux questions des uns et des autres : "Je les ai achetées à la foire à tel endroit", mais il fallait que ça corresponde. C'est ce que nous faisions... avec les copains on préparait bien notre plan, chaque détail, avec les dates et les trajets et, sauf accident, on s'y tenait. C'est grâce à ça qu'on ne s'est jamais fait prendre. Moi je partais d'ici, je disais "je m'en vais à la foire et je serai absent quelques jours", ou bien je ne disais rien du tout et je partais pour l'Italie en passant par Montgenèvre et Clavières. Une fois en Italie j'étais tranquille, on se retrouvait avec les compères et on allait faire nos achats. Ça pouvait nous mener loin, ça dépendait des années... Des fois on trouvait tout de suite nos cent et quelques bêtes, d'autres fois il fallait remonter plus haut. Une année je suis allé jusqu'à Rivoli pour trouver des moutons, ça fait une trotte, plus d'une semaine, c'est long ! Ça aussi c'était une astuce, on se relayait à trois ou à quatre, comme ça l'absence de chacun était réduite au minimum et les douaniers n'y voyaient que du feu. Ils se doutaient bien de la chose... Tu sais, ta mère, ses trois frères étaient douaniers et ils étaient les premiers à vouloir me tomber dessus. Forcément ! Ils en avaient assez de s'entendre dire par leurs supérieurs "alors, vous le laissez tranquille le Joseph parce qu'il est marié avec votre sœur", ça leur hérissait le poil et je crois bien qu'ils auraient fait n'importe quoi pour me prendre la main dans le sac. Ils étaient drôles ! Après quand j'étais de retour, ta mère me racontait leurs visites, ils venaient à tour de rôle à la maison, le premier arrivait et il demandait :

« — Où il est Joseph ?

« Ta mère lui répondait : — Ben, il est là-haut, il fait du bois.

« — Ah ! disait l'autre, il fait du bois ! il est toujours à faire du bois alors ?

« — Ben oui, il est au bois, il nous faut du bois, qu'elle lui disait.

« Le lendemain il en arrivait un autre et lui aussi voulait savoir où j'étais : "Ah ! il est au bois ! curieux non qu'il soit encore au bois ?" Ta mère haussait les épaules, elle savait qu'ils ne pouvaient rien faire, ils ne pouvaient pas connaître ni le jour, ni l'endroit, ni rien. Quand le troisième venait à son tour, j'étais là, j'avais fait mes achats et j'avais mené les bêtes jusqu'au-dessus de Plampinet où les copains m'avaient relayé.

« — Ah ! il est là, Joseph ! s'exclamait le beau-frère en écarquillant les yeux.

« — Ben oui, je suis là ! que je lui disais, où crois-tu donc que j'étais ?

« Il s'en retournait à la douane pour y faire son

rapport : "Non, non, mon beau-frère est tranquille, il est chez lui, j'y suis allé et je l'ai vu." C'est tout ce qu'il pouvait leur dire. Pendant ce temps les copains continuaient de faire aller le troupeau. Le plus difficile était de passer la frontière. Les douaniers qui nous cherchaient avaient des chiens, c'était une aubaine parce que les aboiements nous avertissaient de leur présence et on restait du côté italien, jusqu'au moment où il n'y avait plus personne. Alors, on faisait le saut, la nuit de préférence et on continuait notre route côté français en longeant la frontière, au cas où... On passait par les Acles, par les Thures au pied des Rochilles du Thabor, on faisait le détour jusqu'à la montagne de Névache et là, un troisième copain prenait le troupeau. Il redescendait par la vallée de la Guisane, le Monestier, en passant par le col de Buffère. Après, ce n'était plus qu'un jeu d'enfant, il fallait faire l'entrée par Briançon et là, comme je te l'ai dit, il suffisait que ça corresponde avec une foire dans le pays. »

Ce manège s'était prolongé pendant des années. C'est mon père qui prenait les initiatives, c'est lui qui avançait l'argent. A l'automne, il allait dans les foires pour y rencontrer ses amis, il les choisissait pour leurs compétences de montagnard et de maquignon, ensemble ils préparaient leur coup.

« Bon, c'est d'accord, moi je t'avance l'argent, je te prends vingt têtes et tu me relaies au col de Dormiouze.
— D'accord ! »

Ils topaient là et le marché était conclu.

De cette époque, mon père parlait avec émotion, c'était sa jeunesse. Je crois qu'il regrettait ces randonnées à travers la montagne... A cette saison de l'année la nature est en plein épanouissement, il faut l'avoir vu une fois pour se faire une idée de ce que c'est, des fleurs partout, l'herbe éclatante, marcher dans cette nature est unique. Il devait regretter les palabres avec les paysans italiens et aussi ces longs retours de nuit, en poussant le troupeau à la recherche d'un passage où les douaniers ne seraient pas parce qu'ils ne pouvaient pas imaginer qu'ils passeraient par là. « Il a bien fallu que j'arrête, me disait-il encore, ça devenait trop dangereux. La dernière fois j'ai bien failli me faire prendre. C'était à la Vachette, je suis tombé sur les douaniers et, pour une fois, on avait pris du retard et il n'y avait pas de foire. Tu te rends compte ? Qu'est-ce que je pouvais leur dire ? Rien. C'est une femme qui m'a sauvé la mise, elle est venue vers moi et, avant que les douaniers aient pu me demander quoi que ce soit, elle m'a dit : "Hé ! Joseph ! as-tu vu mon homme à la foire de Saint-Crépin ?" C'était une maline... Je n'ai jamais su pourquoi elle avait fait ça mais avec sa phrase elle avait éclairé ma lanterne : il y avait la foire à Saint-Crépin. Quand les douaniers sont venus tourner autour du troupeau je savais quoi leur répondre. Le chef m'a dit :

« — Comment ! vous ne pouvez pas arriver de Saint-Crépin à cette heure ?

« — Mais si, que je lui ai répondu, pourquoi pas ? j'ai acheté ces bêtes dans les écuries hier soir et je suis parti à la nuit tombante, nous avons marché toute la nuit.

« L'autre douanier m'a dit à son tour :

« — Regardez celui-là, et cet autre, ce ne sont pas des moutons de Saint-Crépin, ils ont la laine beaucoup trop longue.

« — Bah ! que j'ai dit, je n'en sais rien, ce que je sais c'est que je les ai achetés à la foire de Saint-Crépin.

« Ils pouvaient croire ce qu'ils voulaient, ils ne pouvaient rien prouver. Laine d'Italie ou pas, j'étais sauvé. Mais cette fois-là j'avais eu chaud, si chaud que c'est ce jour même que j'ai décidé d'arrêter. Tu te rends compte des risques que j'encourais ? Sans compter que c'était moi qui avançais l'argent pour les autres, toutes mes économies, et je n'avais de chance d'être remboursé par les compères que lorsque nous revendions les bêtes, à l'automne. C'est vrai, je doublais ma mise chaque fois, c'était tout bénéfice, mais à la Vachette j'avais eu trop peur pour me risquer une fois encore. S'il n'y avait pas eu cette bonne femme j'aurais eu droit à la prison. J'ai considéré ça comme un avertissement du Ciel et j'ai arrêté. Ce trafic-là avait duré pendant plus de seize ans. »

Le travail c'était la vie. Je dis c'était, mais aujourd'hui qu'y a-t-il de plus important ? Rien. Il suffit de lire les journaux ou de regarder les informations, on ne parle que de ça. Plus d'un million de gens sont à la recherche d'un travail et ceux qui nous gouvernent n'ont que ce mot-là à la bouche : le chômage, la réduction du chômage ! C'est notre société qui veut ça. Pour moi, un homme qui n'a pas de travail, qui n'a pas le choix de son travail, est un homme diminué.

Un paysan qui fait une mauvaise récolte ou bien qui perd ses bêtes est un homme ruiné. C'est vite arrivé ces choses-là, un rien suffit. En 1906, il y eut une sécheresse terrible, il n'y avait plus ni herbe, ni eau, tout était sec et les bêtes mouraient comme des mouches. Mon père tuait les moutons à la file, ils étaient maigres comme ce n'est pas croyable, mais il les tuait avant qu'ils ne tombent malades et nous, nous allions à Briançon les vendre en faisant du porte à porte. Un gigot par-ci, une épaule par-là, c'était autant qui n'était pas perdu. Ceux qui n'avaient pas de bêtes ou bien ceux qui s'y étaient pris trop tard qu'est-ce qu'il leur restait ? rien d'autre que leurs yeux pour pleurer. Dans ces cas-là les paysans n'avaient plus qu'à serrer les dents en même temps que la ceinture, ou bien voler, ou mendier. Voler passe encore, mais mendier, ou tout simplement demander assistance, c'était une autre affaire. Il ne serait jamais venu à l'esprit de personne d'aller chez le voisin pour demander quelque chose, ça jamais ! Par fierté, par orgueil. Moi j'appelle ça de la bêtise, mais c'était ainsi.

Pour un homme le seul moyen de ne pas être dans la misère, c'était de travailler... A l'époque il n'y avait ni assistance chômage, ni allocations, ni sécurité sociale, ni rien. Le jour où, pour une raison ou pour une autre, le travail venait à manquer, l'homme était acculé aux pires extrémités. Dans le village il y avait deux paysans qui vivaient ainsi, dans un état de pauvreté permanente, le père et le fils... On les appelait les deux barbus, ils ne se rasaient plus depuis des années, ils étaient hirsutes, ils étaient laids et ils étaient sales comme des poux. C'étaient deux hommes qui ne s'entretenaient vraiment plus. Leur pauvreté... Ils avaient bien un peu de terre, mais si peu ! ils étaient si démunis qu'ils n'ont jamais eu de quoi s'éclairer, même pas une simple lampe à pétrole et ils vivaient comme ça, ils se couchaient avant que la nuit ne tombe et ils se levaient avec le soleil. Ces deux-là, tout misérables qu'ils étaient, lorsque quelqu'un voulait leur donner un coup de main ou les aider, il fallait user de ruses de Sioux pour y parvenir. Je me souviens, mon père avait réussi à leur faire accepter des chemises de chanvre. Ils n'avaient rien à se mettre sur le dos, ils étaient habillés comme des clochards et leur seule richesse était un âne, mais quel âne ! une bête si maigre, si ridicule que chaque fois que je la rencontrais je me demandais comment elle tenait encore debout. C'était un âne tout petit, lorsque le bonhomme était dessus ses pieds touchaient par terre, on aurait dit une caricature de Sancho Pança, mais un Sancho Pança famélique et repoussant. Eh bien, ces deux hommes qui vivaient comme des serfs du Moyen Age avaient accepté les chemises de mon père. Je ne sais pas comment il s'y était pris, certainement qu'ils lui avaient donné quelque chose en échange, sinon ils n'auraient pas accepté, ils étaient fiers, ils ne voulaient être redevables de rien envers personne. Un jour, l'institutrice m'appelle. Elle avait fait une ratatouille et il lui en restait, il lui en restait même beaucoup et, comme dans le village tout le monde savait que les deux barbus ne mangeaient pas toujours à leur faim, elle voulait leur en faire profiter. « Emilie, me dit-elle, vous qui les connaissez un peu, allez donc leur porter cette ratatouille, ça leur fera plaisir. »

J'y suis allée, je ne pouvais pas leur dire que la ratatouille venait de chez nous, ça, c'était sûr qu'ils n'auraient jamais accepté, parce que nous étions du même pays, alors je leur ai dit la vérité, je leur ai dit : « Mme Roman vous envoie cette ratatouille.

— Hé ! me répondit le père en patois, me foutai pa ma de la ratatouil, io ne pas besoun de sa ratatouil, raporte lou ! »

Il n'en a pas voulu, j'ai été obligée de la ramener chez l'institutrice et bien sûr elle ne comprenait pas, elle était furieuse et vexée. Mais pour ces hommes-là il n'y avait rien à faire, ils préféraient avoir faim plutôt que d'accepter l'aumône et que ça se sache. C'était ça la mentalité de par ici, la leur et celle des paysans de la vallée.

Plus récemment, il y a eu cette histoire du pendu... Je n'ai pas l'intention de me complaire dans le misérabilisme, ce n'est pas ça, il s'agit de parler franc. Cacher cette misère serait plus criminel encore. Au printemps le garde forestier trouva un pendu dans le bois du Rosier. Le bonhomme avait dû se passer la corde au cou juste avant l'hiver et quand le garde était tombé dessus, il n'était pas beau à voir. Cent fois gelé, les bêtes en avaient mangé des morceaux. Ils l'ont descendu et ils l'ont porté à la mairie. Ce n'était pas un homme de la région, personne ne le connaissait, ils l'ont fouillé pour savoir qui il était et d'où il venait. Dans ses poches ils ont trouvé un carnet, un petit carnet avec une couverture en toile cirée noire et quatorze sous. C'est tout ce qu'il avait avec lui. Dans ce carnet l'homme avait noté tous les endroits, toutes les entreprises où il était passé pour demander du travail... « le tant, je suis passé à Manosque à tel endroit, pas de travail... le tant, je suis passé à Gap, pas de travail, le tant à Largentières, pas de travail », il y en avait une dizaine comme ça, peut-être plus, avec chaque fois la même annotation : « Pas de travail. » Ça, c'est une des choses qui m'ont toujours révoltée, je trouve inacceptable qu'un homme ne puisse pas trouver du travail quand il le veut. Comment parler de progrès ou d'humanité ? Comment oser parler de Liberté, d'Egalité ou de Fraternité ? C'est du vent ! tant qu'un homme ne peut choisir son métier, tout le reste c'est du vent... eh bien, cet homme, qui ne venait de nulle part, qui ne connaissait personne dans le pays, avait préféré se pendre, sans rien dire, sans chercher du secours, plutôt que de quêter en vain un travail et de vivre sans pouvoir subvenir à ses besoins. Il avait sa fierté lui aussi, une sacrée couche de fierté pour en arriver là. On le sut plus tard, il avait de la famille, une sœur qui aurait pu l'aider, mais il n'avait pas voulu être une charge, ni pour sa sœur, ni pour personne d'autre. Il avait préféré aller au fond d'un bois pour s'y pendre, en se cachant, comme un voleur.

L'histoire de cet homme n'est pas exceptionnelle, les suicides étaient fréquents, chez les hommes surtout, il y en avait beaucoup plus qu'aujourd'hui. Dans notre cimetière il y a toujours eu ce que l'on appelle ici, la fosse commune, le coin des noyés et des pendus. C'est là qu'on les mettait. Ils étaient si durs, ils étaient si fiers que jamais ils ne se plaignaient, jamais ils ne disaient quoi que ce soit sur leur misère mais, quand ils en arrivaient à ne plus pouvoir la supporter, que ce soit l'ennui, la solitude, la pauvreté ou tout simplement la fatigue, ils se pendaient ou ils se jetaient à l'eau. Des fois ils laissaient un mot pour s'expliquer, des fois rien et chacun pouvait imaginer ce qu'il voulait.

Je connais un autre exemple, celui d'un homme qui n'a pas eu d'autre possibilité que de se tuer parce qu'il ne trouvait pas de travail. C'est d'autant plus terrible que cette fois il s'agissait d'un vieillard, d'un homme qui avait travaillé toute sa vie dans la même entreprise, de vingt ans à soixante-dix ans, cinquante années de « bons et loyaux services ». Au terme de ce contrat — c'est l'entreprise qui l'avait rompu — on lui avait même décerné une médaille... Ça a même été une des premières médailles du travail qui a été donnée en France. Quelle dérision ! Quand il était sorti de là, après un verre de mauvais champagne et une poignée de main du patron, il ne lui restait plus rien que cette médaille en métal doré. Il n'était pas question de retraite à l'époque, licencié, le vieux était sans ressource. Le bonhomme a commencé par faire le tour de ses enfants, il se disait « peut-être qu'ils pourront me prendre avec eux, ils sont jeunes, ils ne peuvent pas tout faire et je pourrai les aider, comme ça je ne serai pas à charge ». Il se faisait des idées, mais tout de même il y est allé... Il est resté discret, très discret même, sans avoir l'air de demander quoi que ce soit, disant qu'il passait comme ça, pour faire une visite. Tout ce qu'il voulait, c'était un endroit où se caser, un lit, un bol de soupe en échange des quelques services qu'il pouvait rendre dans une maison. Il a bien fallu qu'il se rende à l'évidence, partout où il passait chez ses enfants, il manquait dix-neuf sous pour faire un franc. Il ne pouvait être qu'une charge, alors il s'en est retourné, il est revenu dans son pays natal et il s'est mis à chercher du travail. Comme il taillait très bien la vigne il a trouvé une place de tailleur de vigne dans une propriété. De chez lui à son travail il y avait sept kilomètres, à faire matin et soir. A cet âge-là on se fatigue vite et le rendement est moins bon que chez les jeunes. Malgré son expérience, ses nouveaux patrons ne l'ont pas gardé, au bout d'une semaine ils lui ont dit : « Avec votre âge et les déplacements, c'est trop dur pour vous, on ne peut pas vous garder. » Ils l'ont payé et ils l'ont remercié. Rentré chez lui le vieillard a pris la décision de se tuer. Il a laissé un mot qui disait : « Je n'ai pas de travail, je suis trop vieux, mes enfants ont trop de difficultés, je serais une charge pour eux, ce n'est pas ma médaille du travail qui me nourrira, alors je préfère me supprimer. » Il s'est pendu lui aussi.

Des drames comme ceux-là, il y en avait beaucoup dans les villages de montagne. Je crois que chaque paysan traînait avec lui ce spectre de la misère, qu'il en redoutait l'apparition soudaine dans sa propre vie... Une maladie pouvait décimer le troupeau, la pluie détruire la récolte, le feu anéantir la maison. Cette crainte qu'ils avaient depuis toujours était à l'origine de leur opiniâ-treté au travail et de leur âpreté au gain.

Mon père n'échappait pas à cette loi. Dans sa famille ils étaient paysans de père en fils depuis des générations, des gens pour qui la terre était tout. Dès l'enfance, tous les jours qu'il avait traversés, tous les gestes qu'il avait faits n'avaient pas eu d'autre raison d'être que de préser-ver ce qui avait été acquis et de faire fructifier le patri-moine. Pour lui, il était impensable que quelqu'un ne travaille pas, sur ce chapitre il était inflexible jusqu'à l'intolérance. Seule l'interruption dominicale était tolé-rée, et encore ! Il y eut des dimanches où on allait travailler comme les autres jours. La messe terminée on rivalisait de vitesse avec l'orage, nous changions nos vêtements du dimanche contre les godillots et les robes de travail et nous allions ramasser le foin, lier le blé en gerbes ou récolter les lentilles. Personne ne pouvait échapper à ce code immuable du travail, dès le plus jeune âge il fallait être utile et rapporter. J'en ai fait l'expérience tout comme mes frères et mes sœurs. J'étais pourtant sa préférée, je peux même dire que mon père me chérissait tout particulièrement, mais cela ne chan-geait rien à la chose. Pour lui, il n'y avait aucune contra-diction, il n'en voyait pas, ça j'en suis persuadée. A sa bonté et à sa générosité s'opposait cette rigueur de moine. Il était ainsi, c'étaient les deux faces d'une même pièce.

A cinq ans mon père m'attacha sur un mulet et je partis avec, seule avec une grande. C'est comme ça que j'ai commencé, bien malgré moi.

Comme la plupart des familles de Val-des-Prés nous avions des terres et un chalet à Granon. Granon c'est une montagne au-dessus du village, pour y accéder nous grimpions à travers la forêt un sentier escarpé. L'été, lorsque l'herbe était fauchée, séchée et râtelée, nous la mettions en tas dans des trousses que nous ramenions au village à dos de mulet. C'était un travail long et pénible, surtout pour la bête qui montait du matin au soir. Dans la journée c'était mon père ou un de mes frères qui faisait les voyages, mais le soir, après la dernière descente, quand le mulet se trouvait déchargé, le travail n'était pas terminé. Pourtant le miaule [1] n'en pouvait plus, après ses deux ou trois voyages, des fois quatre, il n'aspirait qu'à une chose, rentrer à l'étable, manger son foin et dormir. Mon père ne l'entendait pas de cette oreille, il voulait que le mulet remonte une dernière fois pour être sur place le lendemain matin, pour lui c'était autant de gagné. Là-haut il y avait une écurie et une de mes sœurs qui attendait dans le chalet. C'était un problème que de faire remonter cette bête à Granon. Crevée comme elle était, elle ne voulait rien entendre et il n'était pas question qu'elle y aille seule ou que mon père reparte avec. Alors il me prenait, il m'installait sur le dos du mulet et il m'attachait solidement avec des cordes. J'étais ficelée comme un vulgaire paquet pour ne pas tomber au cas où je m'endormirais. Une fois installée, mon père donnait un coup sur la croupe et nous partions. C'était le soir et, pour aller là-haut, il fallait compter deux bonnes heures.

Aujourd'hui il y a une route, mais à l'époque ce n'était qu'un sentier de montagne, c'était très escarpé et le mulet ne se pressait pas. A chaque embranchement il s'arrêtait et il attendait. Il connaissait la route mais dans sa tête de mulet il devait se dire : « Si je peux je ne vais pas plus haut, je ne fais pas un pas de plus » et il restait sans bouger. C'étaient les paysans qui redescendaient qui le remettaient en route. Lorsqu'ils nous croisaient ils lui donnaient un coup de bâton et le mulet repartait du

1. Miaule : mulet.

même pas fatigué. Moi je me laissais porter, tantôt je m'endormais, tantôt je me réveillais, autour de moi c'était la forêt, les mélèzes, les sapins et la nuit qui gagnait. Mais je n'avais pas peur... je n'avais qu'une envie, c'était d'arriver et de me coucher. Quand enfin on parvenait au sommet, il pouvait être n'importe quelle heure, ça dépendait du mulet et de ses hésitations et il faisait nuit noire. Le mulet s'arrêtait devant la porte du chalet, il hennissait jusqu'à ce que ma sœur sorte et vienne me détacher. Elle me prenait dans ses bras, me portait à l'intérieur... Souvent, je n'avais même pas la force de manger, j'étais percluse de douleurs, j'avais mal partout, dans les épaules, dans les reins, dans les jambes, c'étaient les cordes qui m'enserraient. Ma sœur me couchait et je m'endormais comme une masse.

PORTRAIT DE FAMILLE

Quelqu'un dit à mon père : « Joseph, ta dernière qui est en nourrice ne va pas comme il faut, la femme la néglige, elle a de lait juste le nécessaire, elle nourrit la sienne en premier et la tienne n'a droit qu'à ce qui reste. Tu ferais bien d'y faire un tour avant que la Marie-Rose ne dépérisse de trop. »

C'était très peu de temps après la mort de ma mère. Mon père était encore un homme abattu, il était incapable de voir les choses clairement. Quand on lui annonça la nouvelle, il l'accepta comme un nouveau coup du sort. Plutôt que de prendre son bâton pour aller voir ce qu'il en était, il se résigna au pire et il se demanda s'il n'était pas temps d'aller chez l'artisan pour commander le petit cercueil. Ce sont mes deux sœurs qui se sont révoltées contre lui. A son découragement — comme pour moi un peu plus tard, il avait juste dit « si elle meurt on l'enterrera » — elles avaient opposé leur détermination.

« Hé ! lui dirent-elles, avant de parler ainsi, allez donc voir comment elle se porte et comment sont ses affaires avec la nourrice. » Cette nourrice n'avait ni mauvaise, ni bonne réputation. C'était une fille mère, elle était de

Névache à une dizaine de kilomètres de chez nous et, à la mort de ma mère, quand il avait fallu trouver quelqu'un pour s'occuper de Marie-Rose, il ne s'était proposé que celle-là. Elle venait d'avoir un enfant, elle avait du lait et elle était d'accord. Mon père est donc parti pour Névache. Quand il est arrivé chez la nourrice il trouva notre sœur qui n'allait ni bien, ni mal, elle était peut-être un peu chétive, mais c'est tout. Elle n'était pas à l'article de la mort comme les bonnes langues du pays se complaisaient à le colporter... Les gens sont terribles, ils ne peuvent s'empêcher de prendre un malin plaisir à faire circuler les mauvaises nouvelles. Pourtant, il voulut en avoir le cœur net, et il exigea de la jeune femme qu'elle donne le sein à Marie-Rose sur-le-champ. Il resta jusqu'à ce que ma sœur soit rassasiée, à la fin elle eut un gentil sourire. Mon père dit à la fille : « Si vous n'avez pas assez de lait pour deux, que diable, achetez-en, faites des biberons si nécessaire mais ne la laissez pas dépérir et mourir de faim, nous ne sommes pas à quelques sous près ! »

Quand il est reparti l'affaire était arrangée. Après tout, peut-être que toutes ces rumeurs n'étaient que des médisances ? Peut-être pas ? c'était difficile de savoir. De ce jour pourtant les bruits qui couraient sur la fille cessèrent et Marie-Rose profita normalement. Je n'ose imaginer ce qui serait advenu d'elle si mon père avait suivi son premier mouvement, en supposant qu'il ne soit pas allé voir la nourrice. Aujourd'hui ça peut paraître incroyable et pourtant c'était ainsi, je l'ai déjà dit : la vie d'un enfant ne pesait pas lourd.

Ceci dit, des enfants, il y en avait tellement ! Il en venait beaucoup plus qu'il n'en était désiré. Avant 14, dans toutes les familles, on comptait au moins six ou sept gosses. C'était un minimum, beaucoup en avaient dix et plus... Il n'y avait ni contrôle ni rien. Dès leur mariage les femmes en avaient un pratiquement chaque année. Dans un pays pas loin d'ici on a même eu un record, les exploits de celui que j'appelle « l'irresponsable » pour ne pas le nommer. Cet homme eut d'abord une première femme, il l'avait prise quand elle avait dix-huit ou vingt ans et il lui avait fait des enfants jusqu'à ce qu'elle en meure. Elle en eut treize et mourut en couches à l'âge de trente-trois ans. Après cela il prit une seconde femme et il en eut dix autres. Vingt-trois gosses en tout ! C'est peut-être un record mais c'est aussi un crime, quand on pense aux conditions de vie qu'ils avaient... Dès qu'ils étaient en âge de s'en aller travailler, il les chassait de chez lui.

Quant au lait, c'était aussi un problème. Il y avait ceux qui avaient des vaches et les autres. Ne pas posséder une vache était le signe d'une grande pauvreté, dans ce cas pour avoir du lait il fallait l'acheter et pour certains ce n'était pas toujours évident. Le cas de la nourrice et de mon père qui, chacun à sa façon, avaient pu concevoir qu'une petite fille meure de faim, n'était pas une exception. Des enfants sont vraiment morts de ça. Il y a eu le cas d'une femme, ici, à qui cette monstruosité est arrivée... Un ménage mal assorti où l'homme buvait et où tout manquait. Quand je dis tout je veux parler de l'essentiel, le pain, le bois pour se chauffer et bien sûr le lait. Cette femme avait des enfants et elle se débrouillait comme elle pouvait pour les nourrir. En général elle envoyait sa fille aînée chercher le lait, un sou, deux sous, je ne sais plus combien cela coûtait et, les jours où les choses étaient au plus mal, quand il n'y avait plus d'argent dans le porte-monnaie, la fille s'en allait tout de même avec sa bouteille pour la faire remplir. Ce qui est lamentable dans cette histoire c'est que la fillette allait chez des cousins pour prendre son lait, c'est elle qui, beaucoup plus tard, m'a raconté ce qui s'était passé. Ces cousins étaient des gens qui avaient tout ce qui leur fallait, ils ne manquaient de rien... Un soir elle s'était présentée à l'étable avec sa bouteille et l'homme était là. Lui c'était plutôt un bon bougre, il avait pris la bouteille et il l'avait remplie sans discuter, mais la femme qui se trouvait dans son lit, dans la pièce à côté, avait entendu le bruit. Elle demanda :

« Qui est là ?

— C'est la petite Julie, répondit l'homme.

— Est-ce qu'elle a des sous ?

— Non.

— Eh bien, tu ne lui donnes pas de lait. »

Le bonhomme, comme un grand benêt qu'il était, obéit, il reprit la bouteille pleine et la vida dans le seau... « tu parles de ce que j'ai souffert quand j'ai entendu le glou-glou de la bouteille qui se vidait, m'a dit Julie, quand elle m'a raconté cette histoire, c'était comme s'il enlevait la vie à mon petit frère. Ce soir-là, quand je suis rentrée à la maison il n'a eu droit qu'à un biberon d'eau sucrée. » Eh bien, ce gosse n'a pas fait de vieux os, comme les choses allaient de mal en pis dans le ménage, les biberons d'eau sucrée se sont multipliés et un jour l'enfant est tombé malade et il est mort. Il n'est peut-être pas mort de faim, pas directement mais il était si affaibli, si mal nourri, qu'un simple rhume aurait pu l'emporter dans la tombe.

Lorsque Marie-Rose est revenue à la maison elle était très en retard pour son âge. A deux ans elle ne parlait ni ne marchait mais ce n'était la faute ni du lait ni de la nourriture. De nous tous, c'est elle qui avait le plus souffert de la disparition de notre mère. Du jour au lendemain elle avait été arrachée du sein maternel pour s'en aller chez des étrangers. Elle avait vécu presque deux ans en dehors de toute chaleur familiale. Une nourrice ne remplace pas une mère, certes il y a de bonnes nourrices mais là ce n'était pas le cas, Marie-Rose était nourrie et logée et il lui avait manqué l'essentiel.

Je me souviens très bien de son retour. Avec mes frères et mes sœurs nous nous mettions aux quatre coins de la cuisine et, en joignant nos bras, nous lui apprenions à marcher. C'était un jeu, elle était ravie et elle apprit très vite. Mais il fallait la surveiller tout le temps, non pas qu'elle fût une enfant attardée, c'était même le contraire, elle était vive, elle avait l'esprit joueur, mais elle manquait d'expérience en tout et, surtout, elle n'avait aucune notion du danger.

A la maison, mis à part les mois d'été où nous étions tout le temps dehors, nous vivions près de l'âtre. La cheminée dans laquelle brûlaient à longueur de journée de grosses bûches, servait tout à la fois de chauffage et de coin cuisine... Cette cheminée était assez haute, de la grandeur d'un homme à peu près, dans le foyer, au-dessus des braises, il y avait en permanence la marmite à soupe pendue à une crémaillère et, juste à côté, sur un trépied, des casseroles dans lesquelles cuisait la polenta ou le ragoût. C'était rudimentaire mais nous y étions habitués. Marie-Rose, comme tous les enfants, était fascinée par le feu... C'est nous qui nous occupions de l'entretenir et comme nous elle voulait s'approcher des flammes et déplacer les bûches sur les braises. C'était un domaine qui lui était interdit, chaque fois qu'elle s'approchait trop près du feu nous lui disions : « Marie-Rose attention, tu risques de te brûler, ne t'approche pas » et elle obéissait. Un soir pourtant, elle s'approcha tant et tant que sa robe s'enflamma et qu'elle prit feu. Ma sœur aînée était là, quand elle la vit elle eut le bon réflexe, elle courut chercher une couverture et revint à temps pour l'envelopper. C'est ainsi qu'elle la sauva, mais toutes les deux étaient brûlées aux mains et aux jambes, ce n'étaient pas des brûlures trop profondes mais tout de même il fallut les soigner. Il ne fut pas question d'aller chercher un médecin. Pour quoi faire ? Pour les brûlures nous avions un remède plus efficace que n'importe quel médicament de pharmacien : la pomme de terre. On coupa de grosses pommes de terre en tranches et on appliqua ces rondelles sur les brûlures. Mes sœurs criaient tout ce qu'elles pouvaient, mais elles avaient plus de peur que de mal.

Mon père aussi avait eu peur. Il partit dans l'heure à Briançon acheter un poêle. Quand il fut installé, nous restâmes des heures en admiration devant lui, nous étions tous émerveillés par son « modernisme ». A l'époque il ne devait pas y en avoir beaucoup dans le village, pour ma part c'était le premier que je voyais. Je m'en souviens très bien, c'était un gros poêle ventru de forme triangulaire, à trois bouches. On l'a inauguré sur-le-champ, mon père l'a mis en route et nous l'avons garni. Sur une des bouches on a posé la marmite, sur la seconde le fricot et sur le troisième trou on a mis le chaudron pour l'eau chaude. C'était une vraie merveille. Pour moi, ce fut une révélation, ce n'est pas le poêle en soi mais le changement qu'il représentait, je peux dire que ce fut le premier grand changement dont j'ai été le témoin. Plus tard je devais en voir d'autres : la première cuisinière, la première ampoule, la première baignoire, la première voiture, le premier tracteur mais, de toutes ces nouveautés qui sont venues changer la vie des paysans, la plus impressionnante reste encore aujourd'hui ce poêle Thierry. Il était drôle et chaleureux, tout comme un ami, et puis, on pouvait s'en approcher sans risque de prendre feu.

Le poêle mis à part, nous ne changions guère d'habitudes. Nous menions une vie de famille en suivant les principes de toujours. C'était le patriarcat et tout ce qui va avec. En haut de la pyramide, mon père, tout arbre mort qu'il se disait, menait la maisonnée à la baguette. Il était le maître et son pouvoir était d'autant moins contesté que ma mère n'était plus là pour le contrebalancer. Il avait tous les droits et sa puissance n'était limitée que par son propre sentiment de l'équité. C'est ce qu'on appellerait aujourd'hui un pouvoir discrétionnaire. Je ne veux pas porter de jugement, mon père n'a jamais abusé de son autorité, au contraire, c'était un homme pondéré dans tous les domaines. Il parlait peu, ce n'était pas dans les habitudes de la maison de faire de longs discours, « bonjour, bonsoir... Fais ci, fais ça... Je m'en vais, je reviens » était notre langage le plus courant... Avec moi, mon père se confiait, oh ! pas grand-chose ! Mais tout de même il m'en racontait un peu plus qu'aux autres. Pour les sentiments c'était la même chose, les manifestations de tendresse à l'intérieur de la famille étaient rares, les bises aussi. On embrassait mon père deux fois par an, le jour de son anniversaire et le Jour de l'An. C'est tout ! Le reste du temps on le saluait, on lui disait « père » ou « papa » et, quand on lui adressait la parole, c'était toujours avec respect. La seule relation physique entre lui et nous se limitait aux corrections. Il n'était pas brutal mais nous y avions droit comme les autres. C'était la règle, on battait les enfants beaucoup plus qu'aujourd'hui... Moi, j'ai toujours été contre, toute ma vie j'ai été contre les violences physiques, mais là, à la moindre faute, qu'elle soit volontaire ou non, au moindre manquement aux règles c'était une paire de gifles ou une fessée aux orties. Cet ordre n'était contesté par personne.

Après le père venait le frère aîné. François, c'était quelqu'un, c'était l'héritier et le chef en second. François n'était pas une lumière, c'était un garçon qui avait un caractère insaisissable, imbu de son âge et vantard. Il avait onze ans de plus que moi et cette différence, pour la petite fille que j'étais, était considérable. Mon frère m'apparaissait tout aussi important qu'une grande personne, il m'en imposait, en plus, il était toujours fourré avec mon père, il le secondait, jouait les gros bras et ne manquait jamais une occasion de nous faire sentir qu'il était l'aîné, par vanité je crois ! Mais ça marchait, nous le craignions et nous le respections tout autant que mon père.

Rose-Marie était l'aînée des filles, elle avait un caractère de cochon, nous avions tous droit à ses sarcasmes et nous étions à couteaux tirés avec elle. Elle avait neuf ans de plus que moi, c'était déjà une petite femme qui prenait son rôle très au sérieux. Elle aimait l'autorité. Elle voulait commander et elle ne perdait jamais l'occasion de nous le rappeler. C'était dans sa nature, elle avait la main leste, elle était irascible et souvent injuste. Si notre mère avait encore été de ce monde, ça se serait passé différemment, mais c'était Rose-Marie qui tenait la maison, elle n'allait presque jamais aux champs ou à l'écurie, elle s'occupait essentiellement de l'entretien et du fricot.

Tout de suite après venait Catherine, elle avait deux ans de moins que Rose-Marie et elle ne lui ressemblait pas du tout. J'ai rarement vu deux caractères aussi dissemblables dans une même famille. Catherine était une travailleuse exemplaire et tout ce qu'elle faisait elle le faisait à fond. Elle ne se souciait pas de briller, de se faire valoir ou d'être respectée, chez elle tout était à l'intérieur, comme un feu qui couve, comme un volcan en sommeil, ça se sentait. Rien que de la voir. Elle avait un regard noir et direct, on sentait qu'elle était comme ça, d'un bloc. Mais elle était farouche, presque sauvage, il n'y avait qu'une chose qui comptait, c'était son travail. Elle ne s'arrêtait que lorsqu'il était fait et bien fait.

Joseph était le plus jeune frère... C'était un gentil garçon, tout en douceur, et comme nous n'avions que quatre ans de différence, j'avais beaucoup plus d'affinités avec lui qu'avec les autres. Nous avions les mêmes goûts, les mêmes camarades et les mêmes jeux. Comme Catherine, très entier dans ce qu'il entreprenait, je l'ai toujours vu travailler comme un homme, il allait aux champs, il s'occupait des bêtes, plus tard il devait apprendre le métier de cordonnier.

Ensuite il y avait moi et Marie-Rose ma cadette. Marie-Rose était gentillette mais tête en l'air. Ma mère avait encore eu un septième enfant, une fille Marie-Colombe, mais de celle-là il n'y a rien à dire, elle est morte huit jours après sa naissance dans le chalet du Granon.

Dans l'ensemble nous nous entendions bien, nous étions ce qu'il est convenu d'appeler une famille unie et, le cas de Rose-Marie mis à part, on s'aimait bien. Je me souviens de la tablée à la cuisine à l'heure des repas. Mon père nous laissait bavarder, il acceptait et il aimait notre vitalité et notre jeunesse. Il présidait en milieu de table et c'est lui qui nous servait. Par ce geste rituel, étaient évitées les récriminations et les jalousies. Il se levait et, faisant le tour de la table, il donnait à chacun sa part. Toute contestation eût été une remise en question de son autorité et de son sens de la justice. C'était impensable. Il ne faisait d'exception que pour moi, les jours où nous mangions du jambon ou de la viande, comme j'avais des difficultés à avaler le gras, mon père prenait dans son assiette ma part et la sienne et il « faisait le ménage ». Invariablement, tandis qu'il triait le gras du maigre, il disait aux autres : « Puisque le gras lui fait mal vous n'avez rien à dire, je vous ai laissé vos parts intactes, ce que je lui donne c'est uniquement sur la mienne. » Personne ne pipait mot mais, cela se sentait, cette prévenance faisait des jaloux.

Tous les samedis, mon père faisait l'inspection de nos chaussures. Nous portions alors à longueur d'année de gros brodequins à clous qui nous servaient à tout, aux champs, à l'école et aux jeux. Ces brodequins devaient nous durer un an et plus, en évitant de les porter chez le cordonnier. C'est pourquoi, chaque semaine, mon père les passait en revue. Il remplaçait les clous qui avaient sauté et lorsque le talon ou la pointe commençaient à s'user il y mettait de grosses caboches. On peut dire que c'était du costaud ; avec ces caboches il était impossible d'entamer les semelles. J'ai souffert avec ces machins-là ! J'étais condamnée à porter les brodequins de mes aînés, des godillots informes qui me meurtrissaient les pieds. Forcément, j'étais la cinquième et ils étaient si solides, si bien entretenus, qu'il en restait toujours une paire à finir. Jamais on ne m'achetait une paire pour moi, ce n'est qu'à douze ans, lorsque j'ai fait ma première communion, que j'ai eu droit à une paire de chaussures à mes mesures.

On allait ainsi d'un bout de l'année à l'autre, habillés

aussi sobrement que nous étions chaussés. Les garçons portaient ce que nous appelions des Lafond. C'étaient des pantalons en gros velours côtelé ou en toile bleue, selon la saison. Pour le haut ils avaient des chemises taillées dans une toile tout ce qu'il y a de solide. Quant à nous, hiver comme été, nous portions une robe de serge, un gros drap pratiquement inusable. C'était coupé droit, sans aucune fioriture et, par-dessus, nous mettions un sarrau noir pour nous protéger. C'est ainsi que nous vaquions entre l'école et les travaux de la ferme.

Le travail aux champs passait souvent avant l'école. Ici, les paysans n'avaient pas idée de ce qu'était l'instruction, ils s'en faisaient une idée fausse et ils ne voyaient pas à quoi ça pouvait servir d'apprendre et de s'instruire. Comme leurs ancêtres ils pensaient que pour élever un veau et garder les vaches on n'avait pas besoin de savoir lire et écrire. Mon père le premier. Il était presque illettré. De la loi de Jules Ferry qui avait rendu l'école laïque, obligatoire et gratuite, il n'en comprenait ni l'importance ni la portée. Il avait été instruit par des religieux, ces religieux qui disaient aux paysans « vous n'avez besoin d'aucune instruction, vous ne serez jamais que des laboureurs ». Comme c'était la parole divine, ils y croyaient. En ce temps-là il nous arrivait d'entendre encore des chansons dans le genre de celle-ci :

> « A quoi bon quitter la chaumière
> dit l'homme en les arrêtant
> Depuis quand pour labourer la terre
> A-t-on besoin d'être savant ?
> Que vous servira la science
> Fera-t-elle mûrir les épis ?
> Elle fait germer l'espérance
> Répondirent tous les petits. »

Quand nous allions en classe, mes frères, mes sœurs et moi, l'état d'esprit était encore celui-là. Les gens avaient une méfiance maladive de l'école, c'est elle qui leur prenait la main-d'œuvre, alors, pour se justifier, ils disaient qu'on y apprenait des bêtises et qu'on y perdait son temps, mais comme c'était obligatoire ils étaient bien forcés de l'accepter.

En dehors des heures de classe, on travaillait, le

matin, avant de s'en aller et le soir en revenant. Ici, à la ferme, nous cultivions à peu près tout ce qui peut pousser dans le pays. Des céréales, comme le blé, l'orge, l'avoine ou le seigle, des pommes de terre qui étaient l'aliment de base... Tout ça, on ne le vendait guère, c'était uniquement pour nous et pour les bêtes. Nous avions aussi un potager pour nos légumes et mon père cultivait des lentilles et il les vendait. Ces lentilles étaient réputées dans tout le canton et au-delà. Mon père avait le coup de main, il savait les faire venir et surtout il savait les sélectionner et les trier comme personne ; à la fin, il ne restait plus un seul caillou. On allait les vendre à Briançon, au marché, ou chez les particuliers parmi lesquels mon père s'était fait une clientèle.

Nous nous occupions aussi des bêtes. Les moutons et tout ce qui touchait à la bergerie était un domaine réservé à mon père, il avait à cette époque-là, vers 1910, une soixantaine de têtes. Il restait les vaches. Nous avions un assez joli troupeau et c'est nous qui les gardions... Il fallait les traire, les nettoyer, s'occuper du fourrage et des litières. Tout ça était de notre ressort.

A la fin de l'été mon père achetait les cochons, un ou deux selon les années. On les engraissait pendant quelques mois et on les tuait aux alentours de Noël. La plupart des paysans de Val-des-Prés avaient pour habitude de les prendre avant, vers le mois d'avril, mais mon père disait que ce n'était pas une bonne solution, d'après lui il valait mieux passer l'été sans ce souci, il disait qu'il y avait suffisamment de travail à faire sans se charger d'engraisser des cochons. Engraisser un cochon ce n'est pas rien, il faut aller chercher l'herbe, la faire cuire, ajouter les patates, tout ça pour économiser quatre sous... Il n'était pas d'accord, il préférait les acheter en septembre. Parfois il allait à la foire, d'autres fois il les prenait au marchand qui passait à la maison. Une année le marchand est arrivé avec son troupeau et il s'est arrêté chez nous pour vendre évidemment. Au milieu du lot, il y avait un goret aussi haut que la table, et maigre ! si maigre qu'il n'avait plus rien d'un cochon. Tous les autres étaient nettement plus petits mais ils n'arrêtaient pas de le mordiller et ce cochon n'avait pratiquement plus d'oreilles, il était couvert de plaies et il saignait de partout. C'est pitié de voir une bête pareille et, bien sûr, le maquignon voulait s'en débarrasser au plus vite. Je le revois, il se tenait dans la cour, il avait son bâton ct sa blouse bleue, avec, en face de lui, mon père qui l'écoutait. Il disait :

« Hé ! Père Allais, prené mé lou gross, verin qué farin oun boun marchà.

— Eh non ! répondait mon père, il ne fait pas mon affaire du tout. »

Mais l'autre ne se décourageait pas, au contraire, il s'entêtait ; il connaissait mon père et il savait qu'il avait une chance de le convaincre. Il suffisait d'insister.

« Père Allais, vous ne pouvez pas me faire ça ! regardez comme il est, au train où ça va cette bête n'arrivera pas à Névache, les autres le mordent tout ce qu'ils peuvent, c'est affreux que de voir une chose pareille ! »

Mon père a bien essayé de refuser encore un temps, mais il avait la réputation d'un homme qui n'a jamais le dernier mot, ça se savait dans tout le pays et le marchand le savait aussi. Ça n'a pas raté, mon père a pris le cochon, il l'a acheté et il l'a installé dans l'écurie. Il l'a si bien soigné que lorsque nous l'avons tué et que nous l'avons pesé, il était plus lourd qu'une vache. Mort, il pesait plus de 250 kilos. C'était un vrai record et ce jour-là mon père avait le sourire « tu vois, nous disait-il, en fin de compte, je n'ai pas fait un si mauvais marché que ça ».

Le jour du cochon — on appelle ça ici le jour de la tuerie du cochon — ce jour était tout à fait exceptionnel : toute la famille, les plus proches venaient, c'était l'occasion de se retrouver avec les oncles, les tantes et les petits neveux. Tout le monde s'y mettait, les femmes préparaient la bouillabaisse ou l'aïoli et les hommes s'occupaient des cochons. En plus, ça se passait toujours autour de la Noël et du Jour de l'An, il régnait une ambiance de fin d'année, avec parfois quelques cadeaux surprise et puis, tuer le cochon, c'était un événement. Nous, les enfants, étions aux premières loges et nous n'en perdions pas une miette.

A Val-des-Prés c'était mon oncle Auguste qui était le tueur de cochons en titre. L'oncle Auguste était un personnage. Outre qu'il avait la réputation d'être un égorgeur qui ne ratait jamais son coup, il avait du tempérament. C'était un gai luron, un plaisantin qui trouvait le temps de faire des farces pour amuser les enfants. Pendant qu'il s'installait et qu'il préparait ses instruments, il ne manquait jamais de nous appeler et, quand nous étions autour de lui, suffisamment nombreux, il commençait à faire son numéro. « Approchez, approchez, qu'il nous disait, voilà encore un phénomène qui va essayer de me jouer des tours. » Pendant que l'oncle Auguste faisait son boniment, le cochon, les quatre pattes attachées, n'arrêtait pas de sauter et de pousser des cris abominables... « Ah ! oui, il veut me jouer un vilain tour, je crois bien qu'il va falloir lui tenir la queue, sans ça ! Tiens, toi, approche un peu ici, prends-lui la queue et tiens-la bien pendant que je lui fais son affaire, mais fais bien attention, si tu ne la tiens pas comme il faut je vais le manquer. »

Nous on y croyait dur comme fer à son histoire de queue... Il y en avait toujours un qui la prenait et qui la tenait hardiment tandis que l'oncle Auguste, d'un coup de lame, égorgeait le cochon. Tout de suite après, pendant que le goret finissait de s'égoutter en poussant ses derniers cris, l'oncle en faisait le tour, il inspectait les oreilles, hochait la tête de l'air d'un homme qui a beaucoup de soucis... « Bon Dieu, disait-il, quelles oreilles il a ce cochon, je n'ai jamais vu des oreilles aussi sales de toute ma vie, il va falloir faire le tour du pays pour me trouver un cure-oreilles, je ne peux rien faire avec cette bête tant qu'elle a les oreilles dans cet état-là. Il faut que je lui nettoie les oreilles avec un cure-oreilles. » Ça ne ratait jamais, ça prenait une fois jamais deux, mais chaque année il y avait un benêt qui partait en courant et faisait le tour du village en demandant partout le cure-oreilles. Tout le monde était au courant, chacun disait « Ah ! non, moi je n'en ai pas, va donc voir à côté chez les voisins, peut-être qu'ils en ont un. »

L'oncle Auguste débitait le cochon et il faisait le boudin le jour même. Par la suite on se débrouillait comme on pouvait. Faire la charcutaille n'était pas une mince affaire, c'était même tout ce qu'il y avait d'important, les saucisses et les jambons que l'on tirait de nos cochons constituaient l'essentiel de notre nourriture pendant toute l'année, autant dire qu'il fallait réussir, sinon c'était la catastrophe. Un jambon qui travaille il n'y a plus qu'à le jeter ou à l'enterrer, les chiens eux-mêmes n'en veulent pas, il n'est plus bon à rien.

Heureusement, mon père s'y entendait, sans être un maître charcutier il savait y faire. Pour les jambons il commençait par les mettre dans la saumure pendant une quinzaine, ensuite il les laissait s'égoutter et sécher et, lorsqu'ils étaient bien secs, on les frottait avec de l'ail, du sel, du poivre et du genièvre avant de les coudre bien serrés dans de la toile de chanvre. On les suspendait au grenier quelque temps et puis après on les mettait dans la maille au grain à l'abri de l'air et des mouches ; on était sûr qu'ils ne ranciraient pas.

Pour les saucisses, mon père avait acheté une machine, je l'ai toujours vu faire sa saucisse avec cet engin-là. C'était une machine à manivelle, très grosse et archaïque mais il se débrouillait avec ça. Il faisait tout lui-même... Il allait aux abattoirs de Briançon pour acheter ce que nous appelions les tombées, c'est-à-dire le foie, le cœur et d'autres bas morceaux, il les nettoyait, il les passait à l'eau bouillante et il les raclait... Il les laissait même geler dehors pendant trois ou quatre nuits. D'après lui, c'était la seule façon de leur faire perdre leur odeur et, disait-il encore, c'était plus facile à découper en lamelles. Ensuite il pétrissait tout ça dans une cha-pouelle et il enfournait sa saucisse avec sa machine. Il en préparait de deux sortes. Une aux choux, que nous appelions de ménage et une autre, sans choux et plus maigre, que nous laissions sécher et que nous mangions comme du saucisson. C'est avec ces saucisses-là que nous nous nourrissions pendant tout l'hiver.

APPRENDRE À LIRE

Dans les premiers jours d'août 1914 nous étions tous à Granon. C'était la pleine moisson. Quand on a entendu les cloches sonner on s'est tous demandé pourquoi elles sonnaient comme ça. Tout le monde dans nos campa-gnes connaît le son de la cloche. On se dit, tiens voilà un baptême, tiens voilà un mariage, ou bien c'est un enter-rement. C'est très reconnaissable... Mais ce jour-là, ça ne ressemblait à rien de tout ça. C'était autre chose. Peut-être un incendie ? Mais où ? Quel incendie pouvait déranger toutes les cloches en même temps ? Elles sonnaient les unes après les autres... On avait d'abord entendu celle de la Vachette, puis celle des Alberts, puis celle de Plampinet et, évidemment, celle de Val-des-Prés. Et ça durait, ça durait, on a eu le temps d'imaginer tout ce qui peut passer par la tête dans des moments pareils. Tout, sauf ce qu'il fallait. C'est le garde-champêtre qui nous a annoncé la nouvelle. Il était monté avec son clairon et il disait à tous ceux qu'il croisait : « C'est la guerre, c'est la guerre ! »

« La guerre ! Quelle guerre ? lui demandait-on tellement la chose paraissait inattendue.

— Ben, la guerre !

— Mais avec qui ? »

Et le bonhomme, de l'air important de quelqu'un qui est dans le secret des Dieux, répondait :

« Ben, avec les Allemands ! les Allemands nous ont déclaré la guerre. »

Vraiment, ça n'avait pas l'air vrai, le mot lui-même ne semblait pas réel, il fallait qu'on se le répète entre nous jusqu'à ce qu'il devienne un mot qui ressemble à quelque chose... « La guerre, la guerre. » On se regardait les uns et les autres, on était tellement loin de ça ! Il faut connaître Granon pour bien comprendre, c'est un plateau au sommet de la montagne, avec des prés et des forêts à perte de vue et le ciel au-dessus... Nous, on était dans l'herbe au milieu des trousses et on avait notre guerre à nous, celle que nous menions contre l'orage qui menaçait. On avait bien autre chose à faire que de chercher à quoi pouvait ressembler une guerre. Mon père lui-même ne comprenait pas, il était de la génération de 1870, et 70, c'était loin, ça faisait partie d'une autre époque.

Ce n'est que le lendemain, ou le surlendemain, que la guerre a commencé à montrer son vrai visage. Quand les ordres de mobilisation et les feuilles de route sont arrivés dans les familles, les gens ont commencé à se rendre compte que la guerre était bien réelle. Tous les hommes valides recevaient leur feuille, la guerre c'était d'abord ça : la séparation.

Pendant ces journées le village était complètement bouleversé, rien ne ressemblait plus à rien, en quelques heures il fallait prendre des décisions, terminer de faucher à tel endroit, abandonner tel autre... Tout le monde était dehors, on se parlait, on s'interrogeait, c'était le monde à l'envers. Je crois que c'est exactement ça. La guerre avait éclaté comme un coup de canon et elle avait mis notre monde sens dessus dessous et les hommes s'en allaient les uns après les autres. Il y en avait qui prenaient ça à la rigolade, c'étaient les optimistes. Ils accueillaient leur feuille en plaisantant, ils disaient : « Eh bien voilà ! ça va nous faire des vacances en plein été, nous qui n'en avons jamais eu, il faut en profiter. » A les entendre, la guerre ça ne faisait pas sérieux, c'était une vaste plaisanterie et il valait mieux prendre la chose du bon côté. Mais il y avait les autres, les inquiets qui voyaient tout en noir. Pour ceux-là la guerre, ou tout simplement s'en aller en quittant les moissons, c'était la fin de tout et ils n'en voulaient pas. Ils hésitaient, ils résistaient jusqu'à la dernière minute... Il y a eu des cas de bonshommes qui sont allés se cacher dans la forêt et ce sont les femmes qui les ont menacés de les dénoncer aux gendarmes, qui les ont décidés à se rendre. Finalement ils sont tous partis. Pas une famille de Val-des-Prés n'a été épargnée. En l'espace d'une semaine le village avait changé du tout au tout, il n'y avait plus un homme entre vingt et quarante ans. Ils étaient tous à la guerre.

2 août 1914 ! je venais d'avoir quatorze ans. Entre-temps j'avais grandi et, je peux le dire, j'avais grandi à l'école... oui, je crois que je peux dire ça. C'est ce qui a fait la différence entre mes frères, mes sœurs et moi. J'aimais l'école, j'aimais l'étude, j'aimais lire, écrire, apprendre. Dès que je suis allée à l'école je me suis sentie chez moi et c'est là que je me suis épanouie.

J'ai commencé à cinq ans. C'était l'âge normal. En ce temps-là il n'y avait ni maternelle, ni rien, on entrait à cinq ans et on en ressortait à quatorze ou quinze ans. Les plus malins arrivaient à décrocher leur certificat, les autres devaient se contenter du fameux « sait lire et écrire » que l'on met sur les papiers officiels. C'est comme ça que ça se passait. Ça m'a plu tout de suite, comment dire ?... C'était comme si jusque-là j'avais été une éponge privée d'eau. Est-ce que j'étais une enfant particulièrement douée ? Je n'en sais rien. Ce qui est sûr c'est que j'avais des dispositions, dès que j'ai su lire je me suis mise à dévorer les bouquins. Tout y passait... Il faut dire que dans un village comme le nôtre le choix était limité, mais j'avais toujours un livre dans les mains. Je lisais partout où je me trouvais, en me levant, dans la cuisine et pendant les récréations. J'avais un instituteur, ça le rendait malade de me voir lire pendant que les autres enfants jouaient, ça le mettait dans tous ses états. Il s'approchait de moi, il venait par-derrière et il m'arrachait le livre des mains disant : « Allez, va jouer avec les autres, t'as bien le temps de lire plus tard. » Moi je pleurais, je trépignais, je réclamais mon livre, il fallait que ce soit sa femme qui intervienne, elle était plus compréhensive, elle lui disait : « Mais rends-lui donc son livre, elle ne fait de mal à personne », et moi je lui disais : « Vous savez bien que je ne peux pas lire chez moi, il y a trop de choses à faire, il n'y a qu'ici que je suis tranquille. » Finalement il me le rendait et je me replongeais dans la lecture.

Je lisais tout ce qui me tombait sous la main. Oh ! ce n'était pas bien méchant ! *Jacquou le croquant, La Mare au diable* et d'autres livres du même genre. Il y avait un autre endroit où j'aimais bien lire, c'était l'étable. J'allais tenir compagnie à ma sœur Catherine pendant qu'elle s'occupait des vaches et je lui faisais la lecture... Les nuits où elle veillait en attendant que la vache mette bas, je restais avec elle. Pendant qu'elle tricotait, assise sur son tabouret, je lui lisais des chapitres entiers, des histoires ou des contes. Elle aimait ça et moi j'étais aux anges.

C'était normal que je lui dise ça à l'instituteur, parce qu'en dehors des heures de classe, mon père ne me laissait guère le temps de rêvasser. Sur ce chapitre il était toujours aussi inflexible, école ou pas, il fallait « rapporter ». Pendant l'interclasse de midi je courais avec Joseph jusqu'à la Draille, à l'autre bout du village, pour m'occuper des moutons. Mon frère faisait le fourrage, moi j'allais à la corvée d'eau... quand ce n'était pas les moutons il y avait le crottin à ramasser ou bien les pignons pour allumer le feu et il n'était pas question de revenir avec le panier à moitié plein. Le plus dur c'était la corvée d'eau, il fallait aller la chercher dans la Clarée avec des seaux et l'hiver, quand il gelait, c'était une vraie patinoire, sans compter la pente, on fait un pas en avant, deux en arrière, c'est un miracle que je ne sois pas tombée dedans. Quand on avait terminé on revenait en courant à la maison pour déjeuner et à une heure on retournait en classe. On recommençait le soir.

Je garde de ces années un souvenir extraordinaire, malgré les corvées, malgré la fatigue. Je ne pouvais pas m'ennuyer ou trouver le temps long. Quand je me couchais j'avais le corps brisé mais la tête pleine d'images et je m'endormais en me racontant des histoires ou en faisant des projets d'avenir. Le lendemain, je repartais fraîche et dispose. Les lectures, les seaux d'eau glacée, les odeurs de l'étable, la sensation de grandir et d'apprendre chaque jour davantage, ces années-là me restent comme le souvenir d'un grand gâteau dans lequel il suffisait de mordre. Il était inépuisable. Les quelques pépins ne comptaient guère en regard de tout ce qu'il y avait de bon. Je les recrachais sans même y penser.

J'ai passé mon certificat d'études à douze ans. Brillamment comme on dit, j'étais la première du canton. Dans un pays comme ici ça se remarque. J'ai eu droit aux félicitations de l'inspecteur et de la directrice, et fus convoquée avec la maîtresse. Ils voulaient savoir si j'allais continuer.

« Continuer quoi ? Mes études ? »

Je ne demandais pas mieux, mais ce n'était pas moi qui pouvais en décider, c'était à mon père de dire s'il était d'accord ou pas. La maîtresse qui le connaissait dit à l'inspecteur : « Oh ! sûrement pas, le père a ses terres, il est veuf et il les fait tous travailler, il y a peu de chance pour qu'il la laisse continuer ses études à Briançon.

— Comment ça ! dit l'inspecteur, mais il n'a pas le droit, cette enfant est douée, elle est intelligente et elle nous a fait des devoirs remarquables, il faut qu'il lui laisse faire son chemin. »

Le lendemain, une délégation est venue à la maison pour voir mon père. Il y avait la directrice, la maîtresse et les encouragements de l'inspecteur d'académie qui en définitive leur avait dit : « Dites-lui qu'il n'a pas le droit, ça serait un crime de garder cette gosse avec lui. »

Mon père les a laissés parler, il a pris le temps qu'il faut avant de leur répondre « Vous savez, si ça ne regarde que moi, je ne tiens pas à ce qu'elle continue d'aller en classe, il n'y a aucune raison qu'elle ne fasse pas comme les autres, elle doit gagner sa vie ».

La directrice ne put faire autrement que de reprendre les arguments de l'inspecteur : « Mais, lui dit-elle, vous n'avez pas le droit de la garder, vous n'avez pas le droit de parler comme ça, monsieur Allais, cette petite nous a fait des devoirs remarquables et si elle va en classe, vous lui faites une situation.

— C'est possible, c'est possible, répondit mon père, mais comment pourrais-je faire pour l'envoyer aux études, je n'ai guère d'argent ? »

La directrice se dit alors que mon père était à moitié convaincu. Elle dit :

« Monsieur Allais, comme vous êtes veuf et que vous avez six enfants, on va lui demander une bourse, vous y avez droit, comme ça vous n'aurez pas de problème.

— Dans ce cas ! »

L'affaire s'est conclue ainsi, comme un marché de maquignons, quand ils se sont mis d'accord et qu'ils se serrent la main en disant « tope là ». L'argument de la bourse avait été suffisant pour décider mon père. Pour moi, c'était formidable qu'il ait accepté ça. Une fois qu'il avait donné sa parole j'étais sûre qu'il ne reviendrait jamais dessus. A la rentrée j'irais à l'école supérieure de Briançon. J'étais comblée.

Cette année-là fut celle du centenaire. C'est une chose qui ne s'était jamais vue, personne à Val-des-Prés ne se souvenait d'avoir entendu parler d'un centenaire. Le maire et tous ici étaient d'accord pour faire une fête.

Ce centenaire — il était de 1812 — était un vieil original. Je le connaissais bien, tous les jours je le voyais qui passait devant chez nous. Il s'en allait par-derrière pour aller ramasser son fagot de branches. Qu'il pleuve ou qu'il vente, qu'il fasse beau ou qu'il gèle, rien ne pouvait l'empêcher de s'en aller dans les bois... avec sa gouillette [1] il taillait les petites branches et le soir il revenait avec son fagot. Il a fait ça pendant vingt ans, il était toujours habillé pareil, il portait une chemise de chanvre comme dans l'ancien temps, grande ouverte sur la poitrine avec tous ses poils blancs qui dépassaient et

---

1. Gouillette : couteau en forme de serpe qui sert à tailler les petites branches.

par-dessus une jaquette noire taillée en queue de morue. Ici les anciens avaient l'habitude de porter ce genre d'habits, mais, en 1912, c'était déjà quelque chose de très démodé, c'était ridicule. Lui s'en fichait éperdument, il s'en allait comme ça pour ramasser son bois. Il était nu-tête et débraillé, insensible au froid ou à la chaleur. Il avait une autre manie, depuis plus de vingt-cinq ans il s'était choisi une place au cimetière, c'est là qu'il voulait se faire enterrer. Tous les après-midi il venait s'y installer, il s'allongeait par terre et il faisait sa sieste. Il a dormi sur cet emplacement pendant un quart de siècle, disant à ceux qui s'étonnaient : « C'est là que je veux être enterré, c'est bien normal que je chauffe la place. » Quand il est mort on a respecté son désir. On a fait un trou à cet endroit-là et on l'a mis dedans. Il avait cent deux ans.

En attendant, pour son centième anniversaire il a donc eu droit aux honneurs de la commune... de la commune et de la République, puisque le sous-préfet en personne s'est dérangé pour la circonstance. Nous sommes allés à sa rencontre, je nous revois marchant sur la route de la Vachette, les enfants des écoles, musique en tête, tous endimanchés et moi, avec mes chaussures neuves. C'était comme dans un conte de Daudet, avec la route qui zigzague en suivant la Clarée, les arbres qui bourgeonnent, le soleil et les fleurs et cet air de par ici, cet air de la montagne, limpide et transparent... Ils se sont rencontrés en rase campagne, il y a eu des paroles de bienvenue, le maire et le sous-préfet se sont rendu la politesse et nous, sur un geste de là directrice, nous avons chanté « Un peuple est fort quand il sait lire, quand il sait lire un peuple est grand ».

Tous les gens du village étaient invités... Pour le banquet ils avaient installé d'immenses tables en plein air avec, au milieu, notre centenaire qui présidait fier comme un pape. Les festivités ont duré toute la journée. Après le banquet on a eu droit aux discours et aux compliments. J'en étais évidemment, je faisais partie des heureuses élues qui devaient débiter leur récitation devant M. le sous-préfet. En principe les rôles avaient été distribués à l'avance par notre directrice, trois compliments choisis par elle, le plus joli pour sa nièce, le second pour « la demoiselle d'honneur » et le troisième pour moi. Je me souviens du titre du mien, c'était « Je n'aime pas l'arithmétique », et je me souviens du trac qu'on avait toutes les trois, on pétait de trouille et on tremblait comme des feuilles... En plus il y avait les prix. Le premier prix pour le meilleur compliment était une boîte de fruits confits et le sort a voulu que ce soit moi qui le remporte avec mon « Je n'aime pas l'arithmétique ». Je l'avais si bien dit qu'à la fin tous les gens autour des tables s'étaient mis à crier sur l'air des lampions « Premier prix, premier prix », la directrice ne pouvait rien contre ça et elle a bien été obligée de me donner cette boîte de fruits confits qui aurait dû aller à sa chouchoute. J'ai également eu droit aux félicitations de ces messieurs, aux embrassades et tout, mais quand je suis retournée à la maison ce fut un autre son de cloche. Mes sœurs faisaient une de ces têtes ! Elles étaient jalouses comme ce n'est pas possible.

« On t'attend pour monter au Granon faire les foins, me dirent-elles ; père est déjà parti et toi tu nous as mis en retard avec tes simagrées, allons dépêche-toi, c'est bien suffisant comme ça. »

Elles étaient mauvaises, elles en faisaient des grimaces et cette boîte de fruits confits leur restait en travers de la gorge. A force de me tourmenter elles sont arrivées à ce qu'elles voulaient, elles ont réussi à me faire pleurer.

C'est vers cette époque-là que le « château » a commencé à se lézarder... au figuré s'entend. Les années passant chacun avait grandi et nous n'étions plus des enfants. Jusque-là nous avions formé une famille bien unie, bon an mal an nous avons réussi à surmonter les inimitiés et à faire taire les jalousies entre frères et sœurs. Mon père y était pour beaucoup, mais lui aussi vieillissait. Depuis la mort de notre mère, il avait pris un coup de vieux comme on dit. A cinquante-cinq ans il en paraissait dix ou quinze de plus et, au fur et à mesure que nous prenions de l'âge et que chacun affirmait sa personnalité, son autorité faiblissait. Tout ça faisait que certains jours la maison était vraiment trop petite pour nous tous. Cela se sentait, de plus en plus il y avait des tensions et des prises de bec et mon père avait du mal à maintenir le cap. Le fait que je continue mes études avait provoqué des réactions diverses de la part de mes aînés.

« Des études ? Pour quoi faire ? Pourquoi elle ? », François et Rose étaient les plus virulents.

C'est François qui est parti en premier. Il s'en est allé pour faire ses classes. A l'époque il en avait pour trois ans, trois ans c'est déjà long mais, en plus, personne dans la maison ne se faisait d'illusions. Derrière ses airs supérieurs, François était un homme indécis, il était évident qu'il ne voulait pas prendre la succession ni assumer les responsabilités de la ferme. Ça se sent ces choses-là. Il aurait fallu qu'il prenne des initiatives, mais il ne le faisait jamais, au contraire, il restait tout le temps dans l'ombre de mon père, il faisait ce qu'il avait à faire mais rien de plus. Quand il est parti pour le service chacun savait qu'il nous quittait pour de bon. Ce n'était pas un au revoir mais un adieu.

François parti, la guerre sourde qui opposait Rose au reste de la famille s'amplifia brusquement. C'est Catherine qui mit le feu aux poudres, il n'y avait que deux ans d'écart entre elles et, forcément, dans la maison il n'y avait pas de jour où elles ne s'affrontaient. Elles s'attrapaient à propos de rien, pour les choses du ménage, pour n'importe quoi... c'est normal, elles avaient des caractères tellement différents et chacune voulait gérer les affaires à sa manière.

Lorsque la crise a éclaté, elle a été d'une violence inouïe. Ce fut comme l'eau d'un barrage qui cède d'un seul coup et qui emporte tout sur son passage. Personne n'a été épargné. Ce jour-là, Catherine, qui était la patience même, n'a pas pu se contenir, elle avait atteint les limites de ce qu'elle pouvait supporter. Prenant mon père à témoin elle dit : « Ou c'est elle qui s'en va ou c'est moi. » Il en faisait une tête, c'était la première fois de sa vie qu'il se trouvait confronté à une situation comme celle-là et il hésitait. Nous autres, c'est-à-dire Joseph, Marie-Rose et moi, on savait ce qu'on voulait, on préférait Catherine à Rose et comme mon père restait indécis on s'est mis à crier : « C'est Catherine qui reste, c'est Rose qui s'en va. »

Elle n'avait plus rien à dire, elle a fait ses valises et elle s'en est allée se placer à Lyon. Le jour de son départ Catherine dit : « Maintenant je vais pouvoir m'occuper de la maison », et Joseph : « Personne n'en voulait, c'est bien simple on préfère travailler plus que de l'avoir sans cesse dans les pattes, elle était vraiment trop difficile. »

On s'était affranchi de la tyrannie des aînés et le changement était appréciable, la maison avait retrouvé un peu de sa légèreté. Peut-être que nous avions plus de travail, mais on s'en fichait, on était libre de le faire comme on voulait. C'est cette année-là que je suis allée à l'école supérieure de Briançon, tandis que Joseph commençait à apprendre son métier de cordonnier. Ce n'était pas le grand bonheur, mais tout de même, nous étions heureux, nous aimions ce que nous faisions et il n'y avait aucun nuage à l'horizon.

Pourtant, j'avais comme un pressentiment. C'était vague, mais je ne pouvais m'empêcher de me sentir menacée. Par quoi ? je n'en savais rien et j'essayais de me raisonner. Je me disais que ce bonheur tout simple nous revenait de droit. Apprendre un métier, avoir autour de soi les gens que l'on aime, ce n'était rien d'extraordinaire, ce sont des choses auxquelles tout être humain a le droit de prétendre. Mais c'était plus fort que moi, je vivais dans la crainte.

Au mois d'avril 1914, Catherine s'est mariée. Elle épousait notre voisin le laitier. C'était sans conteste un événement heureux. Pour une fois il s'agissait d'un mariage d'amour et non pas d'intérêt. Malgré ça, malgré le bonheur de ma sœur qui épousait l'homme qu'elle aimait, ce jour-là je n'ai pas réussi à être de la fête. Mon appréhension était plus forte que tout. J'en faisais une tête ! et ça se voyait.

« Que diable ! me dit ma tante Colombe, qu'est-ce que vous avez Emilie, votre sœur se marie, elle prend un homme qui est gentil comme tout, elle est heureuse, il ne faut pas faire cette tête-là, amusez-vous. »

Je répondis à ma tante :

« Non, ce n'est pas possible, je ne sais pas ce que j'ai, mais je ne vois que du malheur, je ne sais ce qui va se passer mais je crains pour elle, je ne crois pas qu'elle soit heureuse.

— Arrête donc de dire des bêtises. »

Je le dis aussi à mon père. Je savais que je lui faisais de la peine en lui parlant comme ça, mais c'était plus fort que moi, je ne pouvais pas me retenir. Il essaya de me rassurer disant :

« Pourquoi tu dis ça ? Il ne faut pas croire des choses pareilles, elle a tout pour être heureuse. »

C'est vrai, Catherine avait tout pour être heureuse. Elle se mariait avec un homme qui était un des meilleurs hommes de la commune. Il s'appelait Joseph comme mon père. Il avait un métier, il avait même une situation, c'est lui qui faisait le lait et les fromages, et sa maison était voisine de la nôtre. C'était un mariage parfait à tous les points de vue, pour ma sœur, pour mon père et pour lui aussi.

Durant ces premiers mois ils filèrent le parfait amour et ils connurent un grand bonheur. Au début du mois de juillet ils montèrent à Granon, ils y avaient loué un chalet et ils s'y installèrent pour passer l'été. Lui ramassait le lait, il faisait son beurre et ses fromages. Avec le petit-lait qui lui restait il engraissait des cochons et ma sœur Catherine l'aidait. Il fallait les voir, ils ne se quittaient pas de la journée, on les voyait tout le temps ensemble, ils s'aimaient vraiment et ma sœur attendait déjà un enfant. Pour elle, la « sauvageonne » comme nous l'appelions, qui avait vécu sa vie de jeune fille sur la défensive, cet amour était une révélation. Elle s'était lancée là-dedans avec la fougue et la détermination qu'elle mettait dans tout ce qu'elle entreprenait. Je ne l'avais jamais vue comme ça, elle resplendissait, et son Joseph également. Leur bonheur débordait de partout et il rejaillissait sur nous tous. C'était formidable.

MOURIR POUR LA PATRIE...

La guerre sonna le glas de ce bonheur. Lorsque Joseph a reçu sa feuille de mobilisation il n'a pas hésité une seconde. Il appartenait à cette race d'hommes pour lesquels le devoir est sacré. Mais Catherine ne l'entendit pas de cette oreille, quand il voulut descendre, elle s'accrocha à lui pour l'empêcher de partir. Sur le sentier qui va de Granon au village ils se traînaient l'un l'autre, elle tirant vers le haut, lui vers le bas. Ils sont descendus comme ça jusqu'à un endroit qu'on appelle « l'écuelle du loup », attachés comme deux malheureux qui se savent condamnés à la séparation. Ils étaient désespérés. Ça faisait quatre mois qu'ils étaient mariés. Il essayait bien de la raisonner, il lui disait : « Mais voyons, Catherine, laisse-moi aller, il faut bien que je parte sinon ils viendront me chercher, ils fusillent les déserteurs, veux-tu donc qu'ils me fusillent ? » Elle ne l'écoutait pas, elle restait accrochée à lui comme une désespérée à sa bouée, elle était comme folle, elle lui criait : « Non, non. Je ne veux pas que tu t'en ailles, qu'est-ce que je vais devenir ? ils n'ont pas le droit de nous faire ça, je ne veux pas ! je ne veux pas ! » C'était pitié de les voir et de les entendre, mais il a bien fallu qu'elle le lâche. Joseph est parti rejoindre son régiment et Catherine est restée seule là-haut, à Granon. Elle avait la laiterie sur les bras, ce n'était pas de tout repos et elle s'y connaissait à peine. Nous l'avons aidée comme nous avons pu, on s'est occupé des cochons, on a fait le beurre et le fromage. Tout ça jusqu'à la fin de l'été. Ensuite, Catherine a fermé la laiterie et elle est revenue vivre à la maison en attendant son bébé.

C'est au mois d'avril 1915 qu'elle a eu les premières douleurs. Depuis le départ de son Joseph elle n'était plus que l'ombre d'elle-même. Elle parlait peu, travaillait comme un automate, elle se traînait comme une âme en peine, sans désir, ni volonté. Catherine était vidée de sa substance. Ce jour-là, quand elle se sentit sur le point d'accoucher, elle s'alita, elle se glissa sous les couvertures et s'enferma dans une sorte de délire tout au long duquel elle répétait le nom de son mari. « Joseph, Joseph, Joseph. »

Elle n'était au courant de rien. Tout comme moi, tout comme la plupart des filles, Catherine n'avait aucune expérience des questions sexuelles. On ne nous en disait jamais rien ici, il y avait quelques mères qui instruisaient leur fille, mais c'était rare... En plus, ma sœur, par l'éducation qu'elle avait reçue, avec son tempérament extrêmement farouche, ne pouvait concevoir de dévoiler sa nudité à quiconque. Ni ma tante Colombe, qui pourtant était une femme d'expérience, ni la sage-femme, venue de Briançon, ne purent la décider à soulever ses couvertures. Catherine se tordait de douleur, elle serrait les lèvres, elle se mordait la langue, mais chaque fois qu'une des deux femmes s'approchait de son lit, elle retenait les couvertures contre elle et disait. « Non, non, non, je ne veux pas, laissez-moi ! », et l'incroyable, l'inconcevable est arrivé. Pendant quarante-huit heures ces deux bonnes femmes ont été incapables de s'apercevoir que Catherine faisait ses eaux. Quand elles s'en sont aperçu c'était trop tard, mais le gosse n'était pas sorti. On a appelé le médecin et lui aussi a dit que c'était trop tard et qu'il ne restait qu'à la transporter d'urgence à l'hôpital.

Pendant ces deux jours, mon père et moi, nous nous étions rongé les sangs. L'entendre crier et supplier comme elle le faisait était insupportable. Mon père ne savait où se mettre, il était malheureux comme les pierres, lui non plus n'avait aucune expérience de ces choses-là. Quant à moi, je n'avais pas voix au chapitre, j'avais juste le droit de préparer les tisanes et de me taire. Et pourtant ! c'était tellement évident qu'il fallait faire quelque chose, mais la sage-femme et la tante Colombe ne supportaient pas qu'on empiète sur leur territoire.

A l'hôpital aussi c'était la guerre. Tous les médecins étaient partis aux armées. Quelle dérision ! Il ne restait que des médecins militaires et il n'y avait ni spécialistes, ni gynécologues, rien. Ils lui ont fait une césarienne et ils ont sorti le gosse, mais il était déjà mort. Après l'opération, tout a été de mal en pis, l'infection s'est déclarée et Catherine a fait une fièvre puerpérale. Que s'est-il passé exactement ? On ne l'a jamais su. Est-ce que c'était trop tard pour la soigner ? Est-ce qu'ils n'ont pas su ? Ou bien est-ce qu'ils n'avaient pas ce qu'il fallait ? Elle a déliré pendant treize jours sur son lit d'hôpital et puis elle est morte à son tour. Elle avait vingt-deux ans.

Ce fut une des périodes les plus sombres que nous ayons connues. C'était atroce. Tous les jours cette route à faire entre la maison et l'hôpital... En plus, Joseph venait de nous quitter à son tour, il était parti pour faire ses classes et se préparer à devenir de la chair à canon dans les tranchées. Au « château » il ne restait que mon père, la petite Marie-Rose et moi. Nous avons ramené Catherine enfermée dans son cercueil avec la carriole et le mulet, tout ça pour faire l'économie d'une ambulance. Mon père ne disait rien. Il marchait droit, il restait digne, apparemment insensible au coup du sort. Ah !

cette dignité ! Il y eut des fois où j'aurais donné n'importe quoi pour qu'il s'en débarrasse, pour qu'il s'humanise un peu. Je me souviens d'une conversation que j'avais eue avec lui, justement à propos de la dignité, j'avais même osé lui dire ce que je pensais, combien cette dignité me paraissait parfois excessive, qu'il s'agisse de la sienne ou bien du respect de celle des autres. Mais lui ne comprenait pas, ou bien il ne voulait pas entendre ce que je lui disais. Il avait une manière de concevoir la dignité et tout ce qui s'y rattache, l'honnêteté, la loyauté, la franchise. Il m'avait dit : « Dans la vie il faut aller de l'avant sans jamais avoir rien à se reprocher, pour que personne ne puisse vous reprocher quelque chose, à la fin, quand on s'en va, on laisse un souvenir irréprochable. » Je ne sais si je le cite précisément mais c'était là l'esprit de son enseignement. Durant ces journées terribles, lui-même fut terrible. Ah ! ce retour de Briançon à Val-des-Prés ! Il faisait si beau, autour de nous la nature éclatait de vie et moi, avec mes quinze ans, mon fouet et ce père aussi dur que du granit, je cheminais comme un automate. Il s'en bousculait des idées dans ma pauvre tête, mais il y avait quelque chose qui ne passait pas. Quoi, je ne savais pas, je me sentais enfermée dans un carcan de peur et de résignation et, tout au fond de moi, une force bouillonnait, qui me disait de refuser cet ordre ancien.

Cet enterrement fut une vraie tristesse, personne n'était là. Qui aurait pu y être ? C'était l'austérité des temps de guerre, même correspondre était difficile. Je pensais à mon frère Joseph, il aimait tant Catherine et je pensais à l'autre Joseph, à son mari, lui non plus n'était pas là. Il ne savait rien. Après l'enterrement, mon père se durcit encore plus. A peine avions-nous quitté le cimetière, à peine étions-nous retournés à la maison, qu'il alla aux écuries et m'appela.

« Emilie. »

Je le trouvai près du mulet ; il l'attelait. « Allez, me dit-il, il faut charger le fumier et épandre tout de suite. » Je le regardai sans comprendre, c'est à peine si j'avais eu le temps d'enlever ma robe d'enterrement et mes chaussures. Je lui dis :

« Mais, papa !

— Il n'y a pas de "mais, papa", vous attendez peut-être

qu'elle revienne faire le travail à votre place, maintenant qu'elle est partie ce n'est plus elle qui le fera, je ne compte que sur vous. »

Sur le moment, je n'ai pas cherché à comprendre, et je n'ai rien répondu. C'était trop gros. Il avait sur le visage un masque si farouche ! J'ai pris le mulet par la bride et je suis allée charger le fumier. J'ai fait un premier voyage et je l'ai transporté au champ de la Draille. J'ai déversé, j'ai épandu et je suis retournée faire un deuxième chargement. Je ne sais plus combien de voyages j'ai faits cet après-midi-là. Comment dire ? C'était comme un chemin de croix. A la fin, je ne savais plus où j'en étais, je revoyais tout ce que nous venions de vivre pendant ces quelques jours, le délire de Catherine, le docteur, l'hôpital, le cercueil et le visage de mon père. Décidément tout ça ne passait pas.

Catherine morte et enterrée, qu'allait-il advenir de celui qui était au front et qui attendait de ses nouvelles ? Nous lui avions envoyé un télégramme, mais il ne le reçut que beaucoup plus tard. Entre-temps, il avait lui-même été blessé, on l'avait trimbalé d'infirmerie en hôpital et, quand il avait appris la mort de sa femme et celle de l'enfant, les semaines avaient passé. Pendant ce temps nous recevions les lettres qu'il lui envoyait, il y en avait une presque chaque jour, c'était insupportable. J'en ai ouverte une. Il écrivait : « Ma chère Catherine... Je suis blessé mais ce n'est pas très grave, dès que j'aurai été soigné, je vais venir en permission pour me reposer, je resterai avec vous et notre enfant, est-ce un fils ou une fille ? Qu'importe, nous serons heureux. » Je n'en ouvris jamais une deuxième et nous attendîmes son retour. Quand il arriva, mon père lui dit :

« Vous voulez la clef de chez vous ? »

L'autre ne fit pas un geste, il dit simplement : « Non, non, pour quoi faire ? Nous avons été trop heureux là-bas, sans elle je ne veux pas y retourner. » Et il ajouta : « D'ailleurs ça servirait à quoi ? Je ne reviendrai jamais plus ici. »

Effectivement il n'est jamais revenu. Il est reparti pour le front et une fois là-bas, il a tout fait pour se faire tuer. Ceux qui le connaissaient et qui étaient avec lui dans les tranchées nous ont dit qu'il était comme un fou. Chaque fois que l'on demandait des volontaires pour des coups durs, il était le premier sur la liste. A force de s'exposer il est arrivé à ses fins, des témoins l'ont vu éclater sous un obus, la tête d'un côté, les bras et le corps de l'autre. C'est ainsi que s'est terminée l'histoire de ma sœur Catherine et de son mari Joseph le fromager. Dire que pour une fois c'était un mariage d'amour.

J'étais encore loin de la révolte, je ne pouvais pas imaginer que d'autres hommes avaient choisi de dire non à la guerre. Personne autour de moi n'avait remis en question la juste cause de la France contre l'Allemagne dominatrice et barbare. Chaque dimanche le curé dans son prône exaltait les Français au combat. Il légitimait le patriotisme des uns et condamnait la cruauté des autres. A l'entendre, la France était l'enfant chérie de Dieu tandis que l'Allemagne n'était que la terre du diable. Le poilu n'avait pas de devoir plus sacré que d'étriper le boche venimeux. Je n'exagère pas, c'était comme ça !

Au milieu de l'hiver 1916, mon frère Joseph fit une apparition. Il n'y a pas d'autre mot, c'était une apparition, personne ne l'attendait. Il s'était débrouillé pour avoir une permission et quand il arriva, sa visite fut pour moi comme un rayon de soleil.

Joseph n'est pas rentré dans la maison tout de suite. Il a toqué au carreau et il a attendu dehors que je vienne lui ouvrir la fenêtre. La première chose qu'il me dit fut celle-ci :

« Emilie, ne m'approche pas et ne me touche pas, passe-moi un pantalon, une chemise, des chaussettes et un pull, mais surtout ne sors pas. »

Je lui ai passé ce qu'il me demandait. « Jette-les-moi » qu'il me dit, et je l'ai regardé se changer à travers la fenêtre. Il a mis ses frusques militaires dans l'eau du bachal [1] et ce n'est qu'après qu'il est rentré dans la maison. Il me dit encore : « Emilie, je ne veux pas que tu y touches, c'est moi qui m'en occuperai demain, je ne veux pas que vous ramassiez des poux. » Le lendemain c'est ce qu'il fit en premier, il nettoya ses hardes avec patience et minutie, il passait toutes les coutures à l'inspection, sortait les lentes et les écrasait une à une.

1. Bachal : demi-tronc d'arbre creusé dans lequel s'écoule l'eau de source.

Je trouvais Joseph changé. Pourtant il était parti depuis un an à peine, mais il était plus grave, plus sérieux encore qu'auparavant... Un sérieux au fond duquel se lisait de la tristesse. Il me le dit, c'était la guerre qui le poursuivait, il ne suffisait pas de venir en permission pour l'oublier, on avait beau faire, la vie des tranchées était une vermine dont on ne se débarrassait pas aussi facilement que des lentes et des poux.

C'est lui qui m'a ouvert les yeux. Pendant les quelques jours qu'il passa à la maison, c'est surtout avec moi qu'il parlait et bien sûr il me parlait de la guerre. Pour nous, à Val-des-Prés, le départ des hommes mis à part, la guerre était restée quelque chose d'abstrait tandis que Joseph, il l'avait vue de près, il avait vécu la vie des tranchées en première ligne et il en revenait plein de rancœur et d'amertume, désespéré et triste. « Tu vois, me disait-il, tout ce que nous a raconté l'instituteur sur la patrie, sur la gloire, ce ne sont que des balivernes et des menteries. Il n'avait pas le droit de nous faire chanter *Flotte petit drapeau*... Qu'est-ce que ça signifie ? hein ! tu peux me le dire ? »

Non, je ne savais pas, je ne voyais pas.

« Emilie, si jamais tu fais la classe un jour, il faut dire la vérité aux enfants, parce que, c'est simple, le type qui est en face de toi, l'Allemand, il a certainement une charrue ou un instrument de travail qui l'attend chez lui. Après la guerre, lui et moi, si on n'est pas mort, si on n'a pas complètement perdu notre dignité d'homme, il faudra bien qu'on se remette au boulot pour réparer les ruines laissées par la guerre, mais la guerre, ni lui ni moi on en aura eu quelque chose. Ce sont les capitalistes et les richards qui auront fait des bénéfices en vendant leurs armes, ce sont les militaires de carrière qui auront gagné du galon et pris de l'avancement, mais nous, on n'aura rien eu, on n'aura rien gagné. Tu comprends ! »

J'étais interdite par tant de mots, par tant de rébellion. Je ne l'avais jamais vu comme ça, lui qui était la douceur même.

« Tu comprends ça, Emilie ? et à la fin qu'est-ce qui va se passer, quand ils vont décider que ça suffit, les dindons ce sera nous, ceux des tranchées, moi et l'autre en face de moi. Non, la guerre ce n'est pas ce que l'on nous a dit, c'est quelque chose de monstrueux, je suis contre, mille fois contre. Moi, je n'ai point tué et j'en tuerai point, je refuse de participer à ça, tout ce que je demande c'est qu'ils ne me tuent point non plus parce que je ne leur ai rien fait.

— ...

— Tu comprends ? »

Je crois que je comprenais pourquoi il parlait comme ça. Il avait trop souffert. Ces mots exprimaient sa révolte contre la souffrance et l'injustice.

« Tu comprends ? »

Je fis un signe d'acquiescement. Au fond de moi je craignais que Joseph tienne le même langage devant notre père, lui n'aurait pu le supporter. Son sens du devoir, son respect des lois, c'était toute sa vie. Joseph le savait aussi et il me le dit, il n'avait pas l'intention d'en parler avec lui. De me le dire à moi suffisait à le soulager.

« Parce que toi tu es jeune, tu veux devenir institutrice, tu dois savoir la vérité. »

Nous avons fait le tour de la ferme ensemble. Il en avait les larmes aux yeux, il se rendait compte du travail que ça représentait. J'avais soixante-quinze moutons, huit vaches, je faisais le beurre dans une baratte à main, je m'occupais du foin et des récoltes, j'avais seize ans.

« Comment ! Comment ! disait-il, toi qui étais étudiante, toi qui étudiais si bien pour être autre chose qu'une paysanne, comment peux-tu faire tout ça ? Emilie, si je reviens, je te promets que tu les reprendras tes études. Qu'importe l'argent, moi je travaillerai, je me débrouillerai, mais je te jure que tu continueras, non seulement pour devenir institutrice, mais professeur. »

Quand il dut s'en retourner pour rejoindre son régiment, le quatrième jour, Joseph avait dépassé les délais de sa permission. Il me dit :

« Pour repartir il faut que je passe la barrière sans que les gendarmes me voient.

— Joseph, c'est de la folie, pense à ce qui pourrait arriver s'ils t'attrapent, tu risques le conseil de guerre.

— Quoi ! dit-il — il avait retrouvé toute sa véhémence —, qu'est-ce que tu veux qu'ils me fassent ? je viens de passer quarante-cinq jours dans les tranchées, sans me laver, sans dormir, sans presque rien manger, avec la boue jusqu'à la ceinture, la vermine, la peur, le froid et, au-dessus de nous, les gradés qui nous guettent avec le pistolet chargé. Qu'est-ce que tu veux qu'ils me fassent de plus ? Rien ne peut être pire que cet enfer-là ! En me fusillant ils me rendraient service, rappelle-toi ça, Emilie. »

Mon père et moi nous l'avons accompagné un bout de chemin. Mais Joseph ne voulait pas de mon père. A la hauteur du Vivier il s'est arrêté et il lui a dit, en patois :

« Pâpâ na vou nin ! » (Papa allez-vous-en !)

Mon père a fait demi-tour, il est parti sans se retourner.

« Tu sais pourquoi j'ai renvoyé papa ? Je ne veux pas qu'il me voie pleurer, ça lui ferait trop de peine et à moi aussi.

— Mais Joseph !

— Non, Emilie, je sais que je vois cet endroit pour la dernière fois, je suis sûr que je ne reviendrai pas de cette guerre. »

Des mots pareils c'est dur à avaler. Je lui ai dit :

« Joseph », mais je n'ai pu rien ajouter d'autre. J'avais la gorge nouée.

« Allons, en route ! »

Je l'ai accompagné jusqu'à Briançon. Il a sauté la barrière et il a pris son train pour le front.

LE VENT M'EMPORTERAIT COMME UN OISEAU

Joseph parti, la maison m'apparut dans toute sa détresse. Elle était vide, elle n'avait jamais été aussi vide. Ce soir-là, j'ai broyé du noir et j'ai regretté les deux années qui venaient de s'écouler où nous étions tous ensemble. Certes, on se chamaillait, mais au moins la maison était vivante. Tandis que là, j'étais seule avec mon père qui s'enfermait chaque jour davantage dans son silence et Marie-Rose qui était encore une enfant.

Pourtant ces deux années n'avaient pas été faciles pour moi. J'avais partagé mon temps entre Val-des-Prés et Briançon et plus d'une fois il m'avait fallu serrer les dents et courber l'échine. J'étais la seule à savoir ce que je voulais, mes frères et mes sœurs ne comprenaient pas pourquoi mon père m'avait autorisée à continuer mes études. Pourtant, j'avais obtenu la bourse comme la directrice nous l'avait promis, mais ça ne changeait rien. Le fait que j'aille à l'école supérieure suscitait des jalousies.

C'est ma sœur aînée qui avait affirmé le plus violemment son opposition. Un jour que la directrice était venue voir mon père pour le persuader une fois de plus de me laisser continuer mes études — ce devait être pour mon entrée en quatrième année — Rose qui assistait à la discussion s'était écriée : « Ah ! non, certainement pas, je ne veux pas qu'elle soit institutrice alors que moi je ferai la bonne chez les bourgeois. » Ça ne pouvait pas être plus clair. Pour les autres c'était moins évident, plus nuancé. Ce n'était pas de la méchanceté, ils n'y voyaient qu'une façon d'échapper aux corvées de la ferme. Ils le disaient d'ailleurs : « Il n'y a pas de raison qu'elle passe ses journées les bras croisés assise sur son banc pendant qu'on se tape tout le boulot. »

Dans un sens ils n'avaient pas complètement tort, ce que je ne faisais pas ils étaient bien obligés de le faire eux. C'est pour cette raison que, chaque fois que je le pouvais, j'abattais ma tâche en dehors des heures de cours. Je me levais à cinq heures et j'allais travailler aux champs. Je sarclais, je binais jusqu'à sept heures, avant de retourner à la maison où m'attendait mon père. Pendant que je travaillais il m'avait tout préparé, mon panier, mes chaussures de ville, je me changeais et je partais pour Briançon. A la belle saison je faisais la route à pied : sept kilomètres le matin et sept kilomètres le soir. Pour ne pas perdre de temps, j'étudiais en marchant. Je m'étais fabriqué un cartable qui se dépliait et que je portais devant moi, suspendu à mon cou comme un pupitre, et sur lequel je posais mes livres.

A midi, j'allais m'installer dans un jardin public pour y grignoter mon déjeuner. C'était toujours très frugal, un œuf dur, quelques rondelles de saucisson, un morceau de pain, un bout de fromage et l'eau de la fontaine. A deux heures je retournais à l'école et le soir en revenant je me remettais au travail.

J'ai fait ça pendant deux ans et j'ai obtenu mon brevet en 1916. Ensuite tout a été bouleversé, il n'était plus question que je retourne à Briançon pour préparer mon brevet supérieur. Nous avons même refusé la bourse qui m'avait été accordée. Désormais, après la mort de Catherine, j'étais la seule femme de la maison et c'est sur moi que reposaient les destinées du « château ». Cela était inconciliable avec des études.

Je me suis attelée à la tâche. Je suis devenue une paysanne à part entière. Avec mon père et la petite Marie-Rose nous faisions au mieux de nos possibilités. Il n'y avait pas que nous qui avions des difficultés, toutes les familles étaient touchées par la guerre. Les mulets avaient été réquisitionnés par l'armée, ce qui fait que labourer ou charrier posait chaque fois des problèmes, il fallait se débrouiller avec les quelques rosses qui restaient. Ces bêtes-là étaient de vieilles peaux dont l'armée n'avait pas voulu, elles étaient difficiles à conduire et il fallait les emprunter. Ça faisait toujours des histoires à n'en plus finir.

Avant de s'en aller Joseph m'avait appris à labourer. Le plus dur n'était pas tant de se débrouiller avec un mulet ou un attelage de vaches, que de tenir le manche de la charrue. Je n'étais pas grande... Je me souviens, nous avions une charrue toute simple, un araire, avec un manche fait pour un homme. Pour moi il était bien trop haut. Quand je faisais les sillons avec cet engin, chaque fois que j'accrochais une pierre je recevais le manche dans la poitrine ou dans le visage. Pour moi, labourer était un véritable calvaire. Un jour, le coup fut si fort que j'ai lâché la charrue et laissé filer l'attelage. Sur le moment j'avais été à moitié assommée. Mon père qui me suivait s'était aussitôt fâché tout rouge, il était venu vers moi avec le manche de la grappe levé, prêt à me frapper : « Allez, allez, m'avait-il dit, rattrapez-moi ça, il faut reprendre la charrue tout de suite. » J'en ai pleuré autant de rage et de désespoir que de douleur, mais j'ai repris le manche et redressé le sillon.

Les mois se sont succédé ainsi. Je n'avais aucune notion du temps, une année aurait pu être un jour ou dix mille ans, c'était pareil. La seule chose qui comptait c'était le travail et la fatigue, la fatigue et le travail, jusqu'à l'épuisement. Je n'avais guère le temps de penser à moi, ni même de penser tout court. Pourtant il m'arrivait encore de faire des projets. Je n'avais pas complètement abandonné tout espoir de reprendre mes études où je les avais laissées. Je me disais : « Bon Dieu, cette guerre aura bien une fin, François va revenir, Joseph aussi, ce cauchemar ne peut pas durer éternellement. » Souvent je repensais à Joseph, à ce qu'il m'avait dit quand il est venu en permission... quand il reviendrait, il prendrait ma place, il reprendrait le manche de l'araire et moi... je peux dire que mes rêves d'alors n'étaient que ça, un partage équilibré entre Joseph et moi, la maison retrouverait sa vie, mon père son sourire, et moi, je pourrais terminer ce que j'avais commencé.

Pourquoi Joseph m'avait-il dit « je suis sûr que je ne reviendrai pas » ? Ces derniers mots m'obsédaient et me faisaient mal, je n'avais pu les oublier. Pour moi aussi la mort m'apparaissait inacceptable... accepter la mort de Catherine, c'était accepter l'injustice et ça, je ne pouvais pas m'y résigner. Joseph avec ses histoires de tranchées, avec son amertume, m'avait fait entrevoir un monde que je ne connaissais pas, un monde de refus et de révolte. Pour moi c'était un langage nouveau mais je sentais qu'en me parlant comme il l'avait fait il était dans le vrai.

1916, 1917, la guerre continuait, elle s'éternisait. J'y ai vu trois grandes étapes dans cette guerre-là, d'abord le départ des hommes, ensuite le vide, enfin le retour. Mais la plupart sont revenus les pieds devant. Çà et là les avis de décès arrivaient dans les villages et l'on prit l'habitude de les appeler par ce nouveau nom auquel ils avaient droit « Les morts au champ d'honneur ». Joli nom en vérité, c'était comme pour mon médaillé du travail, celui qui s'était pendu. Ils revenaient avec leurs belles décorations mais ils n'en avaient plus rien à faire. Ils étaient morts dans la fleur de l'âge sans espoir de retour.

1918. Brusquement nous ne reçûmes plus de nouvelles de Joseph. Jusque-là il nous écrivait régulièrement, au moins une lettre par semaine. Les mois passèrent sans rien. Nous supposâmes tout, y compris le pire. Normalement les familles des victimes étaient prévenues en cas de mort, ou de blessure. Il restait donc un espoir. Cinq ou six mois plus tard, alors que nous doutions de tout, au point que nous évitions de prononcer même son nom, le facteur nous apporta une lettre de lui. Je reconnus tout de suite son écriture sur l'enveloppe et, sur le moment, je fus incapable de faire un geste pour la prendre et pour l'ouvrir tellement il me semblait voir l'écriture d'un revenant.

« Eh bien, prends-la et lis », me dit mon père.

La lettre disait ceci : « Très chers parents, voilà cinq mois que je suis prisonnier des Allemands, cela fait la cinquième lettre que je vous écris, mais je n'ai pas eu de réponse de vous. Je me sens abandonné de tous, mais surtout, je souffre tellement de la faim que je vous demande de m'envoyer des colis. C'est une souffrance dont vous n'avez pas idée, je vous en prie envoyez-moi des colis autant que c'est possible, sinon nous allons tous mourir de faim. »

Cette lettre était inespérée, Joseph était vivant. Mais elle était tellement triste que nous en fûmes bouleversés. On l'aurait été à moins, pour nous la faim était une chose que nous ne connaissions pas. A partir de ce jour je lui fis deux colis par semaine, un que j'envoyais par la poste et un autre, plus gros, que j'expédiais par la gare. C'était naïf de notre part de croire que ces colis lui parviendraient. Les Allemands qui manquaient de tout eux aussi raflaient le contenu au passage. Joseph m'écrivait : « Chère Emilie, tu sais, de tes colis je reçois l'enveloppe vide, avec le doigt que je mouille avec ma salive je ramasse les quelques miettes qui restent dans les coutures du tissu, je renifle aussi pour sentir l'odeur des bonnes choses que tu y as mises. C'est tout ce qu'ils me laissent, mais je t'en supplie, continue de m'en envoyer, si par bonheur il pouvait m'en arriver un intact quelle fête ce serait. Nous souffrons tellement de la faim. »

D'autres fois ses lettres devenaient plus dures, plus cyniques : « Si vous me voyiez, tel que je suis en ce moment, vous ne me reconnaîtriez pas, je suis si maigre, je dois être plus léger qu'un sac de plume. Je me dis que si je passais à Granon quand il vente le vent m'emporterait comme un oiseau... Avez-vous des cochons cette année ? je pense souvent à eux et au bonheur qu'ils ont de manger à leur faim, j'aimerais être des leurs quand papa leur apporte leur mixture. »

Ces lettres me faisaient mal, mais Joseph était vivant. Il était prisonnier et il avait faim mais il allait nous revenir. Son retour parmi nous n'était qu'une question de mois, de semaines peut-être ? En cet été 1918 la fin de la guerre approchait. Cela se sentait, des hommes revenaient pour ne plus repartir. François nous avait déjà annoncé son retour, on disait : Les Allemands au bout du rouleau, les Alliés victorieux sur tous les fronts et l'armistice imminent.

Dans ces conditions, après les années que je venais de passer uniquement préoccupée des affaires de la ferme, mon impatience à reprendre mes études devenait de plus en plus forte. Déjà, par deux fois, j'avais posé ma candidature à l'académie, ils m'avaient répondu que j'étais trop jeune pour que l'on puisse me confier des enfants. Je fis une nouvelle demande. Mais il n'y avait plus de poste à pourvoir. Après quatre ans d'absence, les instituteurs démobilisés rentraient chez eux et les auxiliaires étaient en surnombre. Cela aussi était le signe que la guerre touchait à sa fin.

Avec l'assentiment de mon père, j'ai commencé à chercher une place dans l'enseignement privé. Avec mon brevet je pouvais trouver un poste de surveillante qui me permette tout à la fois d'étudier et de subvenir à mes besoins. Cela avait toujours été entendu ainsi entre nous. C'est François, de retour de la guerre, qui m'aida. Il avait servi comme brancardier et durant ces années passées au front il s'était fait des amis parmi les aumôniers. Il écrivit à un de ces prêtres à Paris, susceptible de m'aider à trouver ce que je cherchais. On était en septembre, il me restait encore quelques jours pour terminer de rentrer les récoltes, après je m'en irais à Paris.

Pendant ces journées qui me séparaient de mon départ j'ai travaillé comme une forcenée. Je voulais que tout soit impeccable pour que mon père n'ait pas de souci à se faire. Je ne sentais pas la fatigue, j'étais partout à la fois, au blé, au seigle, à l'avoine, jusqu'à la dernière minute. La veille au soir mon père m'avait dit : « Emilie, tu ne vas pas laisser les pommes de terre.

— Non, non, lui avais-je répondu, ça sera fait. » Et dès le lendemain j'étais partie avec Marie-Rose pour ramasser les patates. On en a fait quatorze sacs à nous deux. Arraché, chargé sur la carriole et rendu à la maison, tout ça avant midi. C'était le travail d'un homme, mais j'étais tellement excitée par l'idée de mon départ que j'aurais pu faire n'importe quoi.

Après, tout a été très vite. L'après-midi j'ai fait ma

valise et le soir j'ai pris le train pour Paris. C'était la première fois que je quittais le Briançonnais, j'avais dix-huit ans.

COMME AU MOYEN AGE

Quand je suis arrivée à Paris je suis tombée des nues. Jusque-là, je n'avais connu de la ville et de son animation que les braderies de la Grande Gargouille et les foires du Champ-de-Mars et lorsque je découvris les rues de la capitale j'eus la révélation d'un monde que je n'aurais jamais pu imaginer.

Un cousin germain était venu m'attendre à la descente du train. C'était un monsieur d'un certain âge que je ne connaissais que par ouï-dire, un employé des douanes à la retraite qui vivait à Paris depuis pas mal de temps et qui connaissait suffisamment la ville pour guider mes premiers pas. Je n'avais que lui pour m'aider car, mis à part la recommandation de François pour son abbé, je n'étais sûre de rien.

Nous avons pris le métro. Mon cousin habitait le quartier de la butte Montmartre, il était marié, il avait deux filles déjà grandes, et, depuis sa retraite, il était concierge dans un immeuble bourgeois.

« Ce n'est pas grand chez nous, me dit-il, ici ce n'est pas comme au pays, les maisons sont toujours trop petites et les loyers trop chers, mais je ferai mon possible pour t'héberger et pour t'aider. Tu sais que ma femme n'a pas le caractère facile et plus tôt tu régleras tes affaires mieux cela vaudra, autant pour toi que pour moi.

— Bien, dis-je, demain je dois aller chez l'abbé Josse, il doit me trouver une place dans une pension. C'est une question de deux ou trois jours, après je serai logée.

— Oui, fais ça le plus vite possible sinon nous aurons des histoires. »

L'accueil était plutôt distant, mais je m'en fichais. Sur le moment je n'en revenais pas de ce que je voyais autour de moi, dans le métro et dans les rues. Il y avait des gens partout, tous habillés comme des milords et qui marchaient comme si on venait de leur annoncer qu'il y avait le feu chez eux. Je n'avais jamais vu une chose pareille et je ne pus m'empêcher d'en faire la réflexion à mon cousin. Je lui demandai :

« Mais personne ne travaille ici ?

— Pourquoi dis-tu ça ? bien sûr que si, ils travaillent même beaucoup.

— Mais ils sont tous habillés comme si c'était dimanche ! »

Mon cousin n'a pu s'empêcher de sourire. Pour lui ma réflexion pouvait paraître naïve, idiote même, mais pour moi, qui ne mettait d'habits corrects que le dimanche pour aller à la messe, il n'y avait aucune malice dans ma question.

« Ici c'est l'usage, me répondit-il, d'abord la plupart de ces gens que tu vois ne font pas un travail salissant, ils sont employés dans un bureau ou dans un commerce, les autres ont une tenue pour se déplacer et ils se changent quand ils arrivent à l'atelier.

— Mais ils circulent sans arrêt, trouvent-ils le temps de travailler ?

— Tu sais, Emilie, la vie d'ici n'a rien à voir avec celle que l'on mène à Briançon, ici c'est grand, il faut se déplacer, il y a des millions et des millions de gens, quand les uns s'en vont au travail, les autres reviennent, ce qui fait que ça n'arrête jamais, tu as l'impression qu'ils se promènent alors qu'ils ont tous une occupation. »

Ma surprise était grande. La fébrilité des gens, la circulation, les bruits et les odeurs me faisaient l'effet d'un alcool. A la fin j'étais soûle et plus fatiguée que d'avoir charrié mes quatorze sacs de pommes de terre. Paris me faisait penser à une immense pièce montée à l'intérieur de laquelle des milliers de gens passaient leur temps à se promener. Quelle différence avec la vie que nous menions à Val-des-Prés, avec nos galoches et nos robes de serge bleue, à travailler la terre du lever au coucher du soleil.

Malgré moi je pensais aux histoires de chez nous, à ce qu'avait été ma vie jusque-là. Toute ma vie de petite fille me revint en mémoire, les hivers, les orages, la sécheresse. Je me dis que tout cela était fini, que je venais de tourner une page et que j'allais connaître un monde différent. Fini le silence tout blanc, fini les bruits feutrés de la neige, fini la petite paysanne qui allait chercher les seaux d'eau glacée à la Clarée.

Je pensais à mon père, à tout ce que j'avais appris de lui, à ses idées sur l'intégrité, la dignité... mais sa dignité c'était quoi ? Une fois je lui avais demandé s'il ne croyait pas qu'il y avait une limite à la dignité et, très calmement, il m'avait répondu que non. En disant cela je revoyais cet homme qui venait tous les mois à la maison et auquel mon père donnait une pièce de cinq francs. Cet homme était un de ses anciens camarades de jeunesse avec lesquels il faisait la contrebande des moutons. Chaque fois qu'il venait, avant d'empocher son écu, il exigeait de signer une reconnaissance de dette et mon père se pliait à son désir. Ce manège durait depuis des années, un jour n'y tenant plus je lui avais demandé : « Mais, papa, pourquoi lui fais-tu signer ce bout de papier, il n'a aucune valeur ? », il en avait d'autant moins que le bonhomme, qui ne savait ni lire ni écrire, signait d'une croix, et j'ajoutais : « Et puis, pourquoi tu lui prêtes ces écus puisqu'il ne te les rendra jamais ?

— Je lui prête parce qu'il en a besoin, avait répondu mon père.

— Mais il ne t'en rend point.

— C'est parce qu'il ne le peut pas.

— Mais alors pourquoi ces reconnaissances de dettes qui s'accumulent dans le tiroir et qui ne servent à rien ?

— C'est que s'il ne les signait pas il n'accepterait pas l'argent, il se dirait "Joseph n'a plus confiance en moi, il croit que je ne lui rendrai pas son argent" et il ne prendrait plus mon écu. »

Vers la même époque, tout ça bien avant 14, il avait eu des démêlés avec le maire de Val-des-Prés. Ce n'était pas la première fois. De vieilles rivalités opposaient les deux familles depuis toujours, mais cette fois, il s'agissait de bois volé et mon père s'était mis dans son tort. Comme beaucoup d'hommes du hameau, il arrondissait ses fins de mois en coupant des arbres qu'il débitait et revendait. Mais il ne faisait que des « délits d'arbres secs », jamais il n'aurait abattu un arbre en pleine vie ou abîmé la forêt.

Cette fois-là il était parti en forêt, au clair de lune, pour abattre une pièce qu'il avait repérée et il l'avait coupée. Hasard ou pas, le maire l'avait vu et le lendemain il s'était empressé de le dénoncer au brigadier des eaux et forêts.

« Un délit a été commis cette nuit, j'ai entendu tomber la pièce, j'ai surveillé et j'ai vu Joseph Allais rentrer chez lui avec. Brigadier il faut le verbaliser. »

Le brigadier vint à la maison pour voir mon père. Ce n'était pas un mauvais homme, il était même en assez bons termes avec nous, mais il était bien obligé de verbaliser. Il dit :

« Joseph, je sais que tu es veuf, que tu as six enfants à élever, si tu fais du bois, tu le fais toujours proprement, je le sais et je ferme les yeux, mais cette fois-ci je suis obligé de te verbaliser, quelqu'un t'a vu cette nuit et il est venu te dénoncer.

— Fais, dit mon père, je sais très bien que tu es obligé, si tu ne le fais pas tu auras des ennuis et toi aussi tu as une famille. Tu n'as pas besoin de me faire un dessin, je connais celui qui m'a dénoncé, ce n'est pas la première fois qu'il me fait des entourloupettes, ni la dernière certainement. »

Autre histoire de bois, celle de Marion Jambet, lui aussi avait eu maille à partir avec le garde forestier et, depuis, le surnom lui était resté. Son vrai nom était Albert, il était père de six enfants et un peu simple d'esprit. Il allait souvent en forêt faire du bois mais il n'avait pas les scrupules de mon père et abattait des arbres en pleine vie. Cette fois il avait profité de la nomination d'un nouveau garde, un homme qui n'était pas du pays, se disant que le moment était venu de faire tomber une belle pièce qu'il avait repérée depuis longtemps. Cet Albert se croyait malin et il s'était mis au travail de tout son cœur sans se soucier de rien. Lorsque la pièce fut à terre il s'arrêta pour souffler et en se retournant il se trouva nez à nez avec le nouveau garde. « Eh bien l'ami, je crois que je viens de vous prendre la main dans le sac », lui dit le garde. L'Albert se ressaisit aussitôt, se disant : « Bah ! Quelle importance, il ne me connaît pas », et au garde qui lui demandait comment il s'appelait, il répondit sans hésiter « Marion Jambet », en pensant « Il peut toujours courir avant de me retrouver ».

« Et d'où êtes-vous ?

— Ben ! De Plampinet. » Pensant toujours : « Mais à qui va-t-il l'envoyer son procès ? »

Il était vraiment naïf pour penser que le garde forestier allait se contenter de lui envoyer un courrier, ce nouveau garde, comme tous les nouveaux, faisait du zèle. Il avait trouvé le nom cocasse et le bonhomme louche et il était descendu sur-le-champ voir le maire de Névache.

« Avez-vous dans vos administrés un certain Marion Jambet ?

— Non, pas du tout, répondit le maire.

— Pourtant ce bonhomme m'a affirmé s'appeler ainsi et il habite le village.

— Comment est-il ?

— Oh ! je le reconnaîtrais entre mille, il est grand, il est blond, avec des jambes très longues.

— Il n'y en a qu'un qui ressemble à ça, c'est Albert. »

La supercherie n'avait pas fait long feu, le bonhomme fut dénoncé et condamné à une amende. Il s'en est bien tiré d'ailleurs, mais le nom lui est resté, tout le monde ici l'a depuis appelé Marion Jambet.

Autre affaire, plus tragique celle-là, et qui aurait pu se terminer par la mort d'un jeune homme. Ce fut un miracle s'il n'y laissa pas sa peau... Elle, s'appelait Zéphirine, ils étaient jeunes, amoureux et pleins de fougue. Lui venait la nuit, il descendait en skis du fort où il faisait son service militaire et il rejoignait Zéphirine sans sa chambre pendant que le père traînait dans les bistrots. Ce bonhomme avait la réputation de ne rentrer chez lui que lorsque le dernier café fermait ses portes, soûl comme un polonais et, quand il arrivait, il n'avait que la force de se laisser tomber sur son lit. Une nuit, il revint plus tôt que d'habitude, et quand il vit les skis posés contre le mur, il comprit tout de suite de quoi il retournait. A cette époque il n'y avait que les militaires qui se servaient de ces planches-là. On ne sut jamais ce qui lui passa dans la tête à ce moment-là. Sans hésiter une seconde il descendit à la cave, il prit un couvercle de cloche à fromage — ces cloches étaient en fonte, les plus petites pesaient dans les cinq kilos — et remonta sur la pointe des pieds. Dans sa chambre, Zéphirine et son militaire ne pensaient qu'à se lutiner, ils étaient loin d'imaginer que le père pouvait arriver pour les surprendre... Quand ils entendirent le bruit c'était trop tard. Le vieux était là et tandis que le jeunot s'affairait à remettre ses chaussettes il lui avait assené un coup de sa cloche à fromage. Un seul coup suffit, l'amoureux s'écroula, le crâne fendu. Zéphirine releva un moribond qui ne bougeait plus, et saignait abondamment.

La première stupeur passée, le vieux retrouva ses esprits. Il dit à sa fille :

« Va me chercher la bouteille de rhum à la cuisine. »

Il allongea le blessé, il le frictionna, il lui desserra les dents et le força à boire. Tout le litre y passa, jusqu'à ce que le chasseur alpin pousse quelques gémissements.

« Il n'est pas mort, dit le vieux, prépare-moi de la charpie pour lui faire un pansement. »

Zéphirine sans un mot fit le pansement et son père prit le corps, le chargea sur ses épaules et partit dans la nuit.

Il est allé ainsi jusqu'au fort de la Cochette. Ça représente un sacré tour de force, la nuit avec la neige qui tombait, la montée, le poids du corps, plus les skis... quand il est arrivé là-haut, au poste de garde, il a déposé son fardeau et il s'est esquivé en disant : « Je viens de le trouver dans la montagne, il s'est blessé à skis. »

Cette affaire-là aurait pu aller loin. Mais non ! le militaire fut soigné à l'hôpital, quand il revint à lui, il accrédita la thèse de l'accident. Le chirurgien n'était pas dupe : « Vous avez le crâne fendu d'une oreille à l'autre, des cheveux et un bout de béret dans la cervelle, c'est pas une chute qui a pu vous faire ça.

— Si si, je suis tombé dans la montagne », dit le jeune homme.

Il n'a jamais dit autre chose que ça, on fut bien obligé de le croire et l'affaire fut enterrée. Il est mort depuis des suites de cette trépanation, mais jamais il n'a reparlé de cette nuit et de la cloche à fromage.

C'est ainsi que se passaient les choses entre paysans de la montagne. Ils réglaient leurs affaires eux-mêmes, ils n'aimaient pas que d'autres s'en mêlent, c'était une vieille loi, respectée par tous. « Dure, dure, dure » voilà ce qu'était cette vie, voilà ce qu'avait été ma vie jusque-là. Je trouvais que je n'avais pas eu de jeunesse, mais ça aussi c'était la loi. Les exemples ne manquaient pas. Il y avait Angèle, la si bien nommée, un ange véritable qui avait passé toute sa vie à servir son rustre de cousin. Elle avait d'abord été sa servante et puis il avait fini par l'épouser pour ne plus avoir à la payer. Lui aussi était une brute et un ivrogne et elle acceptait tout, sans se plaindre. Elle était d'humeur égale, douce, souriante, toujours aimable. Chaque soir elle attendait le retour de l'ivrogne, il revenait après avoir parcouru le pays avec sa charrette, s'arrêtant invariablement à chaque bistrot et quand il arrivait, souvent à minuit passé, elle le prenait sous les bras, elle le transportait comme elle pouvait jusqu'au lit, l'installait et lui faisait manger la soupe à la cuillère, comme un bébé. Le jour elle s'en allait travailler chez les autres pour gagner l'argent du ménage, elle s'occupait des veufs et des vieillards, leur faisait le ménage et la lessive. A force de laver elle en avait les mains déformées. L'eau de la Clarée, si on en abuse, ne pardonne pas, elle est vive, glaciale, et Angèle avait des mains rouges et gonflées, ce n'étaient plus des mains mais des battoirs. Elle gardait son sourire et sa gentillesse. Angèle ! Une vie entière de soumission sans une seule plainte.

Et cette fleur de la montagne que ses parents avaient obligée à se marier avec celui que nous appelions ici « l'ours mal léché » tellement ce bonhomme avait un mauvais caractère ! Dès les premiers jours de leur union il l'avait terrorisée. Du matin au soir ce n'étaient que coups et menaces et la jeune femme n'avait pas trouvé d'autre issue que de se réfugier dans la folie. Elle quittait la maison et elle s'en allait dans les chemins et dans les bois sans se soucier du temps, parlant seule. Lorsqu'elle rencontrait des enfants elle leur parlait des morts. A force de fuir les vivants elle vivait avec eux. Je me souviens, un jour elle me prit par le bras et elle me dit : « Tu sais, je viens de voir ta maman, elle m'a demandé si tu étais sage », ce jour-là elle m'avait vraiment fait peur et je lui avais crié : « Non, non, ce n'est pas vrai. » Malgré ça son mari ne lui laissait aucun répit, quand il était en chaleur il partait dans les bois pour la retrouver, il la poursuivait de ses assiduités jusqu'à ce qu'elle cède sous la force, peu importait l'endroit, il la troussait et il l'abandonnait sur place. Cette femme, avec sa folie douce, avait quand même fait huit gosses.

Je crois qu'il n'y a pas de mot assez fort pour exprimer cette vie de rustre. Le Moyen Age peut-être, mais je me demande si en ce temps-là ils n'étaient pas plus civilisés. L'histoire de Marie et de Joseph, la plus exemplaire peut-être, illustre parfaitement les conditions de la vie paysanne de par ici avant 1914.

Marie était la seule enfant d'un couple de paysans pauvres. Cette fille était en âge de se marier, elle vivait et travaillait avec eux, attendant qu'un prétendant se présente. C'était bien illusoire. Ces gens-là habitaient un tout petit village de montagne, totalement isolé du reste de la vallée, la seule voie de communication qui les reliait au reste du monde était un simple sentier muletier. Ils habitaient une pièce unique, bêtes et gens sous le même toit. Un rideau coupait la pièce en deux, d'un côté la cuisine et la chambre commune, de l'autre l'étable avec les moutons et les vaches.

Marie se maria enfin, elle épousa un garçon du village et, le soir des noces, le jeune couple rejoignit la salle commune. Les lits se touchaient et lorsque le jeune homme essaya très prudemment de s'approcher de sa jeune femme, la fille qui était ignorante en tout se mit à crier : « Pâpà qué José que me tocho. » Le père se redressa dans le lit d'à côté, il dit à sa fille : « Marie, j'entends, veux-tu que je me lève ? »

Le jeune homme abandonna ses avances et il se tint tranquille le reste de la nuit. Il recommença le lendemain, et le surlendemain, chaque fois, la jeune femme, pas plus instruite que la veille, se mettait à crier dans le noir : « Papa, Joseph me touche. » Et le père de répondre : « Veux-tu que je me lève et que je prenne le gourdin, je vais le corriger le coquin. »

Des semaines, des mois passèrent ainsi. L'hiver approchant, le jeune homme décida de s'en aller « puisque je n'ai pas de femme autant que je m'en aille ». Il avait pris son balluchon et il était parti travailler à Marseille. Quand le printemps revint, le père dit à Marie : « Tu devrais écrire à Joseph, lui dire qu'il revienne, ça va être le coup de feu, ce n'est pas l'ouvrage qui va manquer. »

Le mari se fit un peu tirer l'oreille, mais il revint. Il s'était dit que, avec le printemps, les travaux dans les champs, il pourrait entraîner sa femme dans un coin retiré et lui faire comprendre ce qu'il voulait. Effectivement, dès les premiers jours il alla faucher l'herbe. Il dit à sa famille : « Aujourd'hui je vais aller faucher au pré du haut, c'est loin, et comme il y a beaucoup à faire, pour ne pas perdre de temps, je ne redescendrai pas pour manger, Marie me montera le panier. »

A l'heure convenue, la jeune femme arriva avec le déjeuner de son mari. Ils étaient seuls, ce fut un jeu pour Joseph de persuader sa femme de faire comme il l'entendait. C'est ainsi qu'ils firent l'amour pour la première fois, plusieurs mois après leur mariage.

ADIEU JOSEPH

Cet abbé Josse fut parfait. Il me reçut, me donna des adresses de pensionnats et me demanda de revenir le voir si je ne trouvais pas ce que je cherchais. Mais je trouvai tout de suite. La pension s'appelait l'Institut de Notre-Dame de Chaville, elle était tenue par des religieuses en civil et fréquentée par des jeunes filles de la noblesse et de la bourgeoisie.

La religieuse me proposa de me prendre au pair. Ce n'était pas extraordinaire. « Ici, c'est l'usage, me dit-elle, comme vous allez préparer votre brevet supérieur vous profiterez de nous autant que nous de vous, vous serez logée, nourrie et on s'occupera de votre trousseau. »

Trousseau est un bien grand mot. Ces dames me donnèrent tout de suite une chemise de nuit et une robe de chambre, c'était indispensable pour faire mes rondes dans les dortoirs et, plus tard, me dirent-elles, j'aurais droit à des mouchoirs, des serviettes et autres babioles du même genre. Sur le moment j'ai tout accepté, je crois que j'aurais accepté n'importe quoi, l'essentiel pour moi était d'avoir un endroit où je puisse étudier en paix.

En retour j'avais un emploi du temps bien garni. Je devais m'occuper des cours des toutes petites, assurer la surveillance pendant les récréations et les heures des repas, accompagner ces demoiselles en promenade et, le soir, les surveiller dans les dortoirs. Ce programme m'occupait de sept heures du matin à dix heures du soir. Après je pouvais penser à moi et travailler, mais je devais le faire à la lueur de la chandelle, car le gaz d'éclairage était coupé à ce moment-là. C'était le règlement.

Un mois après mon arrivée ce fut le 11 novembre. Je savais par mon père et par Marie-Rose que Joseph à nouveau ne donnait plus de ses nouvelles. Dans leurs lettres ils me disaient que partout dans les villages les hommes revenaient dans leur foyer, seul Joseph se faisait attendre. De mon côté j'essayais de les rassurer, je leur écrivais : « Tant que la guerre n'est pas finie c'est normal, mais dès que l'armistice sera signé Joseph sera libéré, comme il se trouve en zone ennemie, certainement que ses lettres ont du mal à passer les lignes. » Ces phrases-là entretenaient l'espoir et, je dois dire, à ce moment-là nous ne doutions pas de son retour.

Pourtant, le jour où les cloches sonnèrent sur Paris, annonçant la fin de la guerre et la victoire, il me fut difficile d'être heureuse, tant l'absence et le silence de Joseph m'inquiétaient. Je me disais : « Pourquoi il n'écrit pas ? pourquoi les autres reviennent et lui pas ? pourquoi ? »

Paris était en fête. L'institution elle-même participa à l'explosion de joie qui s'était emparée de la France. Toutes ces demoiselles étaient atteintes par le virus patriotique et, pendant vingt-quatre heures, la discipline du pensionnat vola en éclats.

« Mademoiselle Allais, mademoiselle Allais — la supérieure courait à travers l'établissement — nous sortons, il faut nous préparer, demain nous sortons en ville, nous irons voir les défilés et applaudir nos poilus, je ne veux ni malade ni exemption. » Il a bien fallu que j'y aille, j'étais payée pour ça. J'ai donc accompagné mes jeunes filles dans les rues de Paris le jour de la victoire. Dehors c'était du délire, il y avait une foule à faire tourner la tête. A chaque carrefour, sur chaque place, de la musique, des attroupements, on dansait, on s'embrassait, civils et militaires mêlés. C'était une véritable explosion de joie collective avec son cortège de cris, de rires, ses guirlandes, ses défilés de soldats, et moi, au milieu de tout ça, j'étais paralysée. Je souffrais le martyre, j'aurais tellement aimé crier moi aussi, embrasser ces soldats et les serrer dans mes bras. Mais c'était impossible, le souvenir de Joseph m'empêchait d'être heureuse. J'étais exactement dans le même état d'esprit que le jour où

Catherine s'était mariée, je craignais le malheur. C'était irraisonné mais je n'y pouvais rien, et ça se voyait à ma tête.

La directrice est venue vers moi, elle m'a dit : « Allons, mademoiselle Allais, ne faites pas cette tête-là, faites comme tout le monde, amusez-vous, il va revenir votre frère. »

Dès le lendemain j'ai pris la décision de faire quelque chose. Cette situation ne pouvait pas continuer, mais qu'est-ce que je pouvais faire ? N'importe quoi plutôt que de rester passivement résignée comme l'était mon père. Autour de moi on me conseilla tant bien que mal, certains me dirent d'attendre encore, que ce retard était normal, qu'il fallait l'imputer à la pagaille générale, d'autres au contraire me poussaient à faire des démarches. Je n'ai pas hésité longtemps. J'ai pris mon courage à deux mains et j'y suis allée. C'était un jeudi.

Ce fut tout un apprentissage. Les attentes interminables, les formulaires à remplir, l'indifférence des employés derrière leur guichet me firent découvrir l'univers d'une administration lourde, passive et, à bien des égards, inhumaine.

A travers tous ces bureaux, tous ces dossiers, toutes ces colonnes où des doigts anonymes cherchaient un numéro matricule, mon frère devenait une abstraction. Son ombre sortait d'un tiroir pour y retourner l'instant d'après. Ce jeu d'apparition et de disparition, d'espoir et de désillusion me brisait le cœur. Mais que faire ? Je n'étais pas la seule à courir dans les couloirs à la recherche d'un homme disparu, autour de moi, des mères, des épouses, des sœurs se débattaient contre l'impossible silence. Comme moi elles attendaient un miracle.

Chaque fois que j'y allais, je repartais la mort dans l'âme. A force je ne croyais plus au miracle, je me disais que c'était inutile d'espérer, que Joseph était mort et que jamais il ne reviendrait parmi nous. Mais ça je ne pouvais pas l'écrire à Val-des-Prés ni en parler à personne. Comme ils disaient au ministère, tant que rien n'est officiel, il reste encore un espoir.

Chaque matin l'une de mes élèves venait jusqu'à mon bureau pour me dire : « Mademoiselle, ce matin j'ai communié pour que votre frère revienne vite. » Cette candeur ne pouvait me laisser indifférente, mais je crois bien qu'à cette époque-là je doutais déjà de pas mal de choses.

L'hiver passa, tant bien que mal. Je menais une vie de nonne, cloîtrée derrière les murs de la pension. La messe, les cours, la préparation des devoirs et les corrections, une discipline de fer et un emploi du temps réglé à la seconde, ne me permettaient guère de penser à mes malheurs. J'aimais ça, j'en avais besoin et je faisais le travail de plusieurs personnes pour un salaire de misère. Après les chemises et les mouchoirs, ces dames avaient enfin décidé de me payer, elles me donnaient royalement vingt-cinq francs par mois, ce n'était même pas une aumône mais, basta ! ce n'étaient là que des détails ; j'avais la tête trop lourde, le cœur trop inquiet pour m'occuper vraiment de moi.

Au début du mois de juin la nouvelle me parvint avec toute la sécheresse d'un imprimé de ministère. Ni regrets, ni condoléances, rien qu'un avis de décès avec le nom, les prénoms, le numéro matricule et une courte phrase précisant la date et le lieu. Joseph était mort dans son camp de prisonniers et, ultime dérision, il était mort de faim le jour de l'armistice, le 11 novembre, au moment même où la France chantait et dansait dans les rues et sur les places.

Je voulus en savoir plus et, malgré ma douleur, je suis allée une dernière fois au ministère. Je ne sais pas pourquoi j'ai fait ça, je me le demande encore aujourd'hui, tout ce que j'appris de plus n'était que du macabre sans intérêt. Oui, il était mort de faim, il y avait une note du médecin, de faim et d'épuisement. Il avait été enterré sur place, dans une fosse commune avec quelques autres camarades, à Avesnes.

Lorsque je suis revenue à la pension, j'étais effondrée. Le plus difficile restait encore à faire, il me fallait annoncer la nouvelle à mon père. Je ne voulais ni écrire ni envoyer un télégramme mais aller à Val-des-Prés pour éviter que le choc ne soit trop rude. La directrice que je venais de mettre au courant de la situation me répondit : « Mademoiselle Allais, il faut offrir ce sacrifice au Bon Dieu. »

Cette phrase me mit hors de moi et je n'ai pas pu me contenir plus longtemps.

« Je vous en prie, lui dis-je, ne parlez pas d'offrir des

sacrifices et laissez le Bon Dieu tranquille, s'il y a un Bon Dieu il ne sait pas ce qu'il fait, après ce que nous avons vécu c'est horrible !

— Mais, mademoiselle Allais, vous ne savez plus ce que vous dites !

— Laissez, ce n'est pas vous qui allez annoncer ça à mon père. »

J'ai claqué la porte et je suis partie pour Briançon. J'avais en poche mon billet de train et trois malheureux francs dans mon porte-monnaie. Ce voyage de retour a été horrible, j'étais en deuil, démunie et désespérée. Lorsque je suis arrivée à la maison je n'ai pas eu grand-chose à dire, en me voyant habillée de noir mon père comprit tout de suite. Il dit simplement :

« Je m'y attendais, on n'avait plus de nouvelles, on voyait les autres revenir et quand ils ont tous été de retour pour moi c'était fini, je savais qu'il était mort. »

Quelques jours plus tard, un gars de la Vachette me fit parvenir d'autres détails. Cet homme s'était trouvé dans le même camp que Joseph, ils s'étaient rencontrés et ils avaient parlé ensemble. Il me fit dire également qu'il aurait dû venir m'en parler lui-même, mais qu'il n'en avait pas le courage tellement tous ces moments avaient été pénibles. Voilà ce que j'appris.

Joseph était en si mauvais état que, la première fois où il l'avait aperçu, il ne l'avait pas reconnu. Il était dans les bras d'autres prisonniers qui le portaient aux waters, il était si faible qu'il ne pouvait rien faire seul, il était comme un spectre, et c'est lui, Joseph, qui l'avait reconnu et interpellé.

« Hé ! Mondet, tu ne me reconnais pas ? avait-il dit à l'homme de la Vachette.

— Non, je ne te reconnais pas, qui es-tu ?

— Mais enfin, je suis de Val-des-Prés, on a fait notre première communion ensemble, je m'appelle Joseph Allais, tu ne te souviens donc pas ? »

Du coup, l'homme s'était souvenu de lui, mais il ne pouvait pas lui dire qu'il était méconnaissable tellement il était maigre. Il était malade au dernier degré, il avait attrapé toutes les saloperies qui traînent dans ces camps, la diarrhée, la dysenterie et il n'avait plus la force de se défendre contre rien.

Ces dernières précisions ne pouvaient rien ajouter ni

retrancher à notre douleur. D'ailleurs nous ne savions que faire de nos larmes, comment pleurer un mort qui nous avait échappé jusqu'au bout. Son corps lui-même s'était évaporé, malgré les recherches et les demandes on n'a jamais pu savoir où il se trouvait exactement. Des Avesnes il y en a cinq en France. Tout ce qui nous est resté de lui c'était son souvenir et une plaque en émail contre le mur du cimetière.

Juillet 1919. C'était l'été, deuil ou pas, douleur ou pas, il fallait s'occuper de la terre et des bêtes. J'ai troqué mes chaussures de ville contre les godillots du paysan, mes mains ont retrouvé la patine des vieux manches d'outils et je me suis replongée dans l'odeur chaude de l'étable pour traire les vaches et soigner les brebis.

De temps à autre François venait pour nous donner un coup de main, mais de plus en plus, il prenait ses distances avec la maison. Il avait tiré avantage des relations qu'il s'était faites pendant la guerre, maintenant il était sacristain à Briançon et il partageait son temps entre son église, ses curés et ses habitudes de vieux garçon. Pourtant avec la mort de Joseph, la question s'était reposée de savoir s'il reviendrait prendre en main les destinées de la ferme paternelle. Il avait dit non. Sa vie était réglée comme du papier à musique, les champs dont il avait hérité de notre mère lui suffisaient, il revendait sa carriole, son mulet, une ou deux vaches, il revendait son lait aux particuliers de Briançon et il se débrouillait comme ça. En plus il touchait des pourboires et des étrennes des vieilles filles de la paroisse auprès desquelles il était tout sucre et tout miel. L'un dans l'autre, il en avait plus qu'il n'en faut pour vivre confortablement.

Au mois d'octobre je repris le chemin du pensionnat de Notre-Dame de Chaville. Ce n'était pas l'idéal, mais je n'avais pas le choix. J'aurais pu chercher autre chose, mais j'avais préféré revenir là plutôt que de tenter l'aventure d'une nouvelle institution. Je ne me faisais aucune illusion, j'étais exploitée, avec mes veilles de nuit, mes classes, mes promenades du jeudi et du dimanche et les cinquante francs par mois qu'on m'offrait. Mais j'y avais mes habitudes et puis, une seule chose comptait, il fallait que j'obtienne mon brevet. C'est à ça que je me suis appliquée pendant les mois qui suivirent. J'ai travaillé d'arrache-pied sans voir personne, sans presque jamais sortir des murs de la pension et, au printemps, j'ai été reçue au brevet supérieur avec mention et félicitations des examinateurs. Je venais de franchir une nouvelle étape.

L'année suivante je suis retournée à Paris. Cette fois-ci j'avais décidé d'abandonner mes demoiselles de Chaville, elles m'avaient suffisamment exploitée et j'avais besoin de changement. Je n'eus guère la main heureuse. La pension Jeanne-d'Arc de Gagny était dirigée par une femme qui avait mauvaise réputation. C'était vrai. Dès les premiers jours elle me prit sous le feu de ses sarcasmes et il a bien fallu que je me défende. Quelques vigoureuses mises au point et le soutien de l'abbé de la maison me permirent de garder ma place et de travailler dans des conditions relativement acceptables, et, au mois de juin, j'obtenais sans difficulté mon C.A.P. d'enseignante. Désormais je pouvais demander un poste d'institutrice dans l'enseignement public, mais j'avais d'autres ambitions. Je me souvenais des paroles de Joseph. Avant de s'en aller pour le front il m'avait dit : « Je te le promets, tu feras tes études, non seulement pour être institutrice, mais professeur. » Je ne les avais pas oubliées et je me suis inscrite en Sorbonne pour y préparer une licence d'italien.

Je ne voulais plus continuer de mener la vie de cloîtrée qui avait été la mienne depuis trois ans, ni être exploitée par les religieuses. Mes diplômes me permettaient d'avoir quelques prétentions, je cherchai donc un poste à la mesure de mes ambitions et je le trouvai. C'était à Nogent-sur-Marne, dans un établissement privé tenu par deux sœurs. L'une enseignait le français, l'autre l'anglais. Elles m'accueillirent à bras ouverts et m'offrirent quatre cents francs par mois pour préparer leurs élèves au brevet. C'était plus que je ne pouvais espérer. Plus de surveillances, plus de promenades, plus de jeudi et de dimanche à faire les corvées. Je faisais mes cours et le reste de ma vie m'appartenait, je pouvais organiser mon temps comme il me plaisait. Un seul inconvénient, il fallait que je me loge, mais là aussi la chance me sourit. Le hasard voulut que je débarque chez des gens tout à fait différents de ceux que j'avais connus jusque-là.

Parmi eux je devais rencontrer un homme qui, avec ses idées, son autorité et son exemple, allait définitivement m'ouvrir les yeux sur le monde. Comme Joseph, il allait m'apprendre que la guerre est une ignominie, et prendre les armes pour tuer son prochain en est une bien pire encore.

TU NE TUERAS POINT

Avant la guerre ma sœur Rose avait fréquenté un garçon, un certain Maurice Vernon. Cette liaison n'avait pas eu de suite mais Rose était restée en relation avec les amis qu'ils fréquentaient. De plus, une de mes cousines s'était mariée avec le frère, Clément Vernon. Les deux frères, libertaires et insoumis, avaient quitté la France mais ma cousine habitait toujours à Saint-Cloud. Lorsque j'arrivai à Paris, en octobre 1921, c'est chez elle que j'allai m'installer. Elle avait accepté de me prendre en pension.

Ma cousine vivait alors avec Joanés Cuat, lui aussi insoumis et libertaire. C'est lui qui allait me faire découvrir le monde jusque-là inconnu de l'anarchie. Jo me fit tout de suite une forte impression. Il était tout le contraire des paysans de Val-des-Prés, il avait sur les hommes et sur la société des idées claires et lucides et, surtout, il avait choisi sa vie. Joanés Cuat était un homme libre. D'emblée je l'admirai, d'abord pour ses idées, ensuite pour ce qu'il avait fait. Tout comme mon père, il avait pour principe d'accorder sa pensée et ses actes, mais il s'agissait de deux mondes totalement opposés. C'est lui-même qui m'a raconté son histoire. J'avais vingt et un ans, lui était mon aîné de onze ans.

« Tu sais, Emilie, la plupart des gens ne savent pas ce que c'est que de déserter. Ils croient que c'est une lâcheté, s'ils le croient c'est parce qu'ils n'ont pas appris autre chose et qu'ils n'ont pas réfléchi à la question. Comment veux-tu qu'ils puissent réfléchir, la société ne leur en donne pas les moyens, pire elle fait tout pour les en empêcher. Dès l'enfance on leur bourre le crâne avec des idées fausses, on leur parle d'héroïsme, de patriotisme mais tout ça c'est du vent. Tu vois, Emilie, quand tu feras la classe, il faut te souvenir de ça, les cours de civisme et tout le blablabla, c'est fait pour endormir les consciences. Il n'y a rien de plus vulnérable qu'un gosse, il croit tout ce qu'on lui raconte, tant pis si ce sont des mensonges. Déserter, c'est refuser de dire oui à la bêtise humaine. Bien sûr, ils sont tous partis à la guerre, ils ont fait les tranchées et ils ont risqué la mort. Mais, dans le pire des cas, tu as toujours une chance de revenir. Il en est mort combien ? Un million dit-on, c'est terrible c'est vrai, mais il en est revenu des millions et des millions. Tandis que si tu désertes, si tu prends le maquis, d'abord tu te retrouves seul, et ça c'est déjà quelque chose, et puis, si tu te fais ramasser tu n'as aucune chance de t'en tirer, tu as droit au peloton à coup sûr. Quand tu désertes ou que tu refuses de te soumettre tu dis non à tout le système. Tu dis non aux richards qui ont décidé la guerre, tu dis non aux marchands de canons, tu dis non aux colonels qui sont les valets des premiers et tu dis non aux curés qui leur donnent la bénédiction. La guerre c'est la sauvagerie étatisée et la première victime c'est celui qui s'en va la faire, les ouvriers et les paysans, ceux qui comme ton frère s'en vont se battre parce qu'ils ne savent pas.

« Eh bien nous, avec nos idées, il n'y avait aucune raison pour qu'on se soumette, et on l'a fait. Parce qu'il y a aussi ceux qui sont contre en parole mais qui dès que ça chauffe un peu sont les premiers à crier à l'union sacrée. Nous, les Vernon, moi et quelques autres, quand on a vu que la guerre nous venait droit dessus, on a décidé de ne pas la faire et on s'est organisé. L'idéal c'était de quitter la France, de partir et de refaire sa vie dans un pays où l'on ne risque pas de devenir un numéro matricule. Partir, ce n'est pas facile pour un ouvrier, il faut des moyens, il faut de l'argent, alors on s'est cotisé pour payer les billets des frères Vernon. Il a été convenu qu'ils s'en iraient devant pour s'installer, trouver du travail et nous envoyer de l'argent dès que possible pour qu'on puisse les rejoindre. Clément a laissé sa femme et son bébé et moi je suis resté aussi. On a fait comme on avait dit, ils sont partis en Amérique et nous on est resté. En attendant il fallait vivre. Pour moi, ça ne posait pas de problème, j'ai un métier, je pouvais attendre. Il n'y avait qu'une chose qui me menaçait, c'est que la guerre éclate plus vite que prévu et que je sois toujours sur le territoire, c'était mon seul point noir. Mais pour elle, pour la femme de Clément, c'était une autre paire de manches, elle n'avait rien, aucun moyen de subsistance et il fallait qu'elle élève son bébé. Elle s'est mise à faire des ménages et elle s'est aperçue que faire des ménages avec un bébé ce n'est pas une sinécure. Les patronnes n'arrêtaient pas de lui tomber sur le dos : "Eh, lui disaient-elles, regardez votre marmot qui vient de salir mon tapis." Aussi sec elle perdait sa place, elle en perdait plus vite qu'elle ne pouvait en trouver. Un soir, je suis allé la voir et je l'ai trouvée dans tous ses états, elle venait de perdre sa dernière place et elle était désespérée. On est camarade ou on ne l'est pas, je ne pouvais plus la laisser dans sa misère alors que moi je vivais comme un milord. Après tout on était solidaire, on allait partir ensemble pour rejoindre nos camarades, alors je lui ai proposé de m'occuper d'elle et du gosse, je lui ai dit : "Ecoute, Maria, à partir de maintenant tu ne vas plus vivre en faisant des ménages, je vais m'installer chez toi, tu t'occuperas de mon linge, tu me feras la cuisine et moi je gagnerai pour nous trois."

« On a fait comme ça. On ne s'est pas mis en ménage, on vivait en communauté dans le respect, non pas des bonnes mœurs, les bonnes mœurs c'est encore une affaire de bourgeois, mais dans le respect de la camaraderie. Clément Vernon était mon copain, il n'était pas question de le trahir ou de le tromper, mais autour de nous les gens se sont mis à jaser, la mère de Clément la première. Elle a tout de suite vu le mal là où il n'y avait rien, elle s'est empressée d'écrire en Amérique pour dire à Vernon que Maria et moi on s'était mis à la colle. Dans ses lettres elle disait "surtout ne leur envoie pas d'argent parce que si ta femme vient avec Jo vous ferez ménage à trois". Clément l'a crue, il a suivi ses conseils et il n'a rien envoyé. Quand la guerre a été déclarée je me suis retrouvé comme un con, j'étais à Lyon avec l'ordre de mobilisation qui me pendait au nez. J'ai fait mon balluchon et je me suis taillé dans la montagne. J'ai commencé par me cacher dans la forêt de Saint-Claude que je connais bien, je savais que je risquais gros, mais je n'ai pas hésité une seconde. Pour moi, j'étais prêt à affronter n'importe quoi plutôt que de prendre le fusil.

« J'ai tenu le coup comme j'ai pu, en me cachant, en vivant dans les bois comme une bête et puis, je me suis organisé. On a tout de même quelques sympathies chez les libertaires et j'ai réussi à me faire faire une nouvelle identité. J'ai pris les papiers d'un citoyen suisse et je suis devenu Paul Robin. Du jour au lendemain, Joanés Cuat était mort. Pas complètement, les risques subsistaient, parce que le maquillage était plutôt grossier, mais tout de même ça me faisait une protection au cas où je rencontre les gendarmes. Il fallait qu'ils ne soient pas trop curieux, c'est tout.

« J'avais des nouvelles de Maria, je savais qu'elle était allée se réfugier chez une sœur dans les Alpes du Sud. Elle aussi risquait. Officiellement elle était la femme d'un insoumis et de par la loi elle pouvait être poursuivie pour complicité. J'ai décidé de la rejoindre. J'ai marché pendant des semaines en suivant les montagnes avant d'arriver là-bas. On ne s'est pas mis en ménage tout de suite, il a encore fallu d'autres malheurs et d'autres condamnations pour en arriver là. La mère de Clément nous courait toujours après et la guerre aussi. Un jour la petite de Clément est morte. Elle est tombée dans un puits et quand on l'a retrouvée elle était déjà morte. La belle-mère nous a accusés, Maria et moi, de l'avoir tuée parce qu'elle nous gênait. Ça nous a isolé encore plus des camarades, il n'y avait plus rien à espérer, jamais ils ne nous enverraient les tickets pour les Amériques. C'est alors que l'on s'est rendu compte qu'il ne nous restait qu'une chose à faire et on l'a faite. On s'est aimé. »

Moi je trouvais cette histoire extraordinaire, d'autant que, dans le petit appartement de Saint-Cloud, celui qui me la racontait était toujours recherché par les autorités. Comme il le disait, peut-être que Joanés Cuat était mort, mais c'était une mort si artificielle, une situation si précaire, que chaque jour, un rien risquait de le faire reconnaître et de l'amener devant un tribunal militaire. En 1921, il aurait encore eu droit au peloton d'exécution, on était loin de la loi d'amnistie et pourtant Jo menait une vie tout à fait normale, j'entends du point de vue d'un anarchiste. Il travaillait chez Renault, il était abonné aux revues libertaires, il parlait clairement et ne cachait pas ses idées. C'est lui qui m'a fait découvrir la littérature anarchiste et *L'Œuvre* de Lafouchardière. Ce sont ces lectures qui m'ont ouvert les yeux, car *L'Œuvre* c'était quelque chose, un journal pour les ouvriers, beaucoup moins partisan que *L'Humanité* de Jaurès. *L'Humanité* me donnait l'impression d'être un journal limité par des œillères, tandis que *L'Œuvre* c'était une ouverture. Je me régalais. Ce monde-là tranchait avec mon éducation et mes habitudes. C'était le monde à l'envers, mais un monde à l'envers qui me paraissait autrement d'aplomb que celui que l'on m'avait proposé jusqu'à ce jour.

Jo et ses amis respectaient les croyances, ce qu'ils n'admettaient pas c'était la puissance de l'église et sa collusion avec l'Etat et la guerre. Quand ils me parlaient ainsi ils ne faisaient que desceller les dernières pierres d'un édifice déjà bien ébranlé. Petite fille j'allais au catéchisme et, comme à l'école, j'y étais assidue et j'apprenais facilement. Cette facilité que j'avais de retenir l'histoire sainte fit que j'étais la préférée du curé, il me donnait en exemple aux autres et j'en avais de la fierté. A ce moment-là, tout ce qui touchait à Dieu et aux sacrements était tabou. Je croyais à l'enseignement de l'Eglise, à tout ce qu'on y racontait, la sainte Trinité, le sacrifice de la messe, la rémission des péchés, la sainte communion, l'enfer et le paradis et le jour de ma première communion, j'étais comme transportée par la foi et l'amour de Dieu.

Depuis la réalité de la vie avait émoussé cette ferveur. La guerre, les prônes du curé sur la Patrie, les paroles de Joseph sur les tranchées et surtout la mort, la sienne et celle de Catherine, toutes les deux tellement absurdes, avaient ébranlé l'édifice. Comme on dit, le ver était dans le fruit. Bien avant que Jo ne m'ouvre les yeux je m'étais dit : "Mais si le Bon Dieu existe comment peut-il tolérer de telles abominations, s'il est comme l'on dit, infiniment bon et infiniment juste, comment peut-il accepter une telle injustice ? Ce n'est pas possible." Mais isolée comme je l'étais, toutes ces idées étaient venues puis reparties. Reparties ? Pas tout à fait, elles étaient enfouies en moi comme des graines, prêtes à germer.

Et les frères Bertalon ! ça aussi ce fut une découverte.

Quand j'entendis parler d'eux pour la première fois je ne me sentais plus tellement j'en avais de la fierté. C'étaient deux montagnards du Briançonnais, deux pays à moi qui avaient donné l'exemple, et qui continuaient, parce qu'en 1922, ils étaient loin d'en avoir terminé. Ça faisait huit ans qu'ils se cachaient, huit ans que les gendarmes les recherchaient et ils tenaient toujours le coup. « Tu vois, Emilie, me disait Joanés Cuat, dans ces cas-là la religion a du bon. Les Bertalon c'est par religion qu'ils ont choisi l'insoumission. Ils sont protestants, depuis qu'ils sont gosses on leur a appris "Tu ne tueras point", et en 14 au moment de partir, ils ont préféré prendre le maquis, disant : "On ne tuera point." »

Ce qui m'enthousiasmait le plus dans cette histoire des frères Bertalon, c'était la solidarité du village à leur égard. Ils n'avaient pas eu à s'en aller très loin pour se mettre à l'abri, ils étaient restés dans le pays. Le jour ils se cachaient dans les grottes et la nuit ils ressortaient pour travailler leurs champs et ceux des voisins. Dès qu'un képi apparaissait à l'horizon, celui qui l'avait vu allait sonner la cloche et les deux frères remontaient dans la montagne. C'est comme ça qu'ils ne furent jamais pris, tout le village s'était donné le mot et personne ne manqua à cette solidarité. Femme, enfant ou vieillard, à la moindre alerte, ils tiraient la cloche. Il paraît qu'à force de vivre tout le temps dehors, les deux frères avaient des figures noires comme des pruneaux, ils étaient maigres et burinés par le vent, le soleil et le froid. Plus tard ils devaient se laisser prendre, mais ils avaient tenu treize ans, de 14 à 27. On leur fit un procès, j'y reviendrai, mais tout de suite je veux rapporter une phrase de l'aîné. Au juge militaire qui lui disait : « Mais enfin, Bertalon, réfléchissez, si tous les Français avaient fait comme vous que serait-il advenu de la France ? Les Allemands auraient tout envahi », il avait répondu : « Monsieur le président, les Allemands ne seraient jamais venus dans nos montagnes, ils n'ont rien à faire de nos rochers, pourquoi seraient-ils venus, pour partager notre vie misérable et nos hivers ? Notre terre est si dure que personne n'en voudrait. »

La vie de Jo, celle des frères Bertalon et toutes les idées qui gravitaient autour furent pour moi comme un ballon d'oxygène. La vie que je menais à Paris depuis trois ans n'était pas drôle et bien souvent il m'arrivait de perdre les pédales. C'est eux qui me remontaient le moral. J'en avais sacrément besoin. Entre mes classes à Nogent, les cours à la Sorbonne, les allées et venues et les déjeuners sur le pouce avec un petit pain à un sou et une bille de chocolat, je ne me ménageais guère. A force de me dépenser je finis par tomber malade et le médecin qui m'examina n'y alla pas par quatre chemins.

« Mademoiselle, me dit-il, il n'est pas question que vous restiez un jour de plus à Paris, vous devez repartir chez vous immédiatement. »

Le coup était dur, mais je ne pouvais nier l'évidence, j'avais perdu plus de dix kilos et je n'arrivais plus à surmonter ma fatigue. C'étaient les poumons. « Que voulez-vous, me dit encore le médecin, vous avez toujours vécu dans vos montagnes, l'air de Paris n'est pas bon pour une personne comme vous.

— Mais, docteur, je ne peux pas laisser ma classe, je présente six élèves au brevet, je dois terminer mon année.

— Non, il n'en est pas question, dans l'état où vous êtes, vous pouvez vous tenir comme dégagée de toute responsabilité. Il s'agit de votre santé. »

J'ai donc fait mes valises et je suis partie. Mes demoiselles de l'institution de Nogent prirent la chose du bon côté, elles me firent d'excellents certificats et me souhaitèrent bonne chance. Le sort en était jeté. Puisque je ne pouvais continuer les études je serais institutrice. Après tout, c'est ce que j'avais souhaité depuis toujours.

Au mois de juin je posais ma candidature pour rentrer dans l'enseignement public. J'avais demandé trois départements, la Seine-et-Oise, la Seine-et-Marne et les Hautes-Alpes. Je reçus trois affectations et il fallut que je choisisse. J'optai pour les Hautes-Alpes, il était normal que je reste près de mon père, il avait besoin de moi, et puis, comme avait dit le médecin, « tant que vous pourrez rester dans vos montagnes restez-y, l'air qu'on y respire est irremplaçable ».

Lorsque je reçus mon affectation, il a fallu que je regarde sur la carte pour avoir une idée de l'endroit où je devais aller. Je n'avais jamais entendu parler de ce village-là : Réalon-les-Gourniers. Je trouvais bien Réalon, près de Savines, mais des Gourniers il n'y avait aucune trace. « Bah ! me suis-je dit, lorsque je serai à Réalon, je trouverai bien les Gourniers. » J'ai fait ma valise et je suis partie.

A Savines où je suis descendue, je me suis retrouvée sur le terre-plein de la gare sans savoir où diriger mes pas. Je suis rentrée dans l'unique bistrot et j'ai demandé à la patronne comment on faisait pour se rendre à Réalon-les-Gourniers. La bonne femme me regardait comme si je sortais de je ne sais où. Elle me dit :

« Ah ! vous allez là-haut ! eh bien, c'est dans la montagne, pour y aller à cette heure, je ne sais trop. »

Elle avait l'air embarrassé. A ce moment-là, un bonhomme qui se trouvait là s'est avancé vers moi. « Pour aller à Réalon, me dit-il, il faut té-té-té-té-téléphoner à la dame Pé-Pé-Pé-Péron. » Ce petit bonhomme était tellement inattendu avec son bégaiement que j'ai eu du mal à me retenir de rire. J'ai cherché le numéro de téléphone de cette dame Péron et je l'ai appelée. Quand je l'ai eue au bout du fil je lui ai dit qui j'étais et ce que je voulais.

« Ben, me dit cette dame, à part le car du soir, il n'y a aucun moyen de communication, il n'y a que le car qui descend le matin et qui remonte le soir, si vous voulez arriver avant, il faut prendre un service particulier. »

A cette époque, il n'y avait ni taxi, ni rien. La seule solution était de trouver un voiturier qui accepte de me prendre avec ma valise. Le bègue me donna l'adresse d'un homme qui avait un cheval et une carriole susceptibles de m'amener là-haut. Je trouvai le bonhomme dans son écurie et je lui demandai s'il pouvait me conduire à Réalon-les-Gourniers.

« Réalon-les-Gourniers ? répéta-t-il.

— Oui, dis-je, je suis la nouvelle institutrice et je voudrais arriver avant ce soir. »

Le bonhomme se gratta la tête. « Ça dépend, me dit-il, est-ce que vous êtes très chargée ?

— Non, dis-je, j'ai juste ma valise.

— Alors, dans ce cas, je peux vous prendre, vous et votre valise, mais vous savez, quand ça monte, il faudra descendre et marcher. » J'ai accepté les conditions. Le bonhomme a attelé et nous sommes partis. C'était une toute petite voiture à deux roues, un buggy comme on l'appelait, avec un simple banc pour s'asseoir.

Heureusement que le bonhomme m'avait prévenue, le chemin montait sans arrêt et nous marchions derrière la carriole plus souvent que nous n'étions assis sur le banc. Ce fut un voyage extrêmement pénible, vingt kilomètres d'un chemin tortueux dont je ne voyais pas la fin. Lorsque nous sommes arrivés en vue du village de Réalon, le bonhomme me dit en passant devant le cimetière :

« Regardez-moi ça ! Ici c'est le bout du monde, il y en a beaucoup qui restent ici et qui ne redescendent jamais. »

Cette phrase idiote, et qui ne voulait rien dire, fut de trop. J'éclatai en sanglots. La fatigue, l'éloignement, la peur de l'inconnu, m'avaient rendue vulnérable à la moindre contrariété et ce « ils ne redescendent jamais » m'avait bouleversée bien au-delà de ce que le bonhomme pouvait imaginer.

« Ah ! mademoiselle, me dit-il, ce que j'en dis n'a guère d'importance, je n'avais pas l'intention de vous faire de la peine, sans ça je me serais tu.

— Ce n'est rien, laissez, j'ai le cafard et si c'est tout ce que vous avez trouvé pour me réjouir, ce n'est pas drôle du tout. »

Le bonhomme n'osait plus me regarder. Il me dit : « J'ai pas dit ça méchamment, et puis, vous savez, nous ne sommes pas encore arrivés, les Gourniers c'est encore plus haut et encore plus isolé. »

Ce coup-ci, il m'a presque fait sourire, mais il avait raison, plus nous montions, plus le paysage devenait aride et sauvage. Nous avions dépassé la zone des forêts pour entrer dans celle des alpages où plus rien ne pousse que l'herbe à moutons. Je me disais que si Réalon c'était le bout du monde, les Gourniers c'était pire encore, et, lorsqu'au détour d'un chemin, j'aperçus les premières maisons du hameau, j'eus un coup au cœur. Je m'attendais à trouver un village de montagne, mais un comme celui-là, je n'en avais encore jamais vu. C'était une sorte de conglomérat de pierres noires, posé entre ciel et terre, sans un arbre, sans autre chose que des pousses d'herbe entre les rochers. Plus nous approchions, plus la désolation et la pauvreté du village s'affirmaient. Décidément, le bonhomme avait raison, nous étions au bout du monde. Au-delà des maisons il n'y avait plus rien que les alpages, les sommets enneigés et le bout du chemin qui s'arrêtait là.

Le cocher me laissa au bord de la route. Quand je l'eus payé il tourna bride et je restai seule au milieu des maisons. Tout était clos et silencieux, le village semblait abandonné et, je dois dire que, tout habituée que j'étais aux mœurs des paysans de la montagne, je ressentais l'oppression de quelqu'un qui pénètre pour la première fois dans un monde inconnu.

J'ai posé ma valise contre un mur et je me suis décidée à frapper aux portes jusqu'à ce que quelqu'un me réponde, j'avais besoin de savoir où se trouvaient l'école et la clef qui l'ouvrait. A la troisième ou quatrième porte une femme m'ouvrit, elle me regarda, prit le temps d'écouter ma question, avant de me répondre d'un air ahuri :

« Ah ! l'école ! l'école ! suivez-moi. »

Elle me fit traverser une place et m'amena devant une bâtisse qui menaçait ruine.

« Voilà », me dit-elle.

Elle ouvrit la porte, me laissa passer et dit encore :

« Voyez vous-même. »

J'avais devant moi une pièce des plus misérables, aux murs nus, que dévorait l'humidité, seulement meublée d'un lit de grosses planches avec un sac de paille en guise de matelas, d'une table, d'une chaise et d'un poêle à bois. Tout ça était très précaire, je ne pus m'empêcher de dire : « C'est tout ! », et comme la dame ne répondait pas, je demandai :

« Mais, comment vais-je faire ?

— Ah ! ben, vous allez vous débrouiller.

— Mais, il y a une épicerie ? »

La femme haussa les épaules tellement ma question lui parut dérisoire. « Bien sûr que non, me dit-elle, il faut descendre à Réalon pour faire vos courses. »

J'étais atterrée par tant de dénuement, mais ce n'était que trop vrai, il n'y avait rien, ni épicerie, ni boucherie, ni boulangerie. Je n'avais pas été élevée dans du coton, mais là, brusquement, je me retrouvais au niveau du zéro absolu. Je demandai à la femme qui restait toujours là :

« Qu'est-ce que je peux acheter dans le village ?

— Oh ! pas grand-chose, on ne fait rien ici, peut-être un bout de beurre et encore ce n'est pas sûr. »

C'est par là que j'ai commencé, je suis allée dans une ferme et la fermière a consenti à me céder un peu de beurre. Mais quel beurre ! les paysans de Réalon avaient de drôles d'habitudes. A cause de leur isolement, ils gardaient le lait quatre à cinq jours et ils le laissaient écrémer au maximum ce qui, dès le départ, lui donnait une crème très rance et c'est avec ça qu'ils faisaient leur beurre. J'ai quand même pris ce bout de beurre rance, mais c'est tout ce que j'avais pour mon dîner. Il n'était pas question que je retourne à Réalon, je n'en avais pas le courage et n'avais d'autre solution que de revenir dans cet endroit qui me servait de logement. Pour la deuxième fois je mesurai l'étendue du désastre. Déjà les portes des maisons voisines s'étaient refermées et j'étais seule. Je me suis dit : « Si c'est ça être instituteur autant changer de métier tout de suite, c'est pire que d'être un moine dans sa trappe. » Qu'est-ce que j'allais devenir, sans chauffage, sans literie, sans pain ! Il n'y avait même pas un téléphone. Pour me calmer, je quittai la chambre et allai faire quelques pas dehors le long du torrent. Je m'assis sur une pierre et je crois bien que j'étais sur le point de pleurer. Je me souviens, je tenais encore dans mes mains le morceau de beurre que j'avais acheté à la ferme.

« Hé ! mademoiselle, qu'est-ce qu'il y a qui ne va pas ? »

Je levai mon regard, un jeune homme d'une vingtaine d'années se tenait devant moi. C'était le type même du montagnard, les cheveux presque blonds, l'allure dégingandée mais solide et, au coin des yeux, un pli de malice sympathique. Il répéta :

« Qu'est-ce qui ne va pas, mademoiselle ? »

Je voulus exprimer mon désarroi et ma déception d'un geste désabusé, mais quel geste aurait pu être assez fort ? Je lui dis :

« Ecoutez, je suis arrivée ici depuis une heure à peine

et je suis désespérée, qu'est-ce que vous voulez que je fasse avec ça — je lui montrais mon paquet de beurre rance — et là-bas — j'indiquais la direction de l'école — comment voulez-vous vivre dans une masure pareille ? » Le jeune homme me souriait, sur le moment j'ai cru qu'il s'amusait de moi. Il me demanda :

« Vous n'êtes pas d'ici ?

— Mais si, je suis montagnarde comme vous ! je viens de Val-des-Prés, je suis la nouvelle institutrice. De ma vie je n'ai jamais vu un dénuement pareil. Je suis venue pour faire un remplacement de quelques jours, j'ai juste une valise avec rien dedans, si au moins on m'avait prévenue qu'ici c'était le bout du monde j'aurais pris mes précautions, mais je n'ai rien et il n'y a rien, ni café, ni pain ! qu'est-ce que je vais manger ?

— Oh ! si ce n'est que ça, me dit le garçon, je vais vous dépanner, je vais aller sous les cailloux vous prendre quelques truites. » Il est descendu dans le torrent et il est revenu un moment après avec sept ou huit truites, de belles truites, dont il m'a fait cadeau. J'ai ramassé un peu de bois et je suis rentrée à l'école. J'ai allumé un feu et je m'en suis fait cuire quelques-unes avec le beurre. Je les ai mangées comme ça, après je me suis couchée.

La femme qui m'avait reçue m'avait dit : « Pour l'école il faut tirer la cloche, les gosses viendront. » Le lendemain matin j'ai donc tiré la cloche de la chapelle et j'ai attendu que les enfants arrivent. J'ai attendu un moment, j'ai même resonné la cloche une ou deux fois encore, mais personne n'est venu, ni un petit, ni un grand. C'était comme si j'étais absolument seule dans le village et je me suis dit : « Mais où suis-je tombée et qu'est-ce que je vais faire si personne ne vient, je suis chez des sauvages, ou quoi ? »

Je me suis décidée à faire un tour dans le village et j'ai arrêté une femme qui passait avec deux fillettes. Je lui dis : « Il faut envoyer ces enfants à l'école. » La bonne femme me regardait comme si je venais de tomber du ciel, elle me dit : « Oh ! vous savez, les enfants ! »

Je lui dis le plus vigoureusement possible :

« Quoi les enfants ! l'école est obligatoire.

— Ben vous savez, c'est pas une bonne période, ils ont

tant à faire, les vaches, les moutons, les foins, tous sont à l'ouvrage.

— Et ces deux-là, dis-je, ce sont les vôtres ?

— Ben oui.

— Elles ont l'âge toutes les deux, il faut me les donner.

— Ben, la petite a juste cinq ans.

— Alors, vous me les donnez ?

— Ben, s'il le faut, vous pouvez les prendre. »

Je m'en suis retournée dans la classe avec les deux petites. Je bouillonnais de colère et d'indignation, l'apathie de ces gens me dépassait. Ces deux fillettes ne représentaient pas une grosse prise mais c'était un début et avec elles je pouvais commencer à faire la classe.

Pour les faire parler ce fut toute une histoire, c'était certainement la première fois qu'elles se trouvaient en face de quelqu'un qu'elles ne connaissaient pas. Elles me regardaient fixement, l'air bourru, les lèvres pincées, comme si j'allais les manger.

« Bon, dis-je, nous allons commencer... est-ce que vous connaissez les lettres de l'alphabet ? »

Ni l'une ni l'autre ne dirent un mot ou ne firent un signe. Elles étaient comme un mur de ciment.

« Bon ! »

Je me tournai vers le tableau et je traçai à la craie un « o » et un « u ».

« Tu vois, dis-je en m'adressant à la plus petite, ça, ça ressemble à la lune, c'est un "o" et ça c'est un "u". »

Silence complet. Je recommençai ma démonstration une fois encore et à la fin je demandai

« Alors, tu as compris ? qu'est-ce que c'est ? »

Et comme il n'y avait toujours pas de réponse je lui demandai : « Mais, qu'est-ce que tu dis à l'âne quand tu veux qu'il s'arrête ?

« Chez moi, à Val-des-Prés, quand on dit "o" le cheval s'arrête, quand on dit "u" il repart — hein, qu'est-ce que tu lui dis pour qu'il s'arrête ? »

La fillette me regarda un moment, puis elle ouvrit la bouche et fit un énorme : « Brrouuu ! »

C'est tout ce que je pus en tirer. En dehors de ce « Brrouuu » retentissant, ni l'une ni l'autre ne desserrèrent les lèvres. Pendant la récréation je me rendis compte que la petite avait dit vrai, les paysans des Gourniers pour faire avancer leurs bêtes disaient

« Brrouuu », ils n'avaient que ce mot-là pour les arrêter et pour les faire repartir.

Après la récréation je revins en classe avec mes deux gosses. J'écrivis au tableau les deux syllabes « vo », « mi » et je demandai à la plus grande de me les lire.

« VO-MI.

— Tu sais ce que ça veut dire ?

— C'est quand qu'on "raque". »

Je me suis assise sur ma chaise. J'étais stupéfaite. Je me suis dit : « Eh bien, ce n'est pas le vocabulaire qui les étouffera dans ce pays. » J'ai renoncé sur-le-champ à essayer de leur apprendre d'autres rudiments de la langue. J'ai pris un livre et je leur ai lu des histoires jusqu'à la fin de la journée.

Le soir j'ai fini de manger mes dernières truites au beurre et, le lendemain matin, j'ai sonné la cloche à nouveau. Cette fois-ci personne n'est venu et j'ai renoncé à partir en chasse pour ramener des enfants. Comme je devais passer une visite médicale et aller à la conférence pédagogique, j'ai fait ma valise et je suis partie pour Gap. Je n'avais pas autre chose à faire que de voir l'inspecteur pour lui expliquer la situation.

C'est ainsi que s'est terminé mon séjour à Réalon-les-Gourniers, car je n'y suis jamais retournée. A Gap, l'inspecteur à qui je racontai toute l'histoire fut du même avis que moi, ce n'était pas la peine de faire une suppléance à une époque où tous les enfants étaient pris par les travaux d'automne. Il me proposa de me trouver d'autres remplacements en attendant de s'occuper de moi. Le hasard fit que ma première nomination fut pour ici, à Val-des-Prés. Pour la première fois de ma vie, j'allais enseigner dans la classe où j'avais moi-même appris à lire et à écrire. Cette nomination me valut quelques réactions de la part de jaloux. Le coup le plus rude fut à mon arrivée lorsque j'allai chercher la clef de l'école. La femme qui me reçut chez le maire et à qui j'expliquai que je voulais la clef me regarda avec l'air de quelqu'un qui ne comprend pas ce qui lui arrive. Je dois dire que cette femme qui buvait plus que de raison était déjà bien éméchée. Elle répéta : « La clef. La clef de l'école... Mais pour quoi faire ?

— Mais, lui dis-je, je viens d'être nommée institutrice.

« — Comment ! Vous institutrice, mais ce n'est pas possible ! c'est un scandale ! Vous croyez que l'on ne sait pas ce que vous faisiez à Paris ? Vous y faisiez le trottoir, tout le monde sait ça et jamais de la vie vous ne serez institutrice ici, ce n'est pas moi qui vous donnerai la clef de l'école. »

Elle me claqua la porte au nez et me laissa à la rue. Pour une vexation c'en était une de taille, même en sachant que cette femme était ivrogne et irresponsable, l'affront était dur à digérer. Un peu plus tard le maire et un de mes oncles remirent les choses en ordre. On me donna la clef de l'école et j'eus droit aux excuses mais je n'étais qu'à moitié rassurée. La méchanceté et la calomnie m'ont toujours fait très peur car on ne peut jamais en prévoir les limites. N'empêche que le lendemain, quand je suis arrivée à l'école, les gosses ont été d'une tenue exemplaire. Ça aussi ce n'était pas évident, je n'avais pas devant moi une classe comme les autres, mais des enfants qui me connaissaient depuis toujours, certains me tutoyaient, et je ne savais pas comment ils allaient se comporter avec leur nouvelle institutrice. En fait, tout s'est très bien passé, lorsque je suis entrée j'ai eu droit au « Bonjour mademoiselle » rituel. Il faut dire que, dans nos villages, il y avait un respect quasi religieux pour le maître d'école. Ce jour-là les enfants de Val-des-Prés m'ont dit « vous » et j'ai eu droit au silence attentif qui convient. Par la suite, je n'ai jamais eu de problème avec eux.

MÉFIEZ-VOUS DE LA DEMI-MONDAINE

Au mois de janvier, je reçus ma nouvelle affectation, j'étais nommée institutrice intérimaire dans un petit village situé tout au bout de la vallée du Queyras : La Monta.

En 1924, remonter le Queyras était une véritable expédition. Cette vallée que l'on appelle aussi les Gorges du Queyras est un couloir très encaissé qui ne reçoit presque jamais la lumière du soleil. En hiver c'est un des endroits les plus froids et les plus enneigés de la région.

Il n'y avait qu'une route qui serpentait à flanc de montagne et, en cette saison, un seul moyen de communication, le traîneau. Le traîneau du Queyras c'était tout un monde, aujourd'hui encore, ça me fait penser aux diligences des pionniers de l'Ouest américain. Certes il n'y avait ni Indiens ni hors-la-loi, mais le froid et la neige étaient des ennemis redoutables. A tout moment une tourmente ou une avalanche pouvait compromettre le voyage et, de Guillestre au terminus à Abriès, il y a plus de trente-cinq kilomètres.

Pour moi, qui pourtant connaissais assez bien les us et les coutumes des gens du Briançonnais, ce voyage fut des plus pittoresques. Les deux chevaux avançaient au pas dans la neige profonde et, dans la voiture, nous avions tout le loisir d'admirer le paysage tout en liant connaissance et en bavardant. On côtoyait toutes sortes de gens dans ce traîneau. Nous nous arrêtions à chaque village au café ou à l'auberge, et à chaque fois il en descendait et il en montait de nouveaux. C'était un défilé permanent : des militaires, des gendarmes, des paysans, des notaires, des curés, et évidemment l'institutrice que j'étais qui s'en allait rejoindre son poste au fin fond de la vallée. Tout le monde était plutôt joyeux. Certains se connaissaient et les conversations allaient bon train. J'étais jeune, d'un naturel enjoué, et je n'étais pas la dernière à plaisanter.

Mais quel froid ! Le traîneau était une voiture ouverte, sans toit, et chacun se protégeait comme il pouvait. Pour les jambes et le corps ça allait encore, nous avions des couvertures et des briques chaudes, mais pour les oreilles et pour le nez, malgré nos écharpes et nos bonnets, on souffrait le martyre. Je me demande si ce n'est pas ce froid coupant qui nous poussait à bavarder comme des pies. A chaque halte nous nous précipitions dans la salle de l'auberge pour nous réchauffer et pour boire un café ou un grog brûlant. Avant de nous replonger dans le froid, nous échangions nos briques contre de nouvelles, toutes chaudes, et nous repartions pour la prochaine étape.

Le voyage dura toute la journée. Partis de Guillestre à onze heures du matin nous arrivâmes à Abriès à la nuit tombée. Avant de partir de Val-des-Prés j'avais écrit à une de mes anciennes amies de lycée, Yvonne Richard. Cette camarade avait joué de malchance, elle avait essayé pendant des années d'obtenir son brevet, après deux ou trois tentatives malheureuses elle avait abandonné et était retournée vivre avec ses parents à La Monta. J'attachais beaucoup d'importance à cette lettre, car je ne connaissais personne dans ce village et je savais que la chambre qui m'était allouée par l'administration ne serait ni chauffée, ni préparée. Yvonne Richard, avec laquelle j'avais partagé bien des moments, aurait certainement paré au plus pressé.

Mais Abriès ce n'était pas La Monta, il y avait encore plusieurs kilomètres avant d'y arriver. Personne ne m'avait encouragée à faire cette route de nuit. D'ailleurs comment l'aurais-je faite ? Il fallait que je trouve quelqu'un qui veuille bien m'y conduire. Je m'étais donc résignée à ce contre-temps et j'étais décidée à trouver une chambre pour passer la nuit.

C'est à ce moment-là que je tombai nez à nez avec un grand escogriffe qui tenait par la bride une jument qui ne faisait pas loin d'un étage de haut.

« Pardon, me dit le bonhomme, vous êtes bien mademoiselle Allais, la nouvelle institutrice ?

— Oui », dis-je. A part moi, je me demandais qui il était et ce qu'il me voulait.

« Je viens vous chercher pour vous amener à La Monta. Je viens de la part de votre amie Yvonne Richard, si vous voulez bien me permettre je vais charger vos valises. »

Le bonhomme prit mes bagages et il les porta au-delà de la jument, vers une espèce de cahute montée sur un traîneau. La jument c'était déjà quelque chose, un véritable monument, mais le traîneau avec dessus cette bicoque en planches d'où dépassait un tuyau de poêle qui fumait comme la cheminée d'un paquebot, c'était d'un comique ! En plus j'étais tombée sur un bavard.

« C'est une chance que vous arriviez ces jours-ci, mademoiselle ; vous seriez venue il y a seulement une huitaine vous risquiez la mort dans mon taxi.

— Votre taxi !

— Ben oui ! c'est comme ça que je l'appelle, c'est mon traîneau-taxi, sans lui il ne serait pas question de voyager par ce temps. C'est le dernier confort de la montagne, il est autrement confortable que celui que vous avez pris depuis Guillestre. Je peux vous assurer que vous ne risquez plus rien.

— Ah ! bon, je ne risque plus rien ! »

J'étais perplexe. Je me suis demandée si je n'avais pas affaire à un fada et si je pouvais lui faire confiance. A l'intérieur de la cabane il faisait bon, le poêle ronflait.

« Ce que je veux dire, continuait le bonhomme pendant qu'il m'installait, c'est que la semaine dernière j'ai bien failli brûler vif là-dedans, ce sont les cantonniers qui m'ont tiré d'affaire.

— Ah ! bon, et maintenant vous dites que ça ne peut plus arriver ?

— Non, je l'ai perfectionné, avant je n'avais qu'une porte et l'autre jour, quand je me suis renversé, le taxi a basculé du côté de la porte et moi j'étais tout seul avec le poêle qui fumait tout ce qu'il pouvait, je ne pouvais plus sortir. La porte était bloquée par la neige et s'il n'y avait pas eu ces cantonniers qui m'ont vu et qui sont venus me redresser j'aurais fini enfumé comme un renard dans son trou. Depuis que j'ai refait la cabine avec deux portes, il n'y a plus aucun risque, si une porte se bloque, on a l'autre. Allez, en route ! Hue ! la Bien Fendue !

— La Bien Fendue ?

— Oui, mademoiselle, c'est son nom, vous avez vu cette croupe ! Il n'y en a pas deux comme elle pour se défendre dans la neige molle, en plus elle connaît sa route, il n'y a aucun danger de basculer dans un précipice.

— Pourtant, vous avez bien basculé l'autre jour.

— Ah ça ! La Bien Fendue n'y est pour rien, c'était le vent. »

Nous sommes partis. On n'y voyait pas à dix pas mais le bonhomme avait l'air de connaître la route et la jument aussi. Lui n'a pas arrêté de parler pendant les deux heures que dura le voyage. Deux heures pour faire les huit kilomètres qui nous séparaient de La Monta. Lorsque nous sommes arrivés, Yvonne Richard était là qui m'attendait. Nous nous sommes embrassées et elle m'a amenée au logement qui m'était réservé. C'était une chambre plutôt petite, modeste mais propre et, surtout, mon amie y avait fait du feu et préparé le lit.

La Monta n'existe plus, il fait partie de ces villages que les Allemands ont détruits et brûlés en 1945 avec la rage de l'impuissance. Aujourd'hui, il ne reste que le cimetière. En 1924, La Monta était un village qui vivait en circuit fermé, ouvert juste ce qu'il fallait vers le bas, vers Abriès, mais qui, pour l'essentiel, se suffisait à lui-même. Des vaches, des moutons, des patates, des lentilles, un peu de bois, quelques cochons, formaient la base de cette économie rustique. Chacun travaillait pour son propre compte en respectant ses voisins. D'emblée je me suis sentie à l'aise. Je n'avais jamais connu de gens aussi affables, ils étaient tout le contraire des paysans de Réalon ou de ceux de Val-des-Prés. Dès les premiers jours ils se montrèrent ouverts et serviables et quand ils me voyaient ils venaient vers moi, me disant : « Mademoiselle, si vous avez besoin de quelque chose il ne faut pas vous gêner, vous n'avez qu'à nous demander. » Ils me vendaient tout ce dont je pouvais avoir besoin. Chaque fois que l'un d'entre eux descendait à Abriès, il passait me voir avant de s'en aller. « Mademoiselle, est-ce que je peux faire une course pour vous, de quoi avez-vous besoin ? » Cette gentillesse tenait beaucoup à leurs qualités naturelles d'accueil et de spontanéité, mais de mon côté, j'avais un tel désir d'être acceptée, que cela devait se sentir aussi. Presque tous vinrent pour me parler de leurs enfants. Un ouvrier italien établi dans la région me présenta son fils. Ce gosse était un grand gaillard d'une quinzaine d'années, déjà moustachu, qui me dépassait d'une bonne tête. Ce garçon était en retard, il n'avait guère appris, car il ne parlait qu'italien. Son père était venu parce qu'il avait entendu dire que je parlais cette langue — c'était vrai, mes deux ans à la Sorbonne avaient quand même servi à quelque chose — et il voulait que je m'occupe de son fils. J'ai accepté, il était dans ma nature de rendre service, j'ai toujours eu pour principe de le faire chaque fois que c'était possible. Il faut dire que, dans ces montagnes, dans ces villages qui vivent repliés sur eux-mêmes, les occasions ne manquent pas. J'ai déjà évoqué le respect que suscitait l'instituteur, cela était d'autant plus vrai que bien souvent il était le seul représentant de ce que bien humblement j'appelle la connaissance. C'est pour cela que les paysans venaient lui demander conseil. Il arrivait que cette connaissance suscite la méfiance et qu'une autre autorité s'oppose à celle du maître d'école, celle du curé par exemple. J'aurai l'occasion d'en reparler, mais à La Monta je fus acceptée par la population et, je le crois, aimée par la plupart.

Pendant que j'étais dans le Queyras je ne pouvais pas m'occuper de mon père et de la maison. Maintenant le « château » était une grande maison vide. J'avais laissé mon père et Marie-Rose complètement perdus là-dedans et j'étais partie la mort dans l'âme. A son habitude mon père n'avait rien dit, ni un reproche, ni une plainte. Au cours des dernières années il avait accepté le sort qui lui était réservé et c'est vrai que, en vieillissant, il acquérait la dureté et la sécheresse de ces vieux troncs frappés par la foudre. De plus en plus droit, mais aussi de plus en plus distant, il continuait d'accomplir sa tâche sans broncher. Ma sœur l'aidait, elle était aussi sa seule compagnie, mais à vingt ans Marie-Rose commençait à ruer dans les brancards. Le jour de mon départ elle était venue m'accompagner à la gare et, au moment de nous quitter, j'avais eu l'impression qu'elle allait me parler. Elle n'avait rien dit, mais j'avais deviné qu'elle avait des problèmes, je m'étais même dit : « Toi, ma petite, tu as des ennuis » et je lui avais demandé :

« Il y a quelque chose qui ne va pas, Marie-Rose ?

— Non, non, avait-elle répondu, simplement je me disais que j'aimerais bien venir là-haut pour passer une semaine avec toi.

— Mais oui, pourquoi pas ? lui avais-je dit, écris-moi pour me prévenir, c'est tout. »

Marie-Rose, quand elle le voulait, pouvait être très maline. Depuis l'enfance elle avait gardé ce caractère léger, vaguement irresponsable devant les choses de la vie. Elle se laissait porter par les événements, mais, lorsqu'elle avait une idée en tête, elle pouvait être opiniâtre, tenace au possible et trouver le moyen d'arriver à ses fins. C'est ainsi qu'un jour de mars elle arriva, sans prévenir.

« Mais si, je t'avais dit que je viendrais te voir, me dit-elle.

— Oui, mais tu devais me prévenir.

— Bah ! me répondit-elle, j'avais envie de venir, j'en

profiterai pour ramener des fromages à papa, je suis venue avec la voiture du laitier. »

Pour venir, elle s'était débrouillée avec le voiturier qui faisait la navette entre Briançon et Ristolas. Il se faisait dans cette partie du Queyras des fromages réputés dans toute la région pour leurs qualités exceptionnelles, c'étaient vraiment de très bons fromages et ce bonhomme venait chaque semaine les chercher pour la laiterie de Briançon.

« Et papa, dis-je, tu l'as laissé seul ?

— Pour quelques jours ce n'est pas grave, il sait bien que je vais revenir. »

A ce moment-là, j'aurais dû me douter de quelque chose. Mais non ! Peut-être à cause de mes propres préoccupations, je n'ai rien pressenti, j'ai pris la visite de Marie-Rose comme quelque chose d'inattendu, et de plutôt agréable. Ce n'est que plus tard, pendant les vacances de Pâques que nous nous sommes expliquées, c'est là que j'ai su qu'elle était venue à La Monta pour me parler de ses ennuis mais qu'elle n'avait pas osé. Marie-Rose était enceinte de six mois et elle ne savait plus à quel saint se vouer.

« Mais, lui demandai-je alors, pourquoi ne m'en as-tu pas parlé, puisque tu étais venue exprès pour ça ?

— Je ne sais pas, je ne pouvais pas, c'était trop difficile à dire. De toute façon...

— De toute façon quoi ? maintenant c'est trop tard on ne peut plus rien faire.

— Mais, il y a Jacques. »

Ce Jacques était le responsable de sa grossesse et Marie-Rose n'avait qu'une idée, se marier avec lui. Moi j'étais contre ce mariage, Marie-Rose n'avait rien à attendre de bon de la part de ce garçon, mais elle s'entêtait de la façon dont elle seule était capable de le faire et elle trouvait toujours des arguments pour essayer de nous convaincre. « Tu verras, nous disait-elle, dès qu'il sera parti de chez lui, j'en ferai ce que je voudrai, il changera c'est sûr. »

Moi je ne croyais pas à ces bonnes paroles, le garçon était mauvais et il le resterait, telle était mon opinion. Mon père était beaucoup plus sensible aux arguments de ma sœur, un gendre, un homme dans la maison, c'était tout pour lui, et puis, il y avait la honte. A mon tour j'essayais de le raisonner. Je lui disais :

« L'enfant, puisqu'il est là, nous devons le garder et l'élever, mais pourquoi la marier si mal ? Elle en souffrira toute sa vie, mieux vaut une fille mère heureuse qu'une femme mariée à un ivrogne. La honte, si honte il y a, c'est notre affaire à nous. Si tu crois que ce freluquet est capable de s'occuper de la ferme tu te trompes et s'il faut un homme dans la maison ce n'est pas celui-là. »

Mon père m'écoutait. Il semblait me comprendre et acquiesçait à ce que je lui disais, mais je le sentais vulnérable. Pour lui, pour ses idées, une fille mère c'était insupportable. Pourtant, pendant toutes ces vacances de Pâques je fus suffisamment ferme et catégorique pour croire qu'il n'y aurait jamais de mariage. L'enfant oui, ce serait un petit ou une petite Allais, le mari non. Lorsque je suis repartie pour La Monta l'affaire paraissait définitivement entendue.

Après ces quelques jours passés à Val-des-Prés, je retrouvai la petite communauté de La Monta comme on retrouve une seconde famille. Faire la classe était pour moi un vrai plaisir. J'avais une vingtaine d'élèves, entre cinq et quatorze ans, divisés en quatre sections. En dehors de ça, quand j'avais terminé de corriger les devoirs et préparé les leçons, il me restait encore beaucoup de temps libre.

La pire des choses pour quelqu'un qui vit dans un endroit où il n'a pas d'attaches, c'est l'inaction. Je ne pouvais pas rester sans arrêt dans ma chambre, à lire ou à rêver, il fallait que je m'occupe, que je me dépense et, chaque fois que l'occasion se présentait, je proposais mes services. Dans un village comme La Monta c'était difficile pour un instituteur de ne pas être mêlé à la vie des gens. Moi j'aimais ça, la sociabilité, le plaisir de connaître les uns et les autres, de parler avec eux et de soulager ceux qui en avaient besoin. Dans ces cas-là, mes origines paysannes reprenaient le dessus, je voulais travailler avec eux.

J'avais dans ma classe une élève dont la mère attendait un bébé. Cette femme avait déjà cinq gosses, elle était jeune pourtant... Pour joindre les deux bouts elle se tuait à la tâche, elle n'arrêtait pas du matin au soir et s'abîmait

la santé. Je n'ai pas pu résister, un jour je lui ai dit :
« Vous savez, je crois que je pourrais vous aider, j'ai du
temps le jeudi et le dimanche, si vous voulez je pourrais
garder ou faire les foins à votre place. »

Elle a été surprise que je lui demande ça. Ma propo-
sition sortait des habitudes et, avant de me répondre,
elle avait hésité un moment. Finalement elle a dit oui et
le jeudi je m'en allais avec le troupeau. J'aimais ces
journées de garde en pleins champs, ces heures au
milieu de la nature, avec les fleurs, le vent, les bêtes, me
rappelaient mon jeune âge. D'autres fois, j'aidais le mari
à ramasser le foin. Lui, préparait les trappes [1] tandis que
je râtelais les restes. Ça me faisait un bien fou et cette
femme me gâtait, elle voulait absolument me payer en
retour des services que je lui rendais. Elle me préparait
des sacs comme jamais je n'en ai eu, elle me faisait des
spécialités du pays, des plats comme ils en font dans le
Queyras, beaucoup plus raffinés que ce que nous
connaissions dans notre vallée. Pour moi qui avais été
habituée aux saucisses et aux lentilles de mon père,
c'était formidable.

Au cœur de l'hiver, j'avais décidé d'organiser une fête
scolaire. Pour cela j'avais mis le village à contribution et
je m'étais dépensée comme un beau diable pour que cela
soit une réussite parfaite. Le maire lui-même m'avait
fabriqué une table ronde et quelques accessoires et tous
les habitants de La Monta, jeunes et moins jeunes,
avaient participé à la préparation des festivités. Ce fut
une réussite totale. Les paysans furent ravis au point que
la semaine suivante il me fallut recommencer une
seconde fois pour ceux qui n'avaient pu assister à la
représentation. Nous avions joué des petits sketches
dans lesquels tous les jeunes avaient tenu leur rôle, pas
seulement les enfants de la classe mais toute la jeunesse
du pays, mes amis, les amis d'Yvonne Richard et, le soir,
j'avais apporté mon phonographe et des disques et nous
avions dansé.

Dès le lendemain le curé avait crié au scandale, il allait
partout dans le village disant que la fête des écoles était
une fête païenne qui s'était terminée en orgie. Il fit du
porte à porte menaçant ses ouailles de ne plus leur

1. Trappe : sorte de trousse faite avec un filet de grosse corde.

donner l'absolution si elles laissaient leurs filles fréquenter la demi-mondaine. La demi-mondaine c'était moi. On en a ri plus qu'autre chose. Dans ce village, moitié catholique moitié protestant, le curé n'avait plus l'influence d'avant 14, mais tout de même, il avait été jaloux du succès que j'avais remporté avec la fête et il avait essayé de me discréditer auprès de la population.

Au mois de juillet il me fallut partir. J'ai bouclé mes valises et j'ai fait mes adieux. J'ai parcouru une dernière fois les rues en pente du village pour saluer ceux et celles avec qui je venais de passer six mois de ma vie. Mes premiers six mois d'institutrice dans un village de montagne.

TROIS HISTOIRES PLUS UNE

1910. La scène se passe à l'école communale de Val-des-Prés, pendant la récréation. Charlotte et Félicie jouent dans un coin de la cour. Charlotte a sept ans, Félicie huit, elles sont très amies et ne se quittent guère. Armand survient. C'est un garçon aux manières brutales, un de la section des grands qui se fait respecter par les menaces et par les coups. Il s'avance vers les deux fillettes et il crie : « Charlotte. » Il a la main levée et dans la main un caillou, un gros silex tout en angles, prêt à être lancé.

L'apercevant, Charlotte dit à Félicie : « Félicie, voilà Armand qui veut me lancer un caillou, mets-toi devant moi, toi tu ne lui as rien fait, il ne te le lancera pas. »

Peu importe les raisons, Félicie sans discuter se place entre son amie et le garçon. Armand voyant la manœuvre se fait plus menaçant, il dit à Félicie : « Félicie, pousse-toi de là, parce que si tu ne t'enlèves pas, c'est toi qui vas le recevoir.

— Pourquoi ? Je ne t'ai rien fait, dit Félicie.

— Je te dis de te pousser, sinon, c'est toi qui vas prendre. »

Armand a lancé son caillou. Félicie a vu venir le coup, elle a le temps de détourner la tête pour ne pas être défigurée, le caillou la frappe par-derrière au sommet du crâne. Le coup est si fort que la fillette s'écroule. Elle saigne abondamment et lorsqu'elle passe sa main sur sa tête, elle sent à travers les cheveux, le trou que lui a fait la pierre. Il n'y aura ni médecin, ni rien et c'est tout juste si Félicie ne se fera pas réprimander pour avoir provoqué un garçon. L'instituteur découpera comme il peut les cheveux autour de la blessure et il fera un pansement sommaire. Par la suite la blessure de Félicie s'est cicatrisée comme elle a pu. Elle aurait pu tout aussi bien s'infecter.

1919. Julie a vingt ans. Elle est enceinte et elle est obligée de se marier dans les pires conditions. Malheureusement elle appartient à une famille athée, son père ne lui a jamais donné d'instruction religieuse, ni messe, ni catéchisme. Pour se marier, Julie, sous la pression de sa belle-famille, est obligée de faire sa première communion. Tous les jours elle doit traverser le village sous la protection de sa future belle-mère et sous les regards narquois et les sourires moqueurs de la population. Tous les jours elle pénètre dans le presbytère pour y écouter le catéchisme de monsieur le curé. Pour Julie il ne peut y avoir pire vexation publique. Car il ne peut s'agir d'autre chose : en la regardant passer et en riant d'elle, tous se vengent de quelque vieille rancune. Julie est seule contre tous, il ne s'agit même pas de sauver les apparences, mais d'une parodie.

1924. Quelqu'un me dit : « Tu parles d'une histoire qu'elle a faite, elle a réussi à ameuter tout le village. Remarque, depuis le temps que ça couvait il fallait bien que ça éclate un jour ou l'autre. C'est à se demander pourquoi elle l'a épousé, si c'est pour le mettre à la porte quand il est dedans ou bien pour lui interdire de rentrer quand il est dehors. Elle est tout le temps en train de le menacer avec son manche à balai, à croire que ce n'est pas un homme mais une vraie poule mouillée, c'est le monde à l'envers. Ceci dit, elle a de qui tenir. Son père, ce vieil ours mal léché, a tué sa bonne femme, il l'a rendue complètement folle à force de la terroriser. C'est son portrait tout craché, en pire, puisque lui-même file doux quand il est avec elle. Elle n'a vraiment peur de rien. Ce soir-là elle ne voulait pas laisser entrer son mari dans la maison, elle lui criait dessus si fort que tout le quartier pouvait entendre : "Va donc te faire voir ailleurs, qu'elle lui disait, j'en ai par-dessus la tête de voir ta tête de demeuré et t'avise pas d'entrer ici sinon je te casse les reins." Lui comme d'habitude se taisait et courbait l'échine, il était pire qu'un chien battu et rebattu. Pour finir, elle lui a claqué la porte au nez. Il était bon pour passer la nuit dehors. Pour commencer il est allé chez son frère à lui, il l'a persuadé de venir et l'autre est venu, il a frappé à la porte, il a appelé et la Joséphine, quand elle a vu qui c'était, l'a rembarré, elle lui a dit : "Qu'est-ce que tu viens faire ici, va donc t'occuper de tes affaires, qu'est-ce que t'as besoin d'aider ton nigaud de frère, tu ferais mieux de voir l'heure qu'il est chez toi. Te voilà avec dix gosses, si ça se trouve il n'y en a pas un qu'est de toi".

« Lui non plus n'a pas pipé mot, il est reparti sans avoir réussi à la calmer. En second il est allé chercher son père à elle et l'ours est venu à son tour pour essayer de lui faire entendre raison. Même pour ce rustre il était inadmissible qu'une femme interdise à son mari de rentrer dans sa maison. Mais elle ne s'est pas laissé impressionner, elle lui a rivé son clou comme aux deux autres : "Pour qui tu me prends, qu'elle lui a dit, je ne suis pas ta Jeanne moi, je sais ce que je veux et ce n'est pas un vieux dégoûtant comme toi qui viendra me faire la leçon."

« De la manière dont elle criait tout le village était déjà au courant. Elle a une voix qui porte et, pendant ce temps-là, son mari était resté à bonne distance, il avait laissé les deux autres parlementer à sa place, mais comme ça n'avait pas marché, il s'est avancé pour lui dire : "T'as pas le droit de faire des choses pareilles, je suis chez moi et j'ai la loi pour moi, je vais aller chercher les gendarmes et on verra bien qui aura le dernier mot.

« — Va donc les chercher tes gendarmes, tu crois qu'ils vont me faire peur, va donc, tu verras comment je vais les recevoir. Tu peux aller chercher le pape si tu veux.

« La troisième personne qu'il est allé chercher c'est le maire.

« — Joséphine, qu'il lui a dit, tu n'as pas le droit de a laisser ton mari dehors, ouvre ta porte et laisse-le entrer.

« — Beu !

« — Joséphine, tu causes du scandale public, je te demande d'arrêter.

« — Tais-toi, qu'elle lui a répondu, de quoi tu te mêles, qui tu es pour me parler comme ça ?

« — Je suis le maire.

« — Qué maire ? Je ne te connais pas moi, va donc mettre ton écharpe si tu es maire, après on verra."

« L'autre est retourné chez lui pour mettre son écharpe. Tu parles d'une histoire, dans un pays comme ici, alors qu'ils avaient été à l'école ensemble... Quand il est revenu avec son écharpe en bandoulière, elle a continué, disant : "Ah ! le voilà le représentant de la loi, eh bien, elle est bien représentée la loi avec un phénomène pareil.

« — Joséphine, veux-tu donc arrêter ce scandale.

« — Comment ! Quel scandale ? Fils et petit-fils de pendu, veux-tu que je te donne une corde pour te pendre, hein ! Tu veux que je te l'envoie, à moins que tu l'aies déjà mise de côté ? Vous en faites collection dans votre famille, va donc te pendre avec ton écharpe et laisse les autres tranquilles."

« C'était tellement comique que plus personne ne pensait au mari qui attendait toujours que les choses s'arrangent pour lui. Mais la Joséphine ne s'en est laissé conter par personne, elle leur a tenu tête à tous et lui, il a bien été obligé d'en passer par où elle voulait. »

1925. Un jour une fermière du Casset va à son poulailler pour y soigner ses bêtes. C'est Félicie. Sur son chemin elle rencontre trois hommes qui, lorsqu'ils la voient, rient et se moquent d'elle. Parmi eux Armand le fromager, l'affreux garçon qui jadis lui jeta le silex dont elle porte toujours la marque au sommet du crâne. Félicie se demande pourquoi ces trois nigauds se sont moqués d'elle. Il ne lui faut pas longtemps pour comprendre : en donnant la pâtée à sa volaille elle s'aperçoit qu'il lui manque ses trois plus beaux canards. Elle revient aussitôt sur ses pas, les trois hommes sont encore là, à rire et à la provoquer. Félicie furieuse leur dit :

« Qu'est-ce qui vous fait rire ? Ne serait-ce pas vous qui auriez pris mes canards ? Je crains que oui.

— Nous ? mais non, répond Armand, quand donc veux-tu ?

— Mais hier soir, quelqu'un vous a vus, c'est maintenant que je fais le rapprochement, hier soir on vous a vus à travers la fenêtre, un faisait le guet sur la route, l'autre au-dessus tandis que le troisième devait estourbir des canards.

— Félicie, tu dis n'importe quoi ! Faut prouver ce que tu racontes.

— Grand bien vous fasse, seulement ça ne vous portera pas bonheur, je ne veux pas savoir lequel des trois a monté le coup, ce que je sais c'est qu'il mourra dans l'année. »

Félicie ne sait pas pourquoi elle dit une chose pareille. C'est la colère, elle est tellement furieuse qu'elle se sent capable de dire n'importe quoi.

Quelques mois plus tard, on retrouve le corps d'Armand le crâne fracassé par-devant et par-derrière. Il a son béret sur la tête et son vélo est posé contre un rocher à côté de lui.

On n'a jamais su ce qui s'était exactement passé. La thèse retenue fut celle de l'accident. Mais quel accident ? D'un côté il y a les faits, de l'autre les suppositions. Les faits c'est d'abord que le fromager a été retrouvé par son fils, que c'est lui qui l'a chargé sur une carriole et qui l'a ramené à la maison. Les faits c'est également qu'il devait être dix heures du soir à ce moment-là, et que la femme et le fils du fromager ont attendu qu'il ne respire plus du tout pour aller prévenir le maire à trois heures du matin. Entre-temps, c'est-à-dire pendant sept heures, le fromager est resté allongé sur son lit, avec sa femme d'un côté et son fils de l'autre. Personne n'a été prévenu sauf à la fin, un médecin qui lorsqu'il est arrivé n'a pu que constater le décès et accorder le permis d'inhumer.

A partir de là, en principe, l'affaire était close. Le fromager Armand était mort accidentellement, cela conformément à la prédiction de Félicie. Pourtant, quand le maire à trois heures du matin vit l'état du cadavre il trouva l'affaire louche. Il se gratta la tête et se posa des questions. Cette double blessure à la tête lui paraissait inexplicable, mais il ne dit rien lui non plus, il respecta la décision du médecin et ne prévint pas les gendarmes. Comme il était cousin avec Armand c'est lui qui le lendemain se rendit à Briançon pour commander le cercueil. Ayant oublié de prendre les dimensions du mort, il téléphona au village et le hasard voulut que ce soit Félicie qui prît la communication. Le maire lui demanda d'aller à la maison du mort pour y demander les mesures.

Lorsque Félicie arriva à la maison mortuaire, les deux hommes qui se trouvaient avec Armand le jour du vol des trois canards étaient là. Félicie entra, elle se signa, signa le mort comme le veut la coutume avant de regarder les deux compères bien dans les yeux. Les deux hommes étaient aussi blancs que le plâtre du mur derrière eux. Félicie ne dit pas un mot, elle demanda les mesures, regarda une dernière fois les deux amis du fromager et repartit comme elle était venue.

Les suppositions étaient d'une tout autre veine. Personne n'aimait vraiment cet Armand, il avait la réputation d'être un mauvais coucheur et personne ne le regrettait. Mais de là à croire que l'accident expliquait tout, il y avait un monde. Dès le lendemain dans le village, en parlant de ces deux-là, la femme et le fils, certains se disaient : « Mais qu'est-ce qui va leur arriver ? Ramasser le bonhomme sur la route avec le crâne fracassé devant et derrière, ne pas téléphoner, ne pas prévenir les voisins, ils vont en avoir un d'interrogatoire ! Et il va s'en passer des choses. » Tout le monde trouvait cette mort suspecte, mais rien n'est venu. Le médecin avait accrédité la mort par accident, il avait signé le permis d'inhumer, on ne pouvait plus rien faire. Le fromager fut enterré et Félicie, aux yeux des deux autres compères, passa pour une sorcière, car sa prédiction s'était réalisée comme elle l'avait dit, l'un des trois voleurs était mort dans l'année.

De telles affaires étaient assez fréquentes, je veux dire ce genre de menus larcins, fort heureusement elles ne se terminaient pas toutes de manière aussi tragique. Tout de même les rapports qui existaient entre les gens du village restaient bien souvent empreints de ce primitivisme ancestral. On parlait bien du temps d'avant 14 comme d'une époque révolue. Les anciens vieillissaient, les jeunes s'émancipaient et, insensiblement, les progrès techniques apportaient des améliorations dans les conditions de vie. Mais ce changement était difficile à percevoir dans le cours ordinaire de la vie. Les habitudes et les coutumes acquises au cours des siècles avaient la solidité des vieilles chemises de chanvre que nous fabriquions autrefois, elles résistaient à l'usure du temps.

Par exemple, cette histoire du maire, cette affaire de pendu et de fils de pendu, c'était vrai, mais enfin, ça ne tenait pas debout, je veux dire il fallait vraiment être rétrograde pour lui parler de ça. Le maire avait pourtant pris toutes les précautions. Quand il avait voulu se marier, il avait cherché par tout le pays une femme qui comme lui ait des pendus dans sa famille et il l'avait trouvée. Je ne sais plus où il avait été la chercher mais il s'était marié avec cette femme dont le père et un grand-père s'étaient pendus également. Tout ça pour que ni l'un ni l'autre ne puissent jamais se reprocher leurs antécédents. Et c'était pour tout pareil, pour les récoltes, pour l'argent et pour la maladie. Il y avait ici un paysan qui se mourait d'urémie. Quand je dis qui se mourait, il est resté debout sur ses jambes jusqu'au dernier jour, mais il était condamné par les médecins. Cet homme-là avait attrapé de l'urée, il avait six grammes d'urée et il croyait s'en tirer. Il venait me voir et me disait : « Emilie, tu vas venir avec moi au médecin, ils disent que je suis alcoolique, mais tu m'as vu soûl toi ? tu m'as vu soûl une seule fois ? »

Qu'est-ce que je pouvais lui répondre ? Je lui disais :

« Non, je ne t'ai jamais vu soûl mais je t'ai vu boire de bons coups.

— Emilie, ils disent que je suis alcoolique, il faut que tu viennes et que tu leur dises que tu ne m'as jamais vu soûl. »

Certes je ne l'avais jamais vu en train de tituber mais il buvait ses quatre litres de vin par jour soi-disant parce qu'il était un travailleur de force. Il buvait un litre au petit déjeuner, un autre à midi, un autre à quatre heures et un dernier le soir. Lui, disait qu'il n'était jamais soûl et il n'admettait pas qu'on lui en fasse le reproche, encore moins de tomber malade à cause de ça. Pour lui, c'était inconcevable.

Avec six grammes d'urée il ne pouvait pas s'en tirer.

Les médecins disaient qu'ils n'avaient jamais vu un cas pareil, c'était un vrai record, mais lui ne l'entendait pas de cette oreille, il voulait vivre. Pour se libérer de ce qu'il appelait le mauvais sang il n'avait rien trouvé de mieux que de se faire arracher toutes ses dents. Il était comme fou, il ne voulait pas mourir et il se disait : « Ils vont m'arracher les dents et ça saignera ; ça saignera tant et tant que ça me libérera de tout ce mauvais sang. Comme je ne bois plus, je renouvellerai mon sang et je pourrai vivre. »

On avait beau dire qu'un siècle s'était écoulé entre le début de la guerre et après, il restait quand même pas mal de choses à changer, et c'était justement cette question qui me préoccupait à cette époque-là : le rôle que je devais avoir auprès des enfants dans des pays comme les nôtres. C'était difficile de se faire une idée claire, mais ça me paraissait essentiel d'essayer. Ce qu'il fallait avant tout, c'était leur ouvrir les yeux, faire tomber toutes ces vieilles coutumes pour leur apprendre à vivre autrement, leur apprendre à vivre tout court et à aimer la vie, les détacher de l'alcoolisme et les prévenir contre les mensonges et les stupidités de l'Eglise et de l'Etat.

Depuis que j'étais petite fille j'avais tellement désiré devenir maîtresse d'école que j'avais eu le temps de prendre conscience de l'importance de cette mission. A mes yeux les instituteurs sont responsables de toute la société. Ce sont eux qui ouvrent l'esprit aux gosses, qui leur montrent ce qui est bien et ce qui est mal. Cette responsabilité était maintenant la mienne et je devais en assumer les conséquences. Je me sentais suffisamment courageuse et patiente pour y parvenir, parce que, quand on a des gosses avec soi, il ne suffit pas de leur apprendre à lire, à écrire et à compter, il faut aussi leur apprendre à lire entre les lignes c'est-à-dire à réfléchir et à penser par eux-mêmes, et, ça, ce n'est pas toujours facile. Ce qui est essentiel, c'est qu'un enfant dans une classe, n'importe lequel, se sente aimé et considéré, qu'il sente que le maître ou la maîtresse ne le prend ni pour un numéro ni pour un polichinelle, et que tout ce qu'on lui demande, c'est pour son bien. A partir de là bien des choses peuvent se passer, mais il faut de l'amour pour y parvenir. Sans amour il vaut mieux ne pas enseigner, il vaut mieux faire un autre métier. Pour moi c'était une vocation.

Et puis, il n'y avait pas que les enfants, il y avait aussi les parents et les grands-parents. C'étaient eux qui retenaient le progrès et empêchaient les idées nouvelles de s'imposer. A cette époque-là je le pensais déjà. « Quand on a les enfants on a les parents » et c'est vrai. Ce sont les enfants qui amènent d'autres idées à l'intérieur de la famille, même si elles ne sont pas acceptées tout de suite, elles font leur chemin et peu à peu ce sont les enfants qui prennent le dessus.

Il restait tant de choses à faire, tant de vieilles idées et des habitudes à mettre en l'air. Le patriarcat, le droit d'aînesse, la soumission des femmes, l'abrutissement par le travail, l'alcoolisme, les croyances, les superstitions et bien d'autres encore. C'était à moi de leur apprendre tout ça, j'étais décidée à me battre si nécessaire. Déjà, je savais que je ne leur ferais jamais chanter *Flotte petit drapeau* ni même *La Marseillaise,* ce chant de guerre, je savais que je ne leur raconterais jamais des histoires à dormir debout sur les belles batailles, l'héroïsme et la sainteté. Je n'avais qu'une chose à faire, leur ouvrir l'esprit, faire en sorte qu'ils transforment leur vie pour avoir plus de bien-être et qu'ils sortent de leur isolement et de leur aliénation. C'est ça que je voulais leur apprendre, je me disais que si je pouvais prétendre avoir une influence dans ce pays, ça serait celle-là et pas une autre.

C'est ainsi que je passai l'été cette année-là. A vivre avec le village, à travailler comme une paysanne et à réfléchir sur mon métier d'institutrice. En juin, Marie-Rose avait accouché d'une petite fille que nous appelâmes Marie. Marie-Rose était donc une fille mère. Mon père supportait ça comme le Christ portait sa croix. Pour lui c'était une nouvelle épreuve. Ma sœur trompait son monde, moi la première. Alors que nous la croyions calmée elle continuait à voir son Jacques Mercier en cachette. D'un côté elle nous laissait croire qu'elle avait définitivement rompu avec lui, mais la nuit quand nous étions couchés, elle se levait pour aller le rejoindre. Lorsque je m'en suis aperçue, il y eut quelques pleurs et des grincements de dents. Dans ces moments-là, Marie-Rose était capable de promettre tout ce qu'on voulait, mais après elle n'en faisait qu'à sa tête. Comme on dit, elle suivait son chemin, et personne, ni mon père ni moi, n'y pouvait rien changer.

UNE DES LEURS...

En 1924, je fus nommée stagiaire à Puy-Saint-Vincent. Lorsque j'y suis retournée, il n'y a pas si longtemps de cela, j'ai eu un sacré choc. On m'avait bien dit qu'il y avait eu des changements, mais à ce point-là, jamais je n'aurais pu l'imaginer. Le petit village de montagne que j'avais connu n'existait plus. Lui aussi était rayé de la carte, tout comme La Monta, mais pas pour les mêmes raisons ni par les mêmes gens. J'ai découvert un paysage défiguré par les remonte-pentes, envahi par les chalets et les immeubles, tous aussi laids les uns que les autres. Un vrai désastre. Au milieu de ce décor sans âme j'ai vainement cherché à retrouver quelques traces du village que j'avais connu et dans lequel j'étais venue enseigner cinquante ans auparavant. Les vestiges étaient rares. Toutes les anciennes maisons avaient été transformées, les murs étaient crépis de neuf, les ouvertures refaites avec des angles en ciment, le four communal rasé. C'est à peine si, en cherchant bien, j'ai pu reconnaître quelques vieilles portes ou quelques murs de pierre préservés comme par miracle. Le Puy-Saint-Vincent de ma jeunesse avait disparu, remplacé par ce que les prospectus touristiques définissent comme « Une station d'hiver des plus modernes ».

Il n'y avait pas que le village qui avait changé. Les gens aussi. En 1924, les paysans de Puy-Saint-Vincent étaient vraiment des paysans pauvres. Ils ne possédaient que peu de terres cultivables et ils travaillaient cette terre « comme du jardin », c'est-à-dire avec un soin extraordinaire. Ils appelaient ça leurs truffières, par exemple, pour les pommes de terre, ils plantaient chaque pied très près les uns des autres et ils les soignaient comme des fleurs. Chaque centimètre carré comptait. Quand j'y suis retournée tout cela était oublié, j'ai retrouvé non pas des paysans mais des commerçants et des boutiquiers.

Les prés, les pâtures, les champs avaient été vendus aux promoteurs. Tous ces gens qui n'avaient connu d'argent que le strict nécessaire étaient devenus des nouveaux riches uniquement préoccupés de restauration, d'hôtellerie et d'étalages.

Quelle différence ! Reparler de Puy-Saint-Vincent tel que je l'ai connu c'est vraiment faire un saut dans le temps. Je crois que plus les gens sont pauvres plus ils sont généreux, en tous les cas j'en ai fait l'expérience pendant l'année où j'ai vécu là. Ça n'avait rien à voir avec la mentalité des paysans du Queyras et encore moins avec celle de Val-des-Prés. Je suis sûre que cela tenait à leurs conditions de vie extrêmement modestes, car, je le répète, plus les gens sont pauvres, meilleurs ils sont.

Cette gentillesse et cette générosité leur étaient toutes naturelles. Je ne pourrais pas mieux en parler qu'en évoquant les tartes qu'ils confectionnaient et dont ils m'apportaient des parts de roi. Il y avait un four communal et, contrairement à nos habitudes à Val-des-Prés, ce four fonctionnait en permanence. Chaque jour quelqu'un y cuisait son pain et, en même temps, des tartes immenses, grandes comme des tables : des tartes aux choux, aux pommes et aux pommes de terre. Chaque fois ils m'en apportaient un triangle taillé dans la masse, c'était chaud, c'était tendre et cela faisait mon déjeuner. Evidemment, je me disais on n'a pas le droit, on ne devrait pas accepter sans essayer de le rendre, ce n'était pas la chose en soi ou sa valeur, mais le geste. Alors je faisais ce que je pouvais... c'étaient des paquets de biscuits, des paquets de figues, des plaques de chocolat, n'importe quoi de ce que j'avais sous la main. La plupart du temps c'étaient les enfants qui venaient. Ils étaient tellement heureux de me faire ce cadeau ! Je leur disais : « Tiens, puisque tu m'apportes ça, tu vas prendre des madeleines pour ton goûter » et le gosse s'en repartait ravi. A la longue, ceux qui n'avaient pas d'enfant vinrent aussi. Ils ne savaient trop comment s'y prendre, disant d'un air gauche : « Ah ! pensez donc, on sait que vous aimez ça, on a entendu dire que tout le monde vous en apporte, eh bien nous aussi. » C'était beau, chaque fois j'en avais les larmes aux yeux.

Les paysans de Puy-Saint-Vincent m'avaient adoptée comme une des leurs. Je dois dire que mon arrivée au village y était pour quelque chose. Puy-Saint-Vincent se trouve à une trentaine de kilomètres de Val-des-Prés, de l'autre côté de Briançon. Pour rejoindre mon nouveau poste j'avais choisi le moyen de transport le plus économique : la charrette et le mulet. Le jour dit, je m'étais levée au soleil et j'avais chargé moi-même la carriole. Un sommier, un matelas, un poêle, une table, deux chaises et mes affaires personnelles constituaient toute ma fortune. C'était bien suffisant pour une personne seule. J'étais partie ainsi, aidant le « miaule » à tirer dans les montées et quand j'étais arrivée à Puy-Saint-Vincent et que j'avais frappé à la porte du maire, j'avais, comme on dit, produit mon petit effet. Un homme avait ouvert la porte et il me regardait sans bien comprendre ce qui lui arrivait.

« Vous êtes monsieur le maire ? lui dis-je.

— Ben oui, me répondit le bonhomme et son regard étonné n'arrêtait pas d'aller et de venir de moi à la charrette.

— Je suis la nouvelle institutrice et je viens m'installer — et comme il restait toujours interdit et stupéfait, j'ajoutai — j'ai ma nomination, si vous voulez la voir.

— Oh ! me dit-il, c'est pas ça, c'est pas que je ne vous crois pas... Mais c'est la première fois que je vois une institutrice qui arrive avec son chargement, son mulet, et son fouet à la main tout comme un homme...

— Ben ! vous savez, je suis paysanne, j'y suis habituée depuis l'enfance. »

Le maire continuait à me dévisager. Son regard s'était transformé, il y avait une pointe d'admiration au fond de ses yeux.

« Une paysanne ! dit-il comme si la chose lui paraissait inimaginable... mais, d'où venez-vous donc ?

— Je suis de Val-des-Prés, dans la vallée de la Clarée.

— Ah ! ben ça alors ! et vous êtes partie depuis quand ?

— Ce matin, je suis partie ce matin et maintenant il faut que je pense à retourner, il faut que je m'occupe du miaule et que je décharge mes affaires.

— Ah ! mais non, vous n'allez pas faire ça, vous allez entrer et manger un morceau avec nous, je vais m'occuper du reste, je vais faire soigner votre mulet et décharger votre charrette... »

A partir de là, j'étais adoptée. Le maire m'emmena avec lui, il me fit visiter l'école, me parla du village et insista tant et si bien que j'acceptai de déjeuner avec lui et sa famille avant de prendre le chemin du retour.

Ces gens-là étaient sidérés et ils étaient fiers. Pour la première fois ils avaient une institutrice qui était une des leurs. Comme eux j'étais une paysanne qui savait travailler la terre et qui connaissait leurs peines. Jusque-là, pour ces gens simples et pauvres, l'institutrice était une personne d'un autre monde, souvent une fille de fonctionnaire qu'ils accueillaient avec respect mais avec laquelle ils n'avaient que des relations polies et distantes. Pour la première fois une jeune femme qui faisait partie de leur monde allait enseigner à leurs enfants. Je me souviens, je disais au maire que si je n'avais pas été institutrice je ne serais pas morte de faim, je savais faire pousser les salades, arracher les pommes de terre et labourer la montagne. Je crois que de ça, ils en furent fiers et qu'ils s'en orgueillirent tout de suite. D'emblée ils me donnèrent leur amitié. C'est ainsi que commença mon année à Puy-Saint-Vincent.

DU LARD ET DU PAIN TREMPÉ DANS DU VIN

Que dire de cette année passée à Puy-Saint-Vincent. J'avais une classe d'une vingtaine d'élèves divisés en cinq cours. Tous étaient très travailleurs. En général les enfants de paysans sont des bûcheurs ; seulement... il ne faut pas les bousculer et il faut leur faire comprendre que c'est pour leur bien qu'ils viennent apprendre à lire et à écrire. Je crois que là aussi, le fait que je sois une enfant de la montagne, une fille de paysan, me permettait de leur parler comme il fallait. J'avais suffisamment connu la méfiance et l'incompréhension vis-à-vis de l'école, je m'étais battue contre mes frères et mes sœurs, contre mon père même, pour leur faire accepter que je continue mes études, qu'il était tout naturel que je trouve les mots pour parler à ces enfants de la « pomme de terre », pour leur faire accepter l'histoire et le calcul. Je leur disais que l'instruction ce n'était pas quelque chose qui était fait pour les ennuyer, mais au contraire pour leur donner un minimum de connaissances, des choses simples que leurs parents n'avaient pas eu la chance de savoir. Lorsque ces gosses-là, qui ne connaissaient du monde que le bout du chemin et la forme du pis de la chèvre, comprenaient ce que je leur disais, ils faisaient preuve de qualités exceptionnelles. Au fond de la classe, bien à l'écart, il y avait une fillette que tous rejetaient, tellement elle était couverte de poux et de lentes. Il fallut que je m'en occupe. Cette fillette était orpheline, elle vivait avec une grand-mère qui avait plus de quatre-vingts ans et qui était presque aveugle. Je suis allée la trouver pour lui parler de Valérie... Mon idée était de lui demander de faire quelque chose pour débarrasser la fillette de cette vermine, mais devant tant de misère c'est moi qui me suis proposée.

« Vous savez que Valérie est couverte de poux, elle ne peut pas rester comme ça, est-ce que vous voulez bien que je m'en occupe ?

— Oh ! me dit la vieillarde, vraiment oui, car vous voyez dans quel état je suis, sans vue et sans personne, j'ai déjà bien du mal à l'élever, alors oui. »

J'ai commencé par faire ce que depuis toujours nous faisions dans ce cas-là. J'ai acheté de la Marie-Rose et chaque jour, deux fois par jour, j'ai frictionné la tête de Valérie et je l'ai coiffée... Mais il y en avait tant et tant et ils étaient si coriaces que la Marie-Rose ne servait à rien. Il fallait que j'emploie des méthodes plus radicales encore. Je dis à Valérie :

« Valérie, tu vas être très courageuse, depuis quelques jours on a essayé cette lotion mais ça ne sert à rien, la seule façon de réussir c'est d'employer les grands moyens... Je vais te couper les cheveux, tu verras c'est rien du tout, ça repousse très vite. »

La fillette s'était mise à pleurnicher.

« Mais non, mais non, laisse-moi faire, je te dis qu'ils vont repousser très vite et puis, dès qu'ils seront un peu revenus je te les coifferai, tu verras, je te mettrai des rubans, tu seras très jolie, tu n'auras plus ces bêtes avec toi et tu retrouveras tes amis. »

Je l'ai tondue à zéro... Bien sûr la première fois qu'elle vint en classe sans ses cheveux elle eut à subir les quolibets et les moqueries de ses camarades. Mais cela ne dura guère, on se lasse de tout et les cheveux de Valérie commencèrent à repousser. Elle redevint une fillette tout à fait normale, elle retrouva ses amitiés, reprit sa place parmi les autres et comme elle était d'un tempérament aimable, beaucoup recherchèrent son voisinage.

Peu de temps après mon installation à Puy-Saint-Vincent, alors que j'en étais encore à me familiariser avec les habitudes de la communauté, un violent incendie se déclara tout près de l'école. C'était la nuit et en quelques minutes la maison n'était plus qu'un immense brasier. Cette maison appartenait à un veuf, père de trois enfants. Tout le village se précipita pour essayer de limiter le désastre et j'y suis allée moi aussi pour les aider. Mais que pouvions-nous faire sans matériel et sans pompiers, avec juste une chaîne de seaux depuis la fontaine ? Au petit matin il ne restait de la ferme que des ruines calcinées.

Lorsque je suis rentrée chez moi j'étais fourbue, trempée jusqu'aux os, et je n'eus que le temps de me changer avant d'aller ouvrir l'école. Toute la vie du village était bouleversée, les gosses eux-mêmes avaient peu dormi et il y avait ces trois orphelins qui n'avaient plus de maison, plus rien.

Justement ce jour-là était le jour de visite de l'inspecteur. Je décidai moi aussi de changer le déroulement normal de la classe. Pas de dictée, pas de calcul, mais des travaux pratiques. Tous les élèves se sont mis au travail, garçons et filles ont confectionné des chemises et des pantalons pour les trois gosses qui avaient tout perdu dans l'incendie. Lorsque l'inspecteur arriva, la classe ressemblait à une ruche en pleine activité. Je dis : « Monsieur l'inspecteur, vous voyez, ce matin j'ai mis de côté le programme, d'abord parce que je suis éreintée d'avoir charrié des seaux d'eau pendant la nuit et que je n'ai pas eu le temps de préparer les cours, ensuite, j'ai pensé que même si vous veniez, mon devoir était de parer au plus pressé pour les enfants de la ferme.

— C'est bien, c'est bien, me dit l'inspecteur, je vois que vous savez utiliser les circonstances pour développer chez les enfants le sens de la solidarité... C'est un très bon exemple pour la communauté mais tout de même, mademoiselle Allais, vous allez me faire un petit bout de leçon pour que je puisse me rendre compte du niveau de ces enfants. »

Ça ne fut pas très difficile d'improviser une leçon, j'en avais l'habitude. Les gosses répondirent aux questions, ils n'avaient peut-être pas dormi suffisamment mais ils avaient l'esprit vif et cette leçon inattendue au milieu des tables encombrées de morceaux de tissus, de bobines de fil, de boîtes à boutons et de ciseaux, leur plut, ils se surpassèrent et convainquirent l'inspecteur.

L'hiver est passé, comme partout dans les villages de montagne, avec les veillées... En dehors de mes classes je m'occupais des uns et des autres, des malades ou des vieillards, c'était ma façon à moi de leur rendre leur gentillesse et de les remercier pour leurs prévenances. Très souvent on venait me demander conseil et, en retour, j'étais invitée dans les familles.

Le plus dur c'était l'éloignement... J'étais à trente kilomètres de Val-des-Prés et, depuis que Marie-Rose s'était mariée, mon père se retrouvait seul ou presque. Dès que le temps le permettait je prenais le vélo et j'y allais. C'est une route avec des kilomètres et des kilomètres de montée, soixante kilomètres entre le samedi et le dimanche ça comptait. Je le faisais pour lui, il avait de plus en plus besoin de moi, il était comme un gosse qui compte les jours qui le séparent du jeudi et du samedi. A Val-des-Prés je reprenais les outils, j'allais aider aux champs et, pour me reposer, je m'occupais de son linge et je lui faisais la cuisine.

Au mois de mars je pris la décision de prendre le bébé de Marie-Rose avec moi. Ma sœur était à nouveau enceinte et, comme on dit, son ménage avec Jacques Mercier marchait sur trois pattes. Cette gosse avait neuf mois et, avec le printemps et les travaux, ça arrangeait tout le monde que je la prenne avec moi jusqu'aux vacances. Je n'ai pas hésité bien longtemps, je n'ai pas beaucoup réfléchi non plus, j'ai dit « d'accord, je la prends », et je suis partie pour Puy-Saint-Vincent avec le bébé dans les bras.

Dans le train, la première personne que je rencontrai

fut ma directrice d'école, une amie que je voyais de temps à autre. Lorsqu'elle me vit avec le poupon elle me fit d'amers reproches...

« Mais vous êtes folle, Emilie, vous ne vous rendez pas compte de ce que vous faites en amenant votre nièce là-haut ?...

— Non, pourquoi dites-vous ça ?

— Emilie, avec vous c'est le monde à l'envers, la plupart de vos collègues lorsqu'elles ont un bébé s'arrangent pour s'en débarrasser en le confiant à leur mère ou à leurs beaux-parents de façon à être libres de travailler, vous c'est tout le contraire, vous prenez celui de votre sœur... c'est une charge et vous ne vous en rendez pas compte...

— Mais non, mais non, à Puy-Saint-Vincent, j'ai ma voisine qui garde, elle en a déjà deux de l'assistance, elle vit de ça, je lui confierai celle-là aussi...

— Emilie, si ce n'était que ça, mais...

— Mais quoi ?

— Eh bien, vous ne vous marierez jamais ainsi... Qu'est-ce que vous croyez que vont penser et dire les gens du Puy ? Vous pourrez leur raconter ce que vous voudrez, leur dire que c'est votre nièce, ils ne vous croiront pas, vous serez fille mère. Ils diront tous que vous leur racontez n'importe quoi mais que le gosse est à vous...

— Ils sont gentils vous savez.

— Gentils ou pas n'y changera rien, vous verrez si je me trompe... »

Effectivement elle ne s'était pas trompée... bons ou pas bons, les gens c'est plus fort qu'eux, il faut qu'ils voient le mal là où il n'est pas forcément. Les paysans de Puy-Saint-Vincent n'étaient pas différents du reste de l'humanité... J'avoue qu'il était difficile de comprendre qu'une jeune institutrice comme moi se charge d'un bébé et c'est ce qu'ils disaient entre eux : « C'est une bonne institutrice, ça il n'y a rien à dire, c'est la meilleure qu'on ait jamais eue au pays, seulement elle veut nous faire avaler qu'elle élève la fille de sa sœur. Ça ne tient pas debout, c'est la sienne, si ce n'était pas la sienne pourquoi la prendrait-elle ? » C'est ainsi qu'ils parlaient de moi. Ce n'était pas bien méchant, je me fichais pas mal de ces racontards et surtout je ne craignais pas de perdre un fiancé ou un bon parti, c'était le dernier de mes soucis, mais la directrice avait vu juste.

Je me suis donc organisée. Pendant la journée je donnais le bébé à garder à ma voisine... Sa maison jouxtait la cour de l'école et aux heures de récréation j'allais les visiter. Je dois dire que j'eus là une des visions les plus extraordinaires de ma vie. Un jour j'arrive, et je trouve les deux gosses qu'elle avait allongés sur un grand lit, chacun tenant d'une main une couenne de lard et de l'autre un croûton de pain trempé dans du vin. Tous les deux suçaient tout ce qu'ils pouvaient, un coup la couenne, un coup le croûton vineux. Le lard donne soif, le vin endort. C'est connu, mais jamais je n'avais vu, de mes yeux vu, des parents pratiquer cet étrange remède. Ils avaient l'air d'aimer ça mais ils n'étaient pas les seuls, les deux gosses étaient couverts de mouches, ils en avaient non seulement sur les mains, mais aussi sur le visage et tout autour d'eux, c'était un spectacle effrayant. J'appelai la dame Robin pour lui dire : « Mais vous vous rendez compte de l'état de ces enfants, de la couenne et du pain au vin, ça va les abrutir, sans compter les mouches et les maladies. » La femme leva les bras au ciel. « Ah ! ma pauvre demoiselle, qu'est-ce que vous croyez, il faut bien que je fasse mon travail, j'ai le jardin, j'ai la soupe et le linge, si je ne les calme pas je ne pourrai jamais avoir la paix et faire mon travail... Il faut bien quelque chose qui les endorme !

— Mais les mouches ?

— C'est rien, c'est rien, ils ont la santé. »

Il n'y avait rien à faire. Le remède était primitif mais aux yeux de ma voisine il était efficace et c'est tout ce qui comptait.

L'HISTOIRE DE MARIE-ROSE

Eté 1925. Le monde continue de faire craquer sa vieille peau, il ne se passe pas de jours qui n'apportent la preuve que le vieux monde n'est plus qu'un souvenir. Ce sont les années folles. Tout change, la mode, les mœurs et les techniques... L'électricité fait son apparition dans les chaumières, la T.S.F. nous apporte les nouvelles de la terre entière, les voitures et les camions commencent à sillonner les routes. Le téléphone, l'aviation, les médicaments, il n'y a guère de domaines où la technologie ne fasse des pas de géant. L'ingéniosité des hommes au service de la guerre avait inventé mille et une manières de tuer avec efficacité : les bombes incendiaires, les balles traceuses ou explosives, les mines, les tanks, les shrapnells, les gaz asphyxiants et autres, devenus inutiles, le progrès condescendait à s'occuper du temps de paix.

Cependant à Val-des-Prés « la Folie » était toujours la même, pendant trois mois les paysans se battaient contre le temps et contre les éléments. Labourer, semer, sarcler, herser, biner, faucher, engranger étaient les gestes éternels qui se répétaient sans que personne ait le temps de s'arrêter. Pour les paysans le progrès était encore loin.

Une fois de plus j'ai troqué le crayon rouge contre la bêche. L'espace d'un été la maison retrouva un semblant de vie. Mais ce n'était pas la peine que je me raconte des histoires, depuis que Marie-Rose vivait avec son Jacques Mercier les choses allaient de mal en pis. Les craintes que j'avais exprimées se confirmaient chaque jour davantage. Il était évident que Marie-Rose se préparait une vie impossible. Au cours des mois et des années qui suivirent nous subîmes tous les conséquences du drame qu'elle allait traverser. C'est pourquoi il m'est difficile de parler de moi sans raconter l'histoire de Marie-Rose.

Depuis qu'elle était toute petite elle était un peu follette, bravounette mais tête en l'air et elle avait les mains percées. Cela explique peut-être comment elle subit l'influence de Jacques Mercier. Celui-là avait une réputation déjà solide. Tout jeune homme, ce n'était un secret pour personne, il buvait et il menaçait ses parents. C'était un bon à rien et il fallut que ce soit sur lui qu'elle tombe !

Ils ont couché ensemble, elle a été enceinte et Marie-Rose a tout de suite voulu se marier. Peu lui importait d'épouser un vaurien et un irresponsable, il était loin d'être un homme idéal, le gendre dont mon père avait besoin pour reprendre en main les destinées de la maison et de la ferme. Mais de cela Marie-Rose s'en fichait, elle était trop inconsciente pour se soucier de ce qui ferait ou non de la peine à mon père et elle n'eut de cesse qu'elle n'arrive à ses fins.

A l'entendre la méfiance que nous avions envers son « fiancé » était mal venue. Elle n'arrêtait pas d'argumenter, faisant étonnamment preuve de vigueur et d'idées pour tenter de nous convaincre. D'après elle Jacques Mercier était un homme qui en valait largement un autre. Elle était persuadée qu'il changerait, que c'était à cause de ses parents qu'il était tel qu'on le disait, irascible et violent et que, elle, était capable de faire de lui un paysan, de l'empêcher de boire et de le rendre doux comme un agneau.

Pendant ce temps, Jacques Mercier allait par le pays disant à qui voulait l'entendre que si le père Allais voulait qu'il épouse sa fille il faudrait qu'il y mette le prix. Conseillé par un de ces piliers de bistrots qui lui avait glissé à l'oreille : « Tu peux lui dire au Joseph Allais que tu ne prendras sa fille que s'il te donne une dot de 50 000 francs, crois-moi il ne pourra faire autrement que de s'exécuter pour sauver l'honneur de la famille », il avait eu le culot — et la bêtise — de venir au « château » avec son père et de faire sa demande : « Je veux bien épouser Marie-Rose mais il faut 50 000 francs de dot. » Mon père était sans un sou, aussi avait-il refusé, mais le gars avait eu le toupet de le demander et cela non plus ne présageait rien de bon. Mais que pouvions-nous faire ? Marie-Rose pouvait être sournoise et têtue. Elle était ainsi faite, elle n'écoutait jamais un conseil, ni les miens ni ceux de mon père. En plus elle était très amoureuse, avec cet homme elle se comportait comme un animal qui ne suit que son instinct et lorsque j'essayais de la raisonner elle me répondait que « ça n'avait pas été fait pour mesurer de l'avoine et que si on avait des instruments c'était pour s'en servir ».

Ils s'étaient donc mariés. Un mariage entre deux portes comme on dit. Je n'avais même pas été tenue au courant.

Ils s'installèrent avec mon père dans la maison familiale et tout de suite les disputes éclatèrent aussi violentes qu'imprévisibles. Peu à peu la vie devint impossible, non seulement pour eux mais aussi pour mon père qui supportait mal leur léthargie et leurs désaccords. Lorsque Marie-Rose accoucha pour la deuxième fois le malheur ne fit que s'amplifier. L'enfant naquit — c'était une petite fille —, on fit venir la matrone comme on le fait toujours et elle dit sans hésiter : « Cette petite ne fera pas. » Cela voulait dire : « Elle ne vivra pas. » En effet le bébé était tout violacé, les jambes et les bras glacés, et il ne bougeait pratiquement pas. La matrone du pays dit encore : « Cette enfant n'a aucune circulation, il faut la baptiser tout de suite. »

Ils allèrent chercher quelqu'un pour lui donner l'eau bénite, je ne sais qui, puisqu'il n'y avait déjà plus de curé à Val-des-Prés, et ils la baptisèrent du nom de Jeanne. Le soir l'état de la fillette ne s'améliora pas. Pour la réchauffer Marie-Rose la prit avec elle dans le lit et le lendemain quand elle se réveilla la gosse était morte.

Lorsque le curé vint enfin, la seule chose qu'il trouva à dire à ma sœur fut : « C'est vous qui l'avez étouffée dans votre sommeil. » Comment peut-on dire des choses pareilles ? Surtout quand on est prêtre. Marie-Rose qui était très croyante en fut bouleversée au dernier degré.

Je ne m'étais pas trompée dans mes prévisions. Jacques Mercier était vraiment un être impossible, un homme méchant qui pour un oui ou pour un non se complaisait à faire le mal. En plus il disait n'importe quoi, par exemple il répandait de faux bruits comme quoi sa fille, l'aînée, n'était pas de lui, qu'il s'était fait avoir par la famille Allais, enfin, à la moindre occasion il essayait de semer la zizanie. De son côté ma sœur était incapable d'avoir une influence bénéfique sur lui, au contraire, elle subissait de plus en plus son influence et ses menaces. Si au moins la guerre entre eux avait été totale, peut-être que la rupture aurait été possible, mais ensemble, quand ils ne s'engueulaient pas, ils menaient une vie de patachon et dans ces moments-là ils s'entendaient comme larrons en foire. Mon père souffrait énormément de cet état de choses. Le « château » ne lui appartenait plus. Chaque matin il les appelait pour qu'ils viennent travailler avec lui, mais ils ne lui répondaient pas, ils restaient dans leur chambre à faire des cabrioles et à cuver leur vin. Un jour il entra dans leur chambre et dit furieux : « Mais enfin, il faut vous lever. » C'était la première fois qu'il se permettait de rentrer chez eux, par terre autour du lit, il y avait des bouteilles de vin... Il se rendit compte — lui qui ne voulait jamais croire au mal — que Jacques Mercier s'était installé chez lui pour boire son vin et piller sa maison en toute tranquillité. Ma sœur lui servait de caution, rien de plus. Il en fut désespéré et il me dit :

« Emilie, il n'y a rien à en tirer, mais je ne sais pas ce que je dois faire.

— Papa, lui dis-je, ne te fais pas de mauvais sang, il ne faut pas qu'ils restent ici, il n'y a qu'à les installer à la Draille, là ils pourront mener la vie qu'ils veulent. »

La Draille c'était à l'autre bout du village, la maison natale de mon père. A la fois ferme, bergerie et maison d'habitation, elle était inoccupée depuis des années. Ils s'y installèrent et vécurent tant bien que mal. Ils étaient démunis de tout et n'avaient rien à eux. Mon père paya le mulet, il acheta les quelques instruments indispensables au travail de la terre et moi, comme il n'y avait pas un sou vaillant dans le porte-monnaie, j'achetai ce qu'il fallait pour que les gosses aient le strict minimum. Plutôt que de leur donner de l'argent, j'apportais du sucre, du chocolat, des figues séchées, toutes choses qui nourrissent à coup sûr. Jacques Mercier était furieux : « On n'a pas besoin de ce qu'elle apporte, disait-il, elle n'a qu'à les garder ses affaires, on est assez grand pour savoir ce qu'il nous faut, si elle veut nous aider, elle n'a qu'à nous donner de l'argent ! »

De l'argent, certes ! Le peu qu'ils avaient passait en vin ou au bistrot. Ma sœur était de plus en plus dépassée par la situation. Lui la battait et la menaçait au point que bien souvent elle s'en allait de la maison avec sa fille et venait se réfugier chez nous.

Ils se séparèrent quelque temps et puis il y eut un troisième enfant, un garçon, et ils reprirent leur vie commune. Une fois de plus ils s'installèrent dans leur vie de patachon, le vin, les grasses matinées et le travail en dépit du bon sens. La situation empira de telle manière que ma sœur tomba malade. La vie qu'il lui faisait mener était trop chaotique pour qu'elle puisse la supporter. Marie-Rose s'alanguit en ayant de plus en plus souvent des accès de violence. Dans sa folie, elle réagissait contre sa propre persécution, elle se défoulait, disant : « Il m'a fait ça et bien moi aussi je vais montrer que je suis capable de me défendre. » Dans un sens, elle démontrait ainsi qu'elle existait et c'était une façon de refuser... Elle était jeune, elle avait à peine vingt-trois ans et elle ne manquait pas de vigueur.

La première fois qu'elle fut internée je n'étais pas là, c'est Jacques Mercier qui l'emmena à l'hôpital psychiatrique. Restaient les deux enfants. Marie qui avait trois ans et le dernier-né, Auguste, âgé de quelques mois à peine. Lui était incapable de s'en occuper, c'est pourquoi nous avons pris les choses en main, mon père et moi.

Marie vint s'installer avec nous à la maison, et Auguste fut mis en nourrice chez les beaux-parents. Ça aussi, ce fut toute une histoire, sordide... La mère de Jacques Mercier voulait de l'argent pour s'occuper de son petit-fils. Elle alla chez le maire et elle lui dit : « Moi je veux bien prendre le petit à condition que les demoiselles du "château" me paient les mois de nourrice. » Le maire lui demanda combien elle voulait par mois, elle le dit et nous acceptâmes, Rose ma sœur aînée et moi.

Pendant ce temps mon père s'occupait de Marie. Je venais aussi souvent que cela m'était possible, mais pendant les mois d'hiver, avec la neige, c'était difficile. Je restais absente une semaine, parfois deux, et mon père seul avec cette fillette se débrouillait comme il pouvait. Par les temps froids la gosse portait une robe de laine, une grosse laine sèche et rêche comme une rape, et lui ne voulait la déshabiller ni l'habiller, il la laissait comme ça, sans la changer pendant des semaines, avec la même robe, la même chemise, la même culotte et, quand je revenais, mon père me disait : « Je ne peux pas, je lui enlève ses chaussures, c'est tout ce que je peux faire. » Il y avait de la pudeur là-dessous, c'était un homme de l'ancien temps, et pour lui, une fille, fût-elle sa propre petite-fille âgée de trois ans, restait un domaine interdit. La nudité devait lui faire peur. Il appartenait à cette génération qui avait connu les longues chemises de chanvre que l'on ne quittait jamais, même entre époux, même au moment de faire l'amour... Un trou, « le pertuis », pratiqué à hauteur du bas-ventre permettait de procéder aux opérations nécessaires sans jamais dévoiler le corps. Je crois bien que mon père n'a jamais de sa vie vu un corps de femme, et évidemment, celui de Marie lui faisait peur tout autant que n'importe quel autre.

SI J'AVAIS ÉTÉ LAVANDIÈRE

Je venais d'être nommée au Lauzet. A Puy-Saint-Vincent, j'avais profité de ma nomination de titulaire pour demander mon changement, car ce que je voulais c'était me rapprocher le plus possible de Val-des-Prés. Le Lauzet, ce n'était pas encore l'idéal. Ce village situé un peu à l'écart de la route Grenoble-Briançon était encore loin du « château », mais tout de même, il était plus facile de se déplacer par cette route et je pouvais aller plus souvent m'occuper de la ferme, de la maison et de mon père. J'y pris mes fonctions au mois de septembre 1925. J'allais y rester trois années.

Cinquante ans sont passés, aujourd'hui, ce village aussi a changé, il est quasiment vide, les paysans l'ont abandonné pour aller travailler en ville, souvent comme fonctionnaires. Ils sont partis à Lyon, Grenoble, Gap ou Briançon, mais ils ont gardé leur maison et ils y viennent pendant les mois d'été et les vacances.

En 1925, Le Lauzet était un village dur avec des hivers rudes, plus longs que par chez nous, mais l'endroit était vivant et les gens accueillants.

Dès les premiers jours, ceux qui habitaient près de l'école vinrent s'occuper de moi. Aménager une chambre n'est pas toujours facile, même quand on est habitué à vivre simplement. Les paysans venaient voir si j'étais bien installée, si j'avais tout ce qu'il me fallait et ne manquais de rien. Il y a toujours un peu de curiosité dans ces cas-là mais c'est tout naturel, chacun veut voir et connaître la personne qui va s'occuper de ses enfants. Comme à Puy-Saint-Vincent ils insistaient pour que je mange avec eux disant : « Oh ! mais mademoiselle, vous n'allez pas rester toute seule pour votre déjeuner, venez donc prendre votre repas à la maison, vous verrez bien plus tard, vous avez bien le temps d'être tranquille toute seule. » Et c'était vrai, le soir, tous voulaient que j'aille avec eux pour la veillée et c'était difficile de refuser. De toute manière comment faire sans les veillées ? La nuit tombe vite et il faut meubler les longues soirées, alors j'y allais, je racontais mes histoires et je chantais comme tout le monde. Après je rentrais chez moi dans la chambre que j'avais aménagée et, très souvent, j'amenais une fillette de ma classe pour me tenir compagnie. Mon logement était isolé des autres maisons du village et il y avait dans les parages quelques polissons qui avaient la réputation d'être des Don Juan que rien n'arrêtait. C'est une des raisons qui faisaient que je gardais avec moi une de mes élèves, ça me faisait une compagnie. De plus, avec le froid qu'il faisait, à deux nous nous tenions chaud, nous emmenions une brique bouillante et nous nous couchions dans le même lit. Je me sentais plus en sécurité.

La chambre qui m'avait été allouée était située dans une masure fort mal entretenue et le toit faisait eau de toutes parts. C'était une pièce unique semblable à celle que j'avais à Puy-Saint-Vincent, sans eau courante et sans commodités. Mais que m'importait d'aller remplir mes seaux à la fontaine ? J'avais l'habitude. Ce qui me gênait c'était les fuites dans le plafond, il n'y a rien de plus démoralisant quand on s'installe quelque part que de se retrouver dans un endroit vétuste et mal entretenu. Normalement le logement était fourni par l'administration, à charge pour la commune de l'entretenir. Quand il y avait des problèmes de ce genre, il fallait écrire, se plaindre, faire des réclamations, j'avais horreur de ça, mais là je fus bien obligée de le faire. Il y avait cinq ou six gouttières et, chaque fois qu'il pleuvait, je naviguais au milieu des clapotis. Toute ma batterie de cuisine y passait, un chaudron là, ici une bassine, plus loin une casserole, ma chambre n'était plus une chambre. Alors je me suis fâchée, je me suis plainte à l'inspecteur et le maire a fait refaire le toit. C'est ainsi qu'a commencé mon séjour au Lauzet, d'un côté quelques amis, de l'autre des embêtements.

La plupart des familles vivaient encore dans l'écurie avec les animaux. Mais ces gens-là étaient d'une propreté exemplaire. Quand on entrait dans une de ces maisons on ressentait tout de suite une impression de confort et on pouvait manger et vivre avec eux sans aucune gêne. Il y a des pays plus propres que les autres. Je ne sais pas d'où ça vient, par exemple à Puy-Saint-Vincent, ils étaient plus riches mais il n'y avait pas cette impression de propreté comme au Lauzet. Je crois que cela vient de l'éducation, des habitudes, si les gens sont propres au départ ils donnent l'exemple et, par la suite, les jeunes ménages font de même. Au Lauzet, la propreté était leur seconde nature.

Dernièrement, une de mes amies est venue me voir. Elle était passée au Lauzet dans une famille dont j'avais loué la propreté et les mérites. Le récit qu'elle me fit de sa visite et de ce qu'elle avait vu ne m'étonna qu'à moitié : « Emilie, me dit-elle, si tu y retournais tu ne reconnaîtrais pas la maison où nous allions autrefois, tu te souviens de cette cuisine et de l'écurie ? Maintenant il n'y a plus qu'une porte par laquelle passent bêtes et gens. Les poules sont reines, elles sont partout, sur la table, sous les meubles, elles défèquent n'importe où et ce n'est jamais nettoyé. Plus rien n'est propre, ni la cuisine ni l'écurie... C'est tout le contraire de ce que nous avons connu du temps où tu enseignais. Et Félicie chez qui tu m'avais emmenée ! Elle vit toujours, mais c'est à peine si elle arrive à faire un peu de soupe, le reste elle ne s'en occupe plus. Les deux autres sont là aussi, tu te rends compte de l'âge qu'ils ont aujourd'hui ? Dire que nous pensions qu'ils ne pourraient pas vivre au-delà de la trentaine ! ils sont toujours là, avachis sur leur chaise. Pendant que je suis restée, ils n'ont pas dit un mot, ils n'ont fait que de me regarder, tu imagines l'air qu'ils peuvent avoir ! »

J'imagine ? Non, je ne peux imaginer, à quoi donc peuvent ressembler ces deux enfants demeurés que j'avais dans ma classe ? C'était pourtant une famille exemplaire, une famille sans histoire qui m'avait accueillie quand je m'étais installée. Elle, la mère, s'appelait Félicie, elle m'avait présenté son mari, son beau-père, un vieillard de quatre-vingt-dix ans qui jouait encore les patriarches et, en fin de compte, les deux enfants qui allaient devenir mes élèves. Je me souviens du choc que j'avais eu à ce moment-là. Le père avait dit d'une voix sévère : « Il faudra me les mater, mademoiselle, ils sont bornés, têtus et paresseux, je compte sur vous pour en faire quelque chose. »

Que répondre à cet homme ? Il ne voulait pas se rendre compte de l'évidence. Dès le premier regard j'étais fixée, les deux gosses étaient idiots. La rudesse et très certainement les coups les avaient rendus encore plus craintifs ; tous les deux me regardaient de leurs yeux vides, ils ne comprenaient rien à rien... La fille avait dans les huit ans et son frère, plus jeune, cinq peut-être. J'étais restée muette et consternée. Lorsque la fillette est venue à l'école c'est à peine si j'ai pu lui faire desserrer les dents, en plus, elle bégayait. Je suis pourtant arrivée à lui apprendre à lire et à écrire, pour moi c'est un miracle. Quant à son frère Antoine, je n'ai jamais rien pu en tirer, il restait assis sur son banc au fond de la classe sans rien dire. Quand j'insistais pour le faire parler, il se mettait à crier : « Tu m'emmerdes, mauvais sujet, si tu continues je prends les ciseaux et je te coupe la langue »... Il avait une telle façon d'aboyer cette phrase qu'il était difficile de se retenir, chaque fois toute la classe éclatait de rire. Un jour sa grand-mère me dit : « Ah ! ben, c'est pas étonnant, quand il vient chez moi et qu'il ne m'obéit pas je lui dis toujours : "Mauvais sujet !" Et quand il devient trop grossier j'ajoute : "Je prends les ciseaux et je te coupe la langue." » C'est ainsi que j'appris qu'il n'était idiot que quand ça l'arrangeait, il pouvait très bien apprendre et répéter, mais avec moi, bernique, ni lire, ni écrire, il n'avait jamais voulu rien faire.

Si je n'avais pas été institutrice, j'aurais été lavandière. Laver le linge et surtout le rincer a toujours été pour moi quelque chose d'extraordinaire... Quand on va rincer le linge au torrent, avec un battoir et cette eau qui court, on voit tout le savon, toutes les impuretés qui s'en vont, on a l'impression que non seulement le linge est propre, mais soi-même on s'en trouve comme purifié. J'ai toujours aimé ça, on est fier du linge qu'on a lavé, rincé, étendu... Ça sent bon le soleil, il est bien blanc, quelquefois on y met un peu de lavande pour le parfumer ou du bleu pour l'azurer. On se dit : « Ça c'est le linge de mon mari, celui-là c'est celui de mes enfants, ça ce sont mes chemises »... C'est une fierté... Je ne sais pas, il suffit de voir une femme qui lave avec ses mains, qui bat son linge au ruisseau... Je me souviens, quand je rinçais à la Clarée, j'étais ivre d'eau glacée, de giclures, de coups de battoir, j'en avais les oreilles qui sifflaient et la tête qui tournait. Quand je remontais du torrent j'avais les mains gelées, engourdies par le froid, mais j'étais heureuse. Pendant des années j'ai lavé le linge de la maison.

Au Lauzet, toutes les familles lavaient et rinçaient au ruisseau, et il y avait une femme, la mère d'une de mes élèves, qui ne pouvait pas rincer. Elle avait une allergie à l'eau froide et chaque semaine c'était pour elle un problème que de trouver un moyen pour s'acquitter de cette corvée. Elle en avait gros sur le cœur d'être obligée de demander aux gens du pays de le faire à sa place. Alors, je me suis proposée. Je lui ai dit : « Vous savez, moi je ne demande que ça, je ne vous raconte pas des histoires, je crois que si je n'avais pas été institutrice j'aurais été lavandière, ça sera un vrai plaisir pour moi de vous rendre ce service. » Comme nous étions en amitié elle accepta. Nous nous sommes mises d'accord, elle faisait sa lessive le jeudi et je rinçais au torrent le vendredi après la classe. Ce jour-là cette femme me faisait un de ces repas ! Des spécialités du pays, des plats que je n'ai jamais vus qu'au Lauzet et, je ne sais pas pourquoi, je n'ai jamais essayé d'en refaire. Par exemple, il y avait des bugnes, on prenait de la farine avec de la levure, pas de la levure ordinaire mais du levain de boulanger, il y en avait toujours dans le pays, on se le passait de maison à maison quand les gens en avaient besoin, on mélangeait la farine avec de la purée de pommes de terre, on mettait autant de farine que de purée, plus des œufs, du beurre, du lait, on laissait reposer pendant trois, quatre heures et après, une fois que c'était bien levé, on prenait une cuillerée de cette pâte et on la jetait dans l'huile chaude, ça cuisait en quelques secondes et quand on le ressortait, ce n'était ni du beignet, ni de la purée, ni je ne sais quoi... Salé, ça avait un goût extraordinaire. Cette femme me faisait donc de ces bugnes... Elle me préparait aussi de la morue, de l'aïoli, elle s'arrangeait toujours pour savoir ce que j'aimais et quand je revenais du ruisseau elle me servait des repas formidables.

Il y a cent et une façons de rendre service aux paysans, d'autant que, quand arrivait le printemps, ils étaient comme fous. Avec les deux mois de moins que nous, dès que venaient les premiers beaux jours plus rien ne comptait que les travaux des champs... Ils partaient le matin à trois ou quatre heures et ils ne s'arrêtaient qu'avec la nuit, vers neuf ou dix heures, tout le reste était mis de côté, la maison, les enfants, les malades, les vieillards... Il y avait une famille où je m'étais fait une amie, la jeune femme s'appelait Berthe, elle avait à peu près mon âge, et quoique jeune mariée, nous avions les mêmes goûts. Toutes les deux nous aimions la musique et comme elle avait un phonographe et des disques, j'allais souvent chez elle pour écouter nos disques. Au printemps, ils s'en allaient tous travailler dans les champs et ils laissaient la grand-mère toute seule. Cette femme avait une curieuse déformation du squelette, sa colonne vertébrale s'était affaissée jusqu'à prendre la forme d'une crosse d'évêque, la tête ramenée en avant à hauteur de la poitrine. Avec cette infirmité la grand-mère ne pouvait rien faire, elle restait dans son lit et attendait qu'on veuille bien s'occuper d'elle. Pour bien comprendre ces gens-là, il faut dire que la maladie ou l'infirmité c'était quelque chose en dehors de la vie. Pour eux, la vie c'était labourer, semer et récolter... Qu'il s'agisse des pommes de terre, du seigle, de l'orge ou de l'herbe pour les animaux, leur vie, c'était le travail de la terre. Tout le reste n'existait plus. Je ne me suis pas gênée, je leur ai dit : « Si vous voulez je peux lever la maman, je peux venir vers onze heures, l'asseoir dans un fauteuil et m'occuper d'elle ». Ils ont accepté là aussi. Jamais ils n'auraient accepté de quelqu'un du village, d'ailleurs il ne serait venu à l'esprit de personne de leur proposer quoi que ce soit, mais venant de moi c'était tout différent. Ils me dirent : « C'est bien gentil à vous de le faire, parce que nous on n'a pas le temps. »

Vers onze heures, je quittais la classe, je montais dans ma chambre et je mettais mon déjeuner en route. Quelques pommes de terre dans l'eau, c'était ce qu'il y avait de plus facile et, pendant que les patates cuisaient, j'allais chez mon amie Berthe pour m'occuper de la grand-mère. Je la levais, je l'asseyais dans son fauteuil, je mettais son lit à l'air et puis je lui faisais un peu de toilette, je la coiffais, je l'arrangeais un peu. Quand elle était installée je retournais manger mes pommes de terre, je les préparais comme on fait par ici, avec de l'huile et du vinaigre, quand j'avais un bifteck je me le faisais cuire, sinon, je me coupais quelques rondelles de saucisson, ou bien je prenais un morceau de fromage.

Ça allait vite, la plupart du temps je restais debout. C'est une habitude chez les instituteurs, les repas se prennent sur le pouce, on n'a pas beaucoup de temps et puis quand on est seul... Après, je revenais à la ferme, je recouchais la grand-mère, je restais encore un moment avec elle, je lui racontais des histoires, enfin je m'arrangeais pour la distraire comme je pouvais avant de retourner faire ma classe.

Mère Olivine était la matrone du Lauzet. C'est elle que l'on allait chercher lorsqu'une femme était sur le point d'accoucher ou bien quand un malade s'entêtait dans sa maladie et qu'il était peut-être nécessaire d'appeler le médecin. Dans ces cas-là, mère Olivine décidait. Ses compétences étaient reconnues, son autorité respectée, ses avis toujours écoutés et son importance était aussi grande que celle du maire ou du curé. Mère de famille, grand-mère, veuve qui avait su élever sa famille et tenir sa maison, catholique fervente, mère Olivine était aimée par tous, elle était la matrone dans tous les sens du terme. Pourtant il y eut au Lauzet une affaire où elle faillit être prise en défaut.

Il y avait une femme qui venait de perdre son mari. La tombe à peine refermée, elle avait pris un amant... Evidemment elle voulait que personne ne le sache, alors, pour faire bonne mesure, elle allait au cimetière tous les jours, en plein midi à l'heure où les gens se mettent au soleil. Dans nos pays de montagne on a soif de s'ensoleiller le midi, les nuits sont si longues, le temps si froid et, au milieu de la journée, le soleil est si bon qu'on pourrait se mettre torse nu... Tout le monde se met dehors au soleil et c'est ce moment-là qu'elle choisissait pour aller au cimetière. Ma fenêtre donnait par là, chaque jour je la voyais qui traversait le village... Je suis sensible à ces choses-là, je sentais bien que cette femme jouait la comédie, qu'elle n'avait pas de chagrin et je trouvais ça minable et désespérant. C'était d'autant plus frappant qu'il y avait une autre femme qui allait au cimetière à la tombée de la nuit. Elle avait perdu sa fille de vingt ans et chaque fois que je la voyais passer mon cœur saignait. Je me disais : « Mon Dieu, elle y va encore, mais pourquoi y va-t-elle ? Qu'est-ce qu'elle y gagne ? » J'étais malheureuse pour elle, tandis que l'autre, ça faisait un tel contraste ! Tant de douleur et de sincérité chez l'une, tant d'hypocrisie chez l'autre, c'était insupportable. Ses manigances et ses bondieuseries ne l'ont pas empêchée de se trouver enceinte, mais elle réussit à tromper son monde jusqu'au bout, y compris son propre fils qui avait dix-sept ans, et la mère Olivine. Il s'en est fallu d'un cheveu qu'elle ne réussisse le plan qu'elle s'était fixé : accoucher sans que personne ne s'en aperçoive et peut-être faire disparaître le nouveau-né. Malheureusement pour elle, le jour où elle eut les premières douleurs, elle s'alita et ne put cacher sa souffrance. Son fils alla tout naturellement chercher la matrone. Quand la mère Olivine vit la chose, elle avait trop d'expérience et avait vu trop d'accouchements pour se laisser abuser plus longtemps. Elle ne prit pas de gants, elle souleva les couvertures d'un geste vif, criant à la femme : « Allez ! allez ! Noémie, l'esprit est prompt, la chair est faible. » Le gosse était déjà là, entre les cuisses, avec sa petite tête noire, mais bien vivant. Rien n'était prévu dans la maison, il n'y avait pas un linge, pas une goutte d'eau, pas un torchon... Mais peu importait, une fois que la mère Olivine avait pris les choses en main, on pouvait être sûr que rien ne pouvait l'arrêter.

Le plus extraordinaire dans cette histoire c'est que personne ne s'était aperçu de rien dans le village. Moi-même je n'y avais vu que du feu, pourtant j'allais tous les jours chez elle pour y prendre mon litre de lait, nous bavardions toujours un peu, eh bien, même pendant les derniers mois, sa comédie m'avait abusée. Cette femme avait la cinquantaine, elle était plutôt forte de nature et, prétextant de son âge, elle jouait les malades. Elle se plaignait tout le temps, disant que c'était le retour d'âge qui la tourmentait et que rien ne pouvait la guérir. Dans sa cuisine, au-dessus de la cheminée trônaient, bien en évidence, toute une colonie de fioles et surtout, je m'en souviens très bien, un tas de flacons de Jouvence de l'abbé Soury. Elle disait à tous ceux qui venaient chez elle : « Regardez un peu ce que je suis obligée de prendre, j'en fais une consommation pour me renouveler le sang, parce que ça ne va pas du tout, mais il faut croire que je suis bien malade, plus j'en prends, moins ça va. »

Elle avait sur les mains et sur les avant-bras des égratignures qui ne guérissaient jamais. Elle s'exhibait volontiers et disait à ceux qui voulaient l'entendre : « Regardez donc ce que j'ai là, j'ai beau me soigner et prendre de la Jouvence, ça ne guérit pas... c'est terrible... je gonfle tout ce que je peux, c'est le sang. » Plus tard on sut que c'était elle qui les entretenait, elle se grattait avec un couteau... Ce n'était pas beau à voir mais ça faisait de l'effet, les gens étaient impressionnés et ils la croyaient... En tous les cas, ce fameux jour où elle n'a pu se retenir de crier tellement elle avait mal, le gosse est né. Sans ses cris, sans la mère Olivine, que serait-il devenu ?... A cette époque il y avait dans les maisons de gros poêles à charbon dans lesquels on brûlait de la tourbe... On pétrit la tourbe avec de l'eau et chaque soir on remplit le foyer jusqu'à la gueule. On pouvait supposer le pire. Le gosse aurait pu passer là-dedans facilement. Cette histoire m'avait bouleversée, je ne parvenais pas à comprendre qu'on puisse en arriver à des extrémités pareilles. Quand je suis allée la voir après l'accouchement — dans le village je faisais fonction d'assistante sociale —, Noémie m'accueillit par des lamentations : « Ah ! mademoiselle, regardez ce que le Saint-Esprit m'a envoyé ! » Elle avait des sanglots dans la voix et les mains jointes... Il fallut que je me retienne pour ne pas éclater et sur le moment j'ai vraiment pensé qu'il y avait des coups de pied au cul qui se perdaient. Tant de duplicité me confondait.

Mais il y avait une telle logique là-dessous, dans un village où ils étaient tous dévots, les femmes surtout, c'était normal que ça se passe ainsi... La sexualité d'une veuve sur le retour et la religion ne pouvaient pas aller ensemble. Noémie était pieuse, enfin, elle l'affichait en allant à l'église et c'était tout naturel qu'elle refuse d'être enceinte aux yeux de la communauté. Elle était coincée et, dans sa tête, elle était décidée à faire n'importe quoi pour sauver la face.

Quelques mois plus tard, Noémie essaya de rétablir la situation. Le responsable de ses embêtements était un de ces Don Juan de village, un forgeron itinérant, réputé pour la qualité de son travail mais aussi pour sa faconde et sa prestance auprès des femmes. Noémie n'était pas la seule dans le village à avoir été séduite par le forgeron, mais elle s'était mis dans la tête de lui faire reconnaître le gosse et par la même occasion de se faire épouser. La difficulté était de retrouver la trace du bonhomme et de mettre la main dessus. Il était originaire de la région, mais il exerçait son métier aux quatre coins du département et savoir où il se trouvait était toute une affaire. Noémie écrivit, attendit des réponses et un beau jour, elle fit son bagage et partit avec le gosse dans les bras.

Le forgeron travaillait à Briançon. Elle savait où, et connaissait ses horaires. Elle se posta un jour de semaine en plein centre de la ville et attendit qu'il sorte de son usine. C'était l'heure du déjeuner, au moment où, pendant quelques minutes, ces rues-là connaissent leur plus grande animation... Quand elle le vit, elle se précipita sur lui et l'agrippant par le bras elle ne lui laissa aucune chance de s'esquiver...

« Alors, cria-t-elle, quand est-ce que vous allez le reconnaître ce petit... c'est le vôtre, c'est le vôtre... »

Lui ne pouvait guère éluder, autour d'eux, les gens ralentissaient ou s'arrêtaient carrément pour les observer...

« Alors, quand est-ce que vous allez vous décider à le reconnaître ? Il faut lui faire une pension... »

Pour se tirer d'embarras le forgeron ne trouva rien d'autre que de jouer les étonnés. Il regarda Noémie en haussant les sourcils et dit d'un air très détaché :

« Mais, de quoi voulez-vous parler ? Je ne sais pas ce que vous voulez dire, je ne vous connais pas, moi ! »

Devant tant de toupet, Noémie ne put se retenir, elle prit son élan, se recula d'un pas et usant de toute la force dont elle était capable elle gifla le forgeron devant tous les badauds assemblés, deux gifles magistrales. Elle dit bien haut :

« Et ça, vous savez ce que ça veut dire ? » Et elle s'en retourna sans attendre la suite.

« JUSÈ VOU SÈ UN VOULEU ! »

« Bonjour mademoiselle ! »

J'ai hésité à m'arrêter... j'étais en vélo et je quittais Val-des-Prés pour me rendre au Lauzet. L'homme qui venait de m'interpeller se tenait sur le bord de la route, sa silhouette massive se détachait sur le fond roux et ocre de cette aube automnale. Je ne le connaissais que trop bien ce bonhomme. Comme je ne répondais pas, il dit encore :

« Vous êtes bien polie pour une institutrice ! »

C'en était trop, cette seconde phrase fut pour moi comme une provocation. Je mis pied à terre, je m'approchai et répondis d'une voix qui tremblait d'indignation :

« Ecoutez, je serai bien élevée quand vous serez honnête... Pourquoi serais-je polie avec l'homme qui a insulté mon père ! Vous l'avez traité de voleur, vous l'avez injurié publiquement et quand vous avez eu la preuve de son innocence vous n'avez pas eu un geste, pas un mot d'excuse, ni vous, ni vos associés. »

L'homme me souriait avec condescendance, il essayait de garder l'air supérieur qu'il avait depuis le début de notre rencontre. Il me dit :

« Pardon, pardon, vous ne savez pas ce que vous dites, vous ne savez pas de quoi vous parlez, vous étiez bien trop jeune à l'époque.

— Certes, j'avais sept ans, mais je m'en souviens comme si c'était d'hier... Si vous croyez que j'ai oublié votre entrée de bête furieuse dans notre maison vous vous trompez, je me souviens de tout, de vos insultes, de vos grimaces, de la pâleur de mon père... Vous aussi vous savez bien qu'il aurait pu se disculper si, comme vous, il avait utilisé des méthodes indignes d'un honnête homme, mais...

— Mais, mademoiselle, je vous en prie...

— Mais non, mon père s'est tu parce qu'il avait le sens de la dignité et mon frère Joseph quand il est venu en permission avait avec lui un petit joujou, il était prêt à vous le mettre sur la tempe et à vous faire traverser le village jusque chez le maire pour que vous fassiez des excuses publiques... Malheureusement Joseph est mort, il n'est pas revenu pour mettre son projet à exécution. Vous croyez que je vais oublier ça ? Tant que je vivrai vous n'aurez que l'expression de mon mépris... Jamais, vous entendez jamais, je ne répondrai autrement à votre salut... Mon père était innocent, vous l'avez insulté et vous avez été suffisamment lâche pour ne jamais vous en excuser... pire, vous n'avez jamais dit à vos enfants pourquoi il y avait cette haine entre eux et nous, vous avez été incapable de prendre vos responsabilités...

— Mais, mademoiselle Allais !

— Non, laissez-moi parler, c'est ma façon de répondre à votre salut... Si mon père n'avait pas eu ce sens de l'honneur et de la probité, il vous aurait attaqué en justice, c'était son droit d'exiger réparation, de se laver des accusations injustifiées que vous aviez portées contre lui... Mais il était trop bon... Moi à sa place je ne vous aurais pas fait de cadeau, parce que vous, si par malheur mon père avait été le coupable, vous n'auriez eu aucune pitié, ni pour lui, ni pour nous... C'est par délicatesse que mon père est resté muet, par égard pour vos enfants et aussi par égard pour les enfants de l'autre, le vrai coupable... Dites-vous bien que vous avez de la chance que je ne sois pas un homme. »

Je me suis tue, je n'en pouvais plus, mon indignation était à son comble. En face de moi le bonhomme n'osait plus rien dire. Il partit sans un mot, sans un regard.

C'est vrai, je n'avais que sept ans quand cette lamentable affaire avait éclaté, chaque détail était resté gravé dans ma mémoire et ce n'étaient pas les dix-huit ans qui s'étaient écoulés depuis qui pouvaient effacer la honte de ces journées.

Nous étions tous à table, c'était l'heure du déjeuner, tous les six avec mon père qui présidait comme à l'habitude et, d'un seul coup, la porte de la cuisine s'était ouverte, violemment poussée. Cet homme était entré sans frapper. Il avait le visage déformé par la colère et la haine, il avait marché droit sur mon père et avait crié :

« Vouleu, vouleu ! Jusè vou sè un vouleu ! (Voleur, voleur ! Joseph, vous êtes un voleur !) »

Mon père avait pâli, mais il n'avait pas bronché, il était resté de marbre et il avait répondu le plus calmement du monde :

« Vous vous trompez. Je ne suis pas un voleur.

— Si ! avait répliqué le bonhomme toujours aussi furieusement, nous en avons la preuve, nous en sommes sûrs, moi et mes associés de la scierie. Vous êtes allé faire la piste en charriant votre fumier et pendant la nuit vous avez volé la plus belle pièce de notre coupe. »

Mon père s'était levé. Il était toujours aussi calme.

« Non, répéta-t-il, ce n'est pas moi.

— Ça va vous coûter cher ! on fera vendre votre maison dont vous êtes si fier et vos enfants pourront prendre leur besace et s'en aller mendier.

— Je vous répète que je ne vous ai rien pris.

— La justice suivra son cours, on fera une perquisition et on verra bien... Attendez-vous à ce que cette maison soit fouillée de la cave au grenier. »

L'homme était reparti comme il était venu. Pendant tout le temps qu'avait duré l'altercation nous étions restés cloués par la peur. Mon père avait dit : « Finissez de manger » et plus un mot n'avait été prononcé jusqu'à la fin du repas.

Dans le courant de l'après-midi du même jour, le vrai voleur vint à la maison. A ce moment-là seul mon père savait que c'était cet homme qui dans la nuit était monté jusqu'à la coupe pour y prendre la pièce de bois. L'homme venait avec sa vache pour la faire saillir par notre taureau. La vache prise le paysan eut le culot de dire à mon père :

« Il paraît qu'on va perquisitionner chez vous ?

— Oui, dit mon père, c'est une bien triste affaire, c'est une souillure d'autant plus insupportable que je connais le vrai coupable. »

Mon père regardait le bonhomme bien dans les yeux. Il ajouta : « Je sais même où elle est passée cette pièce, je l'ai vue sur un traîneau au clair de lune et j'ai bien reconnu celui qui la conduisait. »

L'homme changea de couleur... D'un seul coup son visage avait viré au blanc, il se retira avec sa vache en balbutiant quelques mots incompréhensibles.

Mes frères et mes sœurs qui avaient assisté à la scène avaient très bien compris... Par le biais, mon père s'était parfaitement fait comprendre et, en même temps, tous autant que nous étions, nous savions pourquoi il s'était tu devant l'homme de la scierie et pourquoi il continuerait de se taire. Il avait une telle horreur des mouchards que, même la tête sur le billot, il serait resté muet. Pour lui il n'y avait rien de pire que la délation, en plus, il pensait à la famille du voleur, il disait : « La pauvre Lydie, elle en voit suffisamment comme ça, elle a quatre gosses et je n'ai pas le droit de l'accabler encore plus », enfin mon père croyait en la justice et il avait sa conscience pour lui.

Je me souviens, nous étions tous dans l'étable, Joseph et Catherine étaient scandalisés.

« Papa, dit l'aîné, c'est cet homme qui a volé le tronc, il sait que tu l'as vu et il faut te méfier... Maintenant il va craindre que tu le dénonces et il est capable de te faire un mauvais coup. »

Mon père ne dit rien. Il se prépara à retourner dans la forêt avec le traîneau. Mes deux frères ne voulaient pas qu'il y aille seul, mais mon père était intransigeant : « Laissez, laissez, leur dit-il, vous exagérez et vous avez bien d'autres choses à faire qu'à perdre votre temps à m'accompagner. »

La suite est à peine croyable. Mon père partit, mais François et Joseph, de plus en plus convaincus du danger qu'il courait, ne purent se résigner à le laisser aller seul, ils le suivirent à distance. Ils avaient eu du flair, car au milieu de la forêt, au détour d'un chemin, ils virent le bonhomme sortir d'un buisson dans lequel était dissimulée une hache... Mon père les regardait tous les trois, mes deux frères et l'autre, il n'en revenait pas.

« Je suis venu faire des fagots mais ces buissons ne me conviennent pas », dit l'homme en guise de justification. Mais aucun des trois n'était dupe, ils avaient vu la hache sous les fagots et il ne faisait aucun doute que si mon père avait été seul, l'autre l'aurait proprement assommé.

« Tu as compris pourquoi nous voulions être avec toi ? dit Joseph.

— Oui, répondit mon père, il n'aurait guère hésité à me tuer, il serait rentré chez lui en se cachant tout comme il a fait hier avec cette pièce de bois...

— Père, pourquoi laisses-tu aller la poursuite alors que tu pourrais témoigner et te disculper ?

— Je suis innocent... quand ils auront fouillé la maison et rien trouvé il faudra bien qu'ils reconnaissent leur erreur.

— Mais, papa, il restera toujours un doute !

— Qu'importe, je ne moucharderai pas, j'ai ma conscience et je ne veux salir personne, s'il était seul, sans famille, peut-être que ce serait différent. »

Le lendemain eut lieu la perquisition. Il faut connaître la vie et la mentalité des gens dans un village comme le nôtre pour bien se rendre compte de ce que ça pouvait représenter. Être perquisitionné c'était être coupable à coup sûr. Sans compter tout ce déploiement des bons-hommes, pire que pour un assassin. Il y avait le maire avec son écharpe, les conseillers municipaux, les huissiers, les gendarmes et tout le reste... Dans le village c'était un événement sans précédent, les jaloux, les envieux, tous ceux qui avaient une dent contre le « château » étaient aux anges. Ils fouillaient partout, en commençant par le bas, jusqu'aux combles, rien ne leur a échappé... Mais quelle humiliation, pour mon père et pour nous tous... Ils déplaçaient les gros meubles, sondaient les sols, enfonçaient des gaffes dans le foin et à chaque fois, mon père, droit et digne, les accompagnait sans dire un mot. A la fin, il fallut bien qu'ils se rendent à l'évidence, il n'y avait pas de pièce de bois dans la maison et le commissaire repartit bredouille avec toute sa suite. Quant aux autres, ceux de la scierie, ils étaient tout aussi marris. De vrais masques de brutes, incapables de dire quoi que ce soit, pas même un mot d'excuse. Après ce qui venait de se passer c'était la moindre des choses et encore, publiquement... Mais non, ils sont repartis en laissant le doute planer autour de la maison. C'est là que mon père a manqué d'aplomb, il aurait dû exiger des excuses. Depuis, rien n'a bougé, l'affaire est toujours restée sans réponse avec juste cette perquisition qui n'a rien éclairci du tout, sauf que la pièce de bois n'était pas chez nous... Dans cette histoire, c'est l'autre qui a été le plus malin, du début à la fin il s'était servi de mon père... Sinon comment expliquer qu'une pièce de cette taille disparaisse sans laisser de trace. Seul mon père aurait pu faire toute la lumière, mais il n'a jamais rien dit... Je crois que personne ne l'a jamais su, ni la famille, les enfants du voleur, ni les gens de la scierie. Aujourd'hui encore tout n'est pas oublié entre nous.

UNE SECONDE FAMILLE

Au Lauzet, j'avais de vrais amis. Une amitié qui dure et ne vieillit pas c'est quelque chose d'extraordinaire... Lorsque j'ai quitté Le Lauzet, ils me restèrent fidèles des années durant, ils parlaient de moi comme de quelqu'un qu'ils n'oublieraient jamais. Ils vinrent me voir à Val-des-Prés bien des années plus tard quand j'étais mariée. En me voyant ils ne purent retenir leur émotion, ils pleurèrent. De vraies larmes d'amour et d'amitié... Je me souviens, ils étaient venus en taxi et à leur joie se mêlaient de doux reproches... « Oui, disaient-ils, tu es partie du Lauzet et tu n'es jamais venue nous voir, pourtant ton mari a une auto, si tu savais quel plaisir tu nous ferais ! »

Moi aussi j'étais émue aux larmes. J'avais vécu trois ans avec eux comme si j'avais été leur propre fille. Quand j'arrivais là-haut, après avoir fait la route sur mon vélo, la femme m'attendait, elle avait déjà mis des mouchoirs à chauffer devant le feu et, dès que j'avais passé la porte, elle me faisait asseoir et me frottait le dos avec. Elle me préparait du café, et si j'étais en retard pour la classe, elle me disait : « Ça ne fait rien, tu les garderas dix minutes de plus ce soir ou à midi. »

Dans cette maison, j'ai été choyée comme une enfant de la famille, tout y était harmonie pour moi. Que de prévenance de la part de ces amis ! Ils avaient peur que je prenne froid ou que je tombe malade, dès que j'étais fatiguée, ils ne savaient plus quoi faire pour me soigner.

« Emilie, prends ceci, Emilie, prends cela... mets-toi ça sur le dos, tu ne vas pas partir ainsi », c'était vraiment quelque chose d'extraordinaire d'être reçue comme ça... Nous étions voisins, leur porte et celle de l'école se faisaient face et elles se touchaient presque tellement la rue était étroite. Notre amitié était née ainsi tout naturellement, par le voisinage. J'étais toujours chez eux pour la veillée et les jours de fête. C'est à leur propos que je parlais de la propreté... Ce n'était qu'une écurie, mais c'était comme un bijou. Le sol, les vitres, tout y était parfaitement récuré. Tous les jours les tabourets et la table étaient lavés au savon et au sable, les meubles semblaient sortir directement de chez l'ébéniste tellement le bois était doux, et tout était comme ça. C'était ma seconde famille, ils m'aimaient et je m'y sentais aussi à l'aise que chez moi.

Il y avait aussi Lætitia. Ce n'était pas une amitié à proprement parler, mais j'étais la seule personne dans le village à avoir des rapports à peu près normaux avec elle.

Ceux du Lauzet la surnommaient la sorcière. Pourquoi ? Je n'ai jamais pu le savoir, et son allure mise à part, cette vieille femme avait un comportement tout à fait ordinaire. Elle était vieille et laide au possible, le nez crochu et le menton en galoche se touchaient presque, chaque fois que je la voyais elle me faisait penser à la fée Carabosse.

Tous les paysans du Lauzet la fuyaient comme la peste et ils la chargeaient de tous les maux et de toutes les calamités... Lorsqu'elle s'asseyait sur le rebord d'une fenêtre ou s'appuyait contre une porte, simplement parce qu'elle était fatiguée ou voulait s'abriter, aussitôt ils prévoyaient un malheur... Si une bête était malade dans l'année c'était à cause de la sorcière, ils en étaient convaincus. C'était la même chose pour les récoltes... Quand Lætitia s'asseyait sur un talus et que quelqu'un l'apercevait, aussitôt la nouvelle faisait le tour du village et à la saison, on évitait de faucher l'herbe à cet endroit... Quand dans un champ l'herbe était jaune ils disaient : « C'est la sorcière qui est passée par là. » Pourtant ça ne tenait pas debout et chaque fois que c'était possible j'essayais de les faire revenir à plus de raison. Je leur disais : « Mais tout ça, ce sont des histoires à dormir debout, le mauvais sort ça n'existe pas... regardez, moi je lui parle bien à Lætitia et il ne m'arrive rien de mauvais !

— Ah ! mais vous, c'est pas pareil, me répondaient-ils, elle n'en veut qu'aux gens du pays. »

Ils en étaient convaincus et ils en avaient peur, vraiment je crois.

Enfin, il faut que j'évoque le portrait de mon ami Jaunard. Je le connaissais de Val-des-Prés. Il était parent avec une de mes institutrices et quand j'avais dix, douze ans, je le voyais chaque fois que j'allais apporter le lait à l'école. Je l'avais retrouvé en arrivant au Lauzet et, tout de suite, il avait été parmi ceux qui m'avaient accueillie comme une amie. Jaunard était un homme d'un certain âge, il avait la cinquantaine, il était veuf et vivait seul avec l'idée bien arrêtée de se trouver une seconde femme et de se remarier. En attendant l'heureuse élue, il vivait comme un célibataire. Il avait organisé sa vie entre son jardin, ses chèvres, ses fromages et sa cuisine. Cet homme cuisinait très bien, il avait servi comme valet de chambre, puis comme maître d'hôtel, il avait l'expérience et le coup de main.

Nous nous sommes beaucoup fréquentés pendant ces trois années. Dans la mesure où nous avions des amis et des souvenirs communs, dans la mesure où il vivait seul et moi aussi, il était tout naturel que nous nous aidions. Souvent il me disait : « Emilie, vous venez manger avec moi à la maison » et, chaque fois qu'il m'invitait, j'y allais. Outre la cuisine, il excellait à fabriquer des fromages... Il avait un troupeau de chèvres et avec le lait il faisait beaucoup de fromages. On pouvait être assuré d'en trouver un à son goût à longueur d'année, du frais, sorti du moule, du demi-sec et du très sec. Ils étaient délicieux. En retour, je m'occupais un peu de sa maison, le ménage, le linge... Ce simple échange suffit à faire jaser les gens, enfin ceux qui voient le mal partout. « Ce n'est pas possible qu'elle mange là-haut, qu'elle lui raccommode son linge et qu'elle aille avec lui pour l'aider aux champs sans qu'il y ait quelque chose entre eux. » Voilà ce qu'ils disaient, malgré la différence d'âge qui nous séparait. Il fallait passer outre, hausser les épaules et continuer comme si de rien n'était... J'allais donc l'aider dans ses plantations. Jaunard cultivait ses terres comme un jardin... Il avait un goût et une patience extraordinaires et j'ai beaucoup appris de lui.

Tout ce qu'il y eut entre nous, ce sont des confidences... Lui ne pensait qu'à se remarier, il me faisait lire les lettres qu'il recevait de ses correspondantes et chaque fois, il me demandait de lui donner mon avis. Il y en avait deux et il hésitait... Il y en avait une que je trouvais nettement plus gentille, plus humaine que l'autre, mais elle était pauvre. La sagesse et l'expérience de mon ami avaient des limites... Cette pauvreté l'inquiétait, d'autant que la seconde de ses correspondantes faisait preuve d'un esprit plus réaliste, elle parlait argent et laissait entendre qu'elle-même avait du bien au soleil. Pour moi, le choix était clair. Je lui disais : « Tu sais, si tu te remaries il faut prendre Jeanne, elle n'a pas d'argent, mais elle a l'air si bonne, je crois qu'elle t'aime bien et tu seras heureux. » Il ne m'écoutait que d'une oreille, je crois qu'à ce moment-là il avait déjà pris sa décision.

De mon côté je lui lisais les lettres que je recevais... Lors d'un voyage que j'avais fait à Marseille, pour aller voir Marie-Rose à l'hôpital, j'avais rencontré un homme dans le train. Cet homme était un ouvrier, il s'appelait Jean Carles et il avait onze ans de plus que moi. Nous avions bavardé de choses et d'autres et au moment de nous quitter nous avions échangé nos adresses pour correspondre. Cela ne voulait pas dire grand-chose, ça ne voulait rien dire du tout même ; tout nous séparait. Et pourtant cet homme m'écrivait, il m'envoyait des lettres de huit, dix pages, qui étaient de véritables discours sur des sujets qu'il choisissait. « Mademoiselle, si vous le voulez bien, aujourd'hui je vais vous parler du cœur humain... », ainsi commençait-il ses lettres, la suite était un long développement de toutes les idées qui lui venaient sur le sujet. Le style était simple, vigoureux, l'écriture élégante, les images poétiques... Le discours était parsemé de citations d'auteurs. C'étaient vraiment des lettres exceptionnelles qui bien souvent me dépassaient, mais aussi des lettres à travers lesquelles je reconnaissais ma propre façon de voir le monde et de le comprendre.

Jaunard me disait : « Emilie, celui-là c'est quelqu'un, il n'est peut-être qu'un ouvrier mais il ne faut pas le manquer, hein, tu m'entends, il ne faut pas le manquer, parce que c'est un parti extraordinaire, au point de vue homme. »

Et moi je lui disais : « Tu en as de bonnes toi, il ne faut pas le manquer, encore faudrait-il savoir ce qu'il veut lui... il ne me dit rien du tout. »

Ces lettres me faisaient un bien extraordinaire, elles m'ouvraient l'esprit et le cœur, pourtant, depuis le premier instant où j'avais parlé avec cet homme dans le train qui me ramenait de Marseille, pas une fois je n'avais imaginé que nous puissions devenir autre chose que des correspondants, pas une fois je n'avais pensé à lui comme pouvant devenir un jour mon ami, encore moins le futur compagnon de ma vie. Et cependant c'est bien ce qui est arrivé... mais ceci est une autre histoire.

Deuxième partie

« VOUS AVEZ DROIT À LA VIE »

« Mademoiselle ?

— ...

— Mademoiselle, vous allez à Lyon ? »

Je regardais l'homme qui était assis en face de moi et faisait des efforts pour engager la conversation. C'était un homme entre deux âges qui pouvait avoir la quarantaine, peut-être un peu moins, il était mis comme un Monsieur, plutôt élégant, mais sans luxe ni mauvais goût. Je remarquai ses cheveux bruns, à peine argentés sur les tempes et, au coin des yeux, une petite lumière que je pris pour de la malice. Sur le moment je m'étais dit : « Encore un de ces galants qui ne pense qu'à la bagatelle. »

Il faut dire que j'étais dans un triste état. Je revenais de l'hôpital psychiatrique et j'étais encore sous le choc que j'avais ressenti au cours de ma visite. Quand on sort d'un endroit pareil, on est différent. L'ambiance était terrible. Les cris m'avaient impressionnée ; il y en avait de toutes sortes, aucun ne paraissait humain et pourtant tous l'étaient. Les malades se trouvaient tous ensemble, les persécutés, les visionnaires, les prostrés, les excités, et tous avaient une façon de pousser leurs cris... Lorsque je suis repartie, je me demandais si j'étais encore normale, il me semblait qu'il suffisait d'un rien pour que je devienne comme eux.

Pour ma sœur, ce n'était guère brillant. Elle était dans une salle commune avec d'autres malades et, lorsque j'étais arrivée, c'est à peine si elle m'avait reconnue. Pendant que je déballais de mon sac les quelques douceurs que je lui avais apportées, elle restait parfaitement indifférente et, par la suite, elle avait tenu des propos incohérents... Elle me parlait en regardant droit devant elle comme si je n'avais pas été là. Tous mes efforts pour la ramener à plus de raison étaient restés vains. Les nouvelles que je lui apportais de Val-des-Prés, de ses enfants, de notre père, ne l'intéressaient pas... Elle n'avait aucun sens de la réalité.

Le médecin qui la soignait avait cependant dressé un bilan positif de son état. Il m'avait dit : « Vous tombez mal, mademoiselle, parce que normalement elle est beaucoup mieux que ça, elle est plus calme et plus raisonnable... Surtout il ne faut pas vous fier à ce que vous avez vu aujourd'hui, votre sœur est récupérable et nous faisons en sorte qu'elle se rétablisse le plus rapidement possible. » Me disait-il la vérité ? Je n'en sais rien, en tous les cas, ses paroles n'avaient pas suffi à me rassurer.

« Mademoiselle ? »

Le bonhomme assis en face de moi dans le compartiment attendait que je lui réponde quelque chose. Sans plus réfléchir je ramassai mon bagage et changeai de place.

A peine installée dans le nouveau compartiment l'homme était là, qui me souriait, sûr de lui et prêt à faire le joli cœur. J'étais furieuse. Dans ces cas-là, je ne suis pas femme à me laisser faire et à garder ma langue dans ma poche. Je lui dis sur le ton qui s'imposait :

« Vous avez un sacré culot, monsieur, comment osez-vous venir ici ? Vous voyez bien que je vous importunez, vous savez très bien que si j'avais voulu lier connaissance je serais restée dans l'autre compartiment... Si je suis partie c'est pour être seule et tranquille.

— Oh ! là ! là ! me dit-il — il avait une voix chaleureuse et parlait sans agressivité — oh ! là ! là ! mais qu'avez-vous ? êtes-vous une personne de mauvais caractère ou bien avez-vous des ennuis ? »

J'essayai une fois de plus de couper court à ce début de conversation. « Oh ! écoutez », dis-je, mais lui ne me laissa pas la possibilité de continuer. Il me dit :

« Vous avez peut-être laissé votre amoureux à Marseille ? »

Un amoureux ! Il ne pouvait pas tomber plus mal, j'eus un rire nerveux.

« Un amoureux à Marseille ! Certes, si vous saviez d'où je viens vous n'auriez pas le cœur à plaisanter. »

Il s'assit en face de moi et me regarda. Il y avait de la bonté dans son regard. Il demanda :

« Mais, mademoiselle, dites-moi d'où vous venez ?

— Je sors de l'hôpital si vous voulez savoir, je viens de voir ma sœur. Vous ne pouvez pas imaginer quelle tristesse c'est, elle n'a pas vingt-quatre ans. Il n'y a pas de mot pour dépeindre cet endroit et ma sœur n'a pas arrêté de raconter n'importe quoi... »

Je me suis tue. C'était l'émotion, en même temps je me rendais compte que j'étais en train de raconter ma vie à un inconnu... « Tant pis », me suis-je dit et j'ai continué :

« C'est terrible, elle a deux petits enfants dont il faut que je m'occupe, plus mon père qui a soixante-quinze ans et dont je m'occupe aussi.

— Et vous êtes toute seule pour faire ça ?

— Bien sûr, j'enseigne au Lauzet, chaque fois que je peux je vais à la maison, ça représente quelque trente kilomètres... Mon père m'attend, il ne fait que ça et je ne peux pas le laisser seul avec la petite... Si vous saviez ce qu'a été la maison, si vivante et maintenant mon père et sa petite-fille tout seuls... Il n'y a que moi sur qui ils puissent compter...

— Et les autres ?

— Quels autres ?

— Eh bien, vous avez dû avoir des frères et des sœurs ?

— Oui, bien sûr, mais... »

Une fois partie je ne pouvais plus m'arrêter, je racontais ma vie et lui, cet homme que je ne connaissais pas, il m'écoutait, il me mettait en confiance... J'avais un tel besoin de parler, de me confier, ça me faisait un bien fou de tout sortir en me disant : « De toute manière cet homme emportera mes histoires avec lui et ce sera fini. » A la fin quand j'eus terminé de brosser le tableau de ma vie familiale il me dit :

« Comment ! Parce que vous avez votre sœur qui se fait soigner à l'hôpital, parce que vous avez deux enfants à charge et votre père qui vieillit, vous trouvez que votre vie est finie ? Vous dites que vous n'avez plus droit à rien ? Mais c'est inconcevable ! Si j'ai bien compris, votre père a soixante-quinze ans, mais il est en vie et en bonne santé... Vous préféreriez qu'il soit mort ou infirme ? Mais, mademoiselle, c'est formidable d'avoir son père avec soi, et une jeune sœur qui va guérir et deux jeunes enfants qui ne demandent qu'à vivre... Je ne suis pas d'accord avec votre résignation... Vous êtes-vous regardée seulement, vous êtes jeune, vous êtes jolie, vous respirez la vie et ce que vous dites ne va pas avec la force qui se dégage de vous... vous vous condamnez. Moi je vous le dis, vous avez droit à la vie ! » Il s'était arrêté de parler pendant quelques secondes et moi, je sentis mon cœur qui battait plus vite... Les paroles de cet homme étaient justes, elles réveillaient en moi une force évidente, une force de vie que j'essayais de tenir endormie depuis des années... Il dit encore :

« A votre âge, ce serait un crime que de vous sacrifier pour votre famille, ce n'est pas en faisant abstraction de soi que l'on rend les vrais services... Imaginez le cadeau empoisonné que vous feriez à votre père si à la fin vous deviez lui dire : « J'ai sacrifié ma vie pour toi »... Quelle tristesse alors !... Non, vous devez aider les autres mais en même temps vous devez penser à vous, sans ça ce n'est pas bon... Vous n'en serez que mieux armée et plus forte pour faire ce que vous avez à faire. »

Cet homme, avec ses paroles, son attention, sa délicatesse et la justesse de ses propos me redonnait le courage qui me faisait défaut. Depuis des mois, des années, je vivais repliée sur moi-même, à force de me dévouer pour Marie-Rose et pour mon père, je m'étais comme effacée, j'étais devenue la « bonne sœur » dans tous les sens du terme et j'en avais oublié de penser à moi. Bien des fois je me disais : « Emilie, tu n'as pas eu de jeunesse, il y a eu la guerre, les morts, les autres sont partis et tu n'as connu que le chagrin et le travail »... De là à conclure que ma vie était finie il n'y avait qu'un pas et je l'avais allègrement franchi. Brusquement, dans un compartiment de chemin de fer, entre Marseille et Briançon, un étranger venait en quelques phrases de rallumer en moi une lumière que je croyais éteinte à jamais et, pendant qu'il continuait à me parler, j'essayais de deviner qui il était, ce qu'il faisait, quels étaient ses idées et ses goûts. J'aurais dû l'interroger, mais je n'osais pas lui poser de questions de peur d'être indiscrète. Je me disais : « Ce n'est certainement pas n'importe qui... C'est un homme cultivé et un homme de cœur. »

C'est à ce moment-là qu'il me parla. Il me dit son nom, il s'appelait Jean Carles, il était ouvrier, peintre décorateur et, sur le coup, je n'ai pas voulu le croire. Il n'avait ni l'allure ni les manières d'un ouvrier et, surtout, sa façon de s'exprimer trahissait une culture au-dessus de la moyenne et une profonde connaissance de la vie.

A Veynes, il fallut nous séparer, il allait à Lyon pour voir sa mère et moi je retournais sur Briançon où m'attendaient mes neveux, mon père et mon travail. Avant de nous quitter nous échangeâmes nos adresses et nous convînmes de nous écrire.

« Vous m'enverrez des cartes de la montagne, je ne la connais pas et ça me donnera une petite idée de l'endroit où vous vivez... »

Ainsi fut fait. Dans l'omnibus qui me ramenait au pays je repensais à tout ce que m'avait dit cet homme. La justesse de ses propos me paraissait de plus en plus évidente, mais il y avait autre chose, il avait surgi brusquement dans ma vie comme un phare qui éclaire les ténèbres.

PARIS VAUT BIEN UNE MESSE

Nous avons donc correspondu, nous avons appris à mieux nous connaître et à chaque nouvelle lettre nous avons découvert ensemble combien nous étions en harmonie sur les choses de la vie. Nous l'étions à tous les points de vue... Nos idées, nos lectures, nos goûts en se dévoilant confirmaient l'accord qui existait naturellement entre nous. Voilà ce qui est essentiel entre un homme et une femme, cet accord, cette harmonie... A mes yeux ce ne pouvait être que le résultat d'une rencontre, un hasard quasiment miraculeux, un don du Ciel.

J'avais vingt-sept ans et jusque-là la vie ne m'avait guère gâtée. Dans les villages, quand on est jeune fille, il y a toujours quelque garçon qui vient faire des avances, on a des amitiés et il y a des galants qui se proposent pour rendre de menus services, couper le bois, abattre une corvée ou une autre pour finalement se déclarer. Avec moi les choses n'avaient jamais été très loin. A quatorze, quinze ans, j'avais déjà eu tellement d'exemples de jeunes dont le mariage avait été malheureux que j'avais une méfiance instinctive du mariage et de tout ce qui va avec. Les flirts, les fréquentations n'étaient pas mon fort... Je me souviens, une fois à la fête du village — c'était à l'époque où je devais avoir quatorze ans — j'étais sortie du bal et un garçon m'avait suivie pour m'embrasser, j'avais aussitôt appelé mon frère Joseph.

« Joseph, tu sais, Louis il veut à tout prix m'embrasser, moi je n'aime pas ça.

— Touche pas à ma sœur, hein ! avait dit mon frère, parce que si tu essaies encore une fois de l'embrasser, c'est mon poing sur la gueule que tu auras... »

J'avais toujours été comme ça, très méfiante. Avec ce Louis notamment qui voulait se marier avec moi et plus tard aussi à Puy-Saint-Vincent où un jeune homme du pays m'avait fait la cour.

Avec Jean Carles c'était tout autre chose... Je veux dire, dès nos premières lettres il s'était révélé comme un être tout à fait exceptionnel, et je trouvais qu'il avait raison dans tout ce qu'il disait. Lui voulait vivre, il respirait la vie... et pour m'en parler il avait des mots, des images extraordinaires. Il me disait : « Mais, Emilie, regardez une rose, regardez un oiseau, écoutez-le chanter, mais regardez autour de vous, le paysage, la rivière qui coule, il n'y a rien au-dessus de cette vie-là. » Pour moi qui vivais comme une recluse, ces mots étaient comme un ferment. J'avais oublié l'essentiel et lui m'ouvrait les yeux sur la beauté du monde.

C'était un homme qui avait déjà vécu, il avait roulé sa bosse un peu partout, il avait de l'expérience et gardait une ouverture d'esprit et une curiosité qui étaient tout le contraire de l'obstination des hommes que j'avais connus jusque-là. Il avait beaucoup lu, beaucoup plus que moi, et il avait des idées sur le monde et sur les hommes. Il était éperdument épris de liberté, non-violent et pacifiste. A côté de lui je n'étais qu'une enfant, il me faisait profiter de ses connaissances et j'ai subi tout de suite son influence. Car, malgré mon instruction, c'est moi qui gagnais à cet échange et je lui en fus profondément et sincèrement reconnaissante.

Au printemps, je reçus une lettre de lui dans laquelle il me proposait de nous rencontrer... « Voilà quelque temps que nous nous écrivons, me disait-il, je crois que nous nous apprécions, mais il est des mots qui doivent être dits de vive voix... Puisque vous allez à Paris à Pâques, nous pouvons nous rencontrer à Veynes, le train s'y arrête, moi je prendrai un jour de congé et vous, vous repartirez par le train suivant, ainsi nous pourrons passer une journée ensemble. »

Ce fut une journée extraordinaire. Nous nous sommes retrouvés à la gare, nous sommes allés dans un restaurant, et, lorsque nous avons commandé deux steaks, le patron du bistrot nous a regardés comme si nous venions de débarquer de la lune.

« Mais, nous dit-il, c'est Vendredi saint. »

C'était bien le cadet de nos soucis...

« On le sait, mais ça ne fait rien, on voudrait deux steaks.

— Ah ! bon, dit le patron, eh bien on va aller voir s'il y en a chez le boucher. »

C'est ainsi que commença cette journée. Pour le reste, nous avons parlé, nous étions l'un et l'autre avides de mots, avides d'amitié et de tendresse, et nous avons bavardé pendant des heures, abordant tous les sujets possibles et imaginables. Nous étions en harmonie sur tout. Pourtant au-delà des mots il y avait l'émotion et, le temps passant, cette émotion ne faisait que grandir... Cet homme de onze ans mon aîné me fascinait, il m'attirait mais je ne voyais pas comment cela pouvait se terminer. Dans nos lettres, nous avions échangé des idées, nous avions confronté nos opinions, nos sentiments, sans pour autant aborder la question de vivre ensemble ou de nous marier. Il ne m'avait pas caché ses idées sur le mariage, c'était un partisan convaincu de l'union libre et, pendant que nous passions ces heures ensemble, je me demandais : « Est-ce qu'il va en parler ou non ? et qu'est-ce que je vais faire moi, qu'est-ce que je vais lui répondre ? » Je sentais bien que c'était là l'aboutissement de tous nos échanges, cette sympathie devait bien déboucher sur quelque chose.

L'heure de nous séparer approchait. Nous nous étions

promenés dans la ville et bientôt il serait l'heure de reprendre le train. Brusquement Jean Carles me dit :

« Emilie, voulez-vous m'épouser ? »

Je le regardais éberluée... Pourtant je m'attendais à cette question, je crois bien que j'ai ri et il eut l'impression que je me moquais de lui, mais il ne se fâcha pas, il me dit simplement :

« Oh ! je sais, vous me trouvez trop vieux.

— Ah ! non, dis-je, ce n'est pas ça, mais tellement de choses nous séparent, dans vos lettres vous me parlez de la liberté, de votre désir de vivre librement, et moi c'est différent... J'ai mon père, je vis avec lui et c'est un homme qui a des idées de l'autre siècle. Même si je ne suis pas d'accord avec lui, je veux respecter ses habitudes, je ne veux pas lui faire de la peine. Il ne supportera jamais que je vive avec un homme sans être mariée officiellement à la mairie et à l'église. Il a déjà suffisamment souffert comme ça, je ne pourrai jamais lui faire cette peine-là, il en mourrait de chagrin et de honte... Alors je crois que c'est difficile entre nous.

— Oh ! me dit Jean Carles, si ce n'est que ça, Henri IV a dit "Paris vaut bien une messe", moi je pense que vous en valez bien deux, une à l'église, l'autre à la mairie. »

La réflexion était si drôle, elle venait si fort à propos que j'ai éclaté de rire.

« C'est vrai ? dis-je, vous pensez vraiment ce que vous dites ? vous êtes sûr de vouloir vous marier...

— Oui, vraiment, je suis prêt à ça, j'y ai mûrement réfléchi, mais, ajouta-t-il, vous pensez peut-être qu'il y a d'autres choses qui nous séparent ?

— Non, dis-je, il n'y avait que cette question-là, je crois que nous pouvons nous marier.

— Bien, dit-il, il va donc falloir que je vienne voir votre père. »

L'heure de nous séparer était venue. Nous convînmes d'une date pour sa visite à Val-des-Prés et nous nous quittâmes à regret.

Jean Carles profita du 14 juillet pour venir voir mon père et faire sa demande en mariage. Ce jour-là nous étions au pré des Fourches en train de retourner le foin. J'ai vu arriver un jeune homme en vélo, avec un canotier et des pantalons blancs, de loin je ne l'ai pas reconnu, on aurait dit Maurice Chevalier, il avait une allure vraiment formidable. Je le voyais qui s'arrêtait à chaque groupe pour demander où je me trouvais et les gens lui montraient du doigt notre pré. C'était la pleine période des foins. A ce moment-là les paysans sont comme fous, quand le foin est mûr, personne ne reste tranquille tant qu'il n'est pas fauché et ramassé. C'est exactement ce que nous étions en train de faire, sans perdre une minute parce que la journée était belle mais qu'un orage est toujours à craindre.

Ce pré dans lequel nous nous trouvions était celui où vingt-quatre ans auparavant ma mère avait été frappée par la foudre.

J'ai dit : « Tiens, le voilà. » Du coup mon père s'est arrêté de tourner le foin pour le voir arriver. Il savait que je fréquentais Jean Carles, et je lui avais annoncé son arrivée, mais je ne pouvais m'empêcher d'avoir une certaine appréhension. J'avais souvent pensé à cette rencontre entre les deux hommes et bien sûr je voulais que les choses se passent le mieux possible, c'est normal. Ils étaient si différents que je pouvais craindre le pire. Mais tout s'est très bien passé, Jean a salué mon père, il s'est présenté et, tout de suite, voyant que nous étions en train de travailler il a tombé la veste, il a retroussé ses manches et il s'est mis à tourner le foin avec nous.

Le soir, dès que nous fûmes de retour à la maison, il demanda si on lui permettait de tenir la queue de la poêle. Moi je lui ai dit : « Mais oui. » Je ne savais pas qu'il cuisinait, tout de suite il s'y est mis avec la bonne humeur qui le caractérisait.

« Bon, dit-il, je vais vous préparer des tomates à la provençale. » En même temps il nous parlait, il nous racontait sa vie, ses voyages, ce qu'il avait vu... Mon père n'en revenait pas et moi non plus. Le premier contact était excellent et il fut convenu que Jean Carles passerait trois jours avec nous.

Le lendemain il me demanda s'il pouvait retaper la cuisine. Ça faisait quatorze ans qu'elle n'avait pas été repeinte et elle en avait vraiment besoin. Non seulement il la gratta, il la récura et la blanchit mais il la décora aussi. Il fabriqua un pochoir qui imitait les carreaux de céramique et il dessina ainsi tout autour une fresque de couleur. Avec les murs blancs la cuisine était complètement métamorphosée, on ne la reconnaissait plus. D'un seul coup cette cuisine, que je voyais grise et sombre depuis des années, accueillait la lumière, les rayons de soleil rebondissaient sur le mur... Je crois que mon père n'en est pas revenu de voir comment en si peu de temps Jean l'avait transformée.

Tout ça n'était pas le principal. Lorsque Jean fit sa demande, mon père ne dit rien de précis. Certes il ne dit pas non, il se contenta de prendre un air un peu distant, à la manière d'un patriarche, et de dire : « Je vous ferai savoir. »

Pourtant ce « je vous ferai savoir » était plutôt un oui qu'un non. Disons que mon père voulait se faire tirer l'oreille, pour le principe. Pour moi, il ne faisait aucun doute que nous allions nous marier. J'avais vingt-huit ans, j'étais décidée à prendre mes responsabilités, simplement l'accord de mon père m'importait pour beaucoup de raisons.

Jean était donc reparti avec un « presque oui » et dans les jours qui suivirent je ne doutais pas d'avoir réussi à convaincre mon père. J'étais heureuse. Ce n'est qu'un peu plus tard que les choses commencèrent à se gâter. Mon père essaya de me faire revenir sur mon choix, il m'expliqua qu'il avait réfléchi et qu'il n'était pas d'accord avec ce mariage. Ce qui le dérangeait était que Jean Carles soit un ouvrier et n'ait aucun bien au soleil. A ses yeux il était inadmissible que je prenne pour mari un homme qui ne possédait rien. Il me demanda de réfléchir moi aussi.

Venant de lui, de mon père, et sur ce sujet, c'était presque un ordre. En bref ce prétendant était peu de chose, il fallait l'évincer, car ce n'était qu'un va-nu-pieds. Je voyais là ressurgir le vieil antagonisme qui sépare les paysans des ouvriers. Tous travaillent comme des bêtes, tous suent sang et eau pour vivre, manger, se loger et se vêtir, mais ils n'ont les uns envers les autres que du mépris. Mon père était de ceux qui ne pouvaient concevoir un mélange de deux mondes dont l'un était le sien et l'autre un monde inconnu qu'il méprisait sans savoir pourquoi.

J'ai réagi tout de suite et je ne me suis pas laissé faire. Père ou pas, je ne pouvais pas accepter.

« Je ne sais pas ce qu'il te faut, lui ai-je dit, quand on est travailleur on a la fortune entre ses mains, tu as bien vu ce qu'il a fait, comment en un rien de temps il a nettoyé la cuisine, en plus il est gentil, il n'y a aucune raison pour que je change d'avis. »

Je me suis défendue avec toute l'ardeur dont j'étais capable, j'étais prête à tout plutôt que de céder, il s'agissait de mon bonheur et de ma vie. Que d'autres puissent décider à ma place me révoltait. Ce n'étaient pas les arguments qui me faisaient défaut.

« Si c'est un gendre comme celui qui est à la Draille que tu veux, un ivrogne et un incapable, eh bien moi je n'en veux pas, ce ne sont pas des hommes qu'il y a ici, ce sont des rustres. Tu ne m'en feras jamais démordre, jamais je ne trouverai un homme de cette qualité-là, par conséquent c'est oui, si ça ne te plaît pas tu peux faire ce que tu veux.

— Bon, dit-il, si je n'y peux rien, fais comme tu veux. »

Si mon père avait été seul les choses auraient été plus simples. Mais il y avait la famille, car ce n'est pas mon père qui était le plus terrible, lui m'aimait bien, je crois qu'il désirait vraiment mon bonheur et il sentait que ce que je voulais n'était pas mauvais. Mais un de mes oncles était intervenu lui aussi, un dur celui-là, qui n'avait aucune raison de prendre des gants. Dans le fond, il s'agissait de patrimoine, c'était ça la vraie question qui se posait à la famille mais personne n'osait en parler franchement. Je me souviens de la conversation que j'eus avec cet oncle. Il me dit carrément :

« Tu n'as pas à prendre cet hurluberlureau pour mari. »

Dans son désir de discréditer à tout prix Jean Carles il avait inconsciemment mélangé hurluberlu et godelureau.

« Et pourquoi donc ? qu'est-ce que vous en savez ?

— Tu te laisses abuser par les sentiments, cet homme est un pas grand-chose, nous avons fait prendre des renseignements et si tu n'es pas capable de garder la tête froide tout instruite que tu es on le fera à ta place. »

Une telle manœuvre ne pouvait que me mettre hors de moi et je me suis durcie.

« Comment ! dis-je, vous avez de mauvais renseignements ? Si vous en avez il faut me les donner.

— On n'a pas de renseignements à te donner, on n'a que des conseils et des conseils que tu dois suivre. »

Plus il en rajoutait plus la manœuvre devenait évidente. Ils n'avaient aucun renseignement, il est certain que s'ils avaient eu la moindre certitude ils s'en seraient servi. C'était indigne de mon père. D'une certaine manière lui aussi s'était laissé abuser par son frère. Je suis restée ferme et j'ai dit non une nouvelle fois.

Jean n'avait pas les mêmes problèmes de famille mais il avait une mère qui à sa manière était un phénomène.

Jean Carles m'invita à aller le voir à Tarascon, il y faisait le décor d'un cinéma et sa mère était avec lui. C'était l'occasion de faire sa connaissance. J'y suis donc allée. Quand je suis arrivée à la gare ils m'attendaient tous les deux. Tout de suite la mère de Jean fut des plus désagréables. C'était une femme très grande, bien plus grande que moi, qui voulait en imposer par ses manières. La première chose qu'elle dit fut : « Alors c'est ça ! » en me regardant comme si j'étais un ver de terre. Les deux mots m'ont fait mal et je m'en suis souvenue pendant longtemps.

Jean fit tout ce qu'il pouvait pour arrondir les angles, mais sa mère avait donné le ton. Chaque fois que nous étions seules elle ne manquait jamais de m'humilier. Elle me disait : « Quand je pense aux belles filles qui l'ont fréquenté, il a eu aussi une institutrice mais c'était autre chose que vous, elle était élégante et riche, mais qu'est-ce qu'il lui prend à Jean, qu'est-ce qu'il lui prend. »

C'était insupportable. Je crois que Jean ne se rendait pas compte de ce que sa mère me faisait supporter avec ses sarcasmes. Bien sûr, il me disait de passer au-dessus de tout ça, de serrer les dents et d'attendre notre mariage, mais ce n'était pas suffisant pour me satisfaire.

Néanmoins, notre amour était tel que j'acceptai encore bien des choses et je fis même plus, sur sa demande, lorsque je retournai à Val-des-Prés, j'amenai sa mère avec moi.

« Vous allez monter ma mère à Val-des-Prés, ça lui fera du bien, jusqu'à ce que j'aie fini mon chantier ici et que je vienne vous rejoindre. »

J'ai accepté. Je ne sais pas pourquoi j'ai accepté mais je l'ai fait en sachant le danger que cela représentait pour nous. Elle aussi souhaitait faire casser notre projet de mariage, cela collait tellement avec les intentions de ma propre famille que pendant son séjour à Val-des-Prés, elle réussit à se lier d'amitié avec une de mes tantes, une peau de vache elle aussi, et toutes les deux essayèrent de briser nos fiançailles.

Lorsque Jean est arrivé je suis allée au-devant de lui. Je venais de passer des journées infernales à supporter sa mère et ses calomnies et j'étais décidée à mettre un terme à tout ça. Je lui dis sans retenue :

« Si vous voulez me faire plaisir, faites votre valise, pas ce soir parce qu'il est trop tard mais dès demain à la première heure, prenez votre mère avec vous et partez, que je ne vous revoie plus !

— Mais, que se passe-t-il ? me dit-il, qu'est-ce qu'il y a de si grave ?

— Oh ! écoutez, ceci a été insupportable pour moi, tous les soirs dans mon lit j'ai mordu mon oreiller pour que l'on ne m'entende pas pleurer... Votre mère est une femme impossible.

— Mais, vous vous mariez avec ma mère ou avec moi ?

— Avec vous bien sûr, mais...

— Mais alors, qu'est-ce que je vous ai fait ?

— Rien, mais...

— Et alors ?

— Ecoutez, Jean, pendant la semaine que je viens de passer j'ai entendu les mêmes phrases à longueur de journée, votre mère ne peut pas me sentir, elle dit à qui veut l'entendre et devant moi encore : "Jean pouvait trouver un meilleur parti, s'il était mineur je l'empêcherais de faire une bêtise pareille, il est encore temps et je vais essayer de le dissuader d'épouser Emilie." Moi j'en ai assez, j'ai entendu ça pendant dix jours et ça suffit. En plus, avec ma tante elles ont raconté les pires vilenies sur mon compte, ma tante disant qu'avec mon vélo je m'en vais me promener dans les bois pour faire des rencontres, on m'avait déjà traitée de putain mais au moins c'était une étrangère et une ivrogne qui l'avait fait, tandis que ces deux-là ! Dire ça de moi alors que ce vélo vous savez très bien à quoi il me sert, je vais au Lauzet avec. »

C'est vrai, à ce moment-là, je me trouvais dans un tel état d'exaspération que j'étais décidée au pire, y compris à rompre. Heureusement, Jean prit les choses en main, à commencer par sa mère. Il s'est expliqué avec elle, je crois bien qu'il a réussi à mettre les points sur les i, car les langues se sont tues et le calme est revenu. L'accord n'était pas parfait, mais c'était supportable. Cela jusqu'au moment du mariage. Ce jour-là, la mère de Jean est revenue à l'attaque, elle suivait Jean, le poussait — à petits coups dans le dos — lui disant : « Va, ne te dépêche pas tant de dire oui. »

Ce jour-là, ma sœur Rose qui était venue de Lyon ajoutait son grain de sel me poursuivant pour me dire à moi aussi : « Tu as encore le temps », et à Jean : « C'est avec moi que vous auriez dû vous marier, Emilie est trop jeune pour vous, vous n'en tirerez jamais rien de bon, tandis que moi je suis une femme d'expérience. »

On s'est quand même marié. Ce ne fut pas une grande noce, on avait réduit les choses au strict minimum, la famille, les témoins et le maire, c'était la coutume.

On a mangé à la maison et c'est Jean qui a préparé le déjeuner. On en avait décidé ainsi pour des raisons d'économie. Jean n'avait pas un sou devant lui, au contraire il avait des dettes, c'était même une des raisons qui lui faisait repousser la date de notre mariage : « J'ai des dettes, j'ai des dettes », me disait-il... Ce n'était pas bien méchant, ce n'était même pas des dettes à lui mais à son frère, et moi je lui disais : « A notre âge, on est fait pour vivre ensemble, on mangera les dettes ensemble comme on mangera le reste. »

Mon père ne le savait pas. S'il l'avait su je crois qu'il en aurait eu un coup au cœur. En plus, Jean et moi, nous nous sommes mariés sans faire de contrat et ça je crois bien que c'est une date à marquer à l'encre rouge. On n'avait jamais vu ça dans le pays, c'était une habitude d'en établir un à chaque mariage. Des contrats absurdes sur lesquels chaque partie faisait inscrire ce qu'il apportait. Moi j'étais contre, pour des tas de raisons, et j'ai dû me bagarrer encore avec mon père et avec mon oncle pour leur faire admettre mon point de vue. Je leur ai dit : « Ce n'est pas la peine d'en faire un, ni moi ni Jean n'en voulons, s'il y a des enfants tout leur reviendra de droit et s'il n'y en a pas on verra bien. » Je ne voulais rien savoir. A mes yeux un contrat est une humiliation pour celui qui n'a rien. On va devant le notaire et on fait la liste. On aurait mis : « Mlle Allais, une maison, sise à tel endroit, avec tant de pièces et tant de dépendances pour une surface de tant, des terres pour une valeur de tant, des meubles, du linge, du bétail et tout le reste », tandis que pour Jean on aurait mis quoi ? Rien. Je savais que si la situation avait été inversée Jean aurait fait comme moi mais les autres ne comprenaient pas, ils ne pensaient qu'aux intérêts. On ne pouvait pas se comprendre. Eux me parlaient de biens et de coffres pleins, moi je leur parlais d'une autre richesse. Pour moi le coffre est vide si son propriétaire n'a ni amour ni chaleur humaine, au contraire, celui qui n'a rien peut combler l'âme sœur, mais comment aurais-je pu me faire comprendre ?...

Jean était la vraie richesse, la seule qui me manquait depuis toujours. Une tête pleine de rêves, un sourire chargé de promesses, un cœur lourd de toute la bonté de la terre, voilà la richesse qui m'était offerte et donnée. La richesse matérielle n'est rien à côté de cela. C'est la raison pour laquelle j'étais opposée aux contrats de mariage... Lorsque l'on s'aime on partage tout... Et si l'on se quitte le contrat n'est pas une panacée contre la douleur... Ce n'est qu'une histoire de sous et, pour moi c'est une certitude, l'argent salit tout...

Ma nouvelle vie changeait du tout au tout avec celle que j'avais menée jusque-là. J'avais vécu résignée en me disant que je ne connaîtrais jamais autre chose que mon travail et mon dévouement pour ceux de ma famille. Ce n'était pas du désespoir mais de la résignation et à vingt-six, vingt-sept ans, je me disais que tout était fini et que je resterais vieille fille. Pourtant, il m'arrivait de penser que je pourrais avoir un enfant. C'était une époque où certaines femmes essayaient de s'émanciper, les années folles de l'après-guerre avec les garçonnes et les idées des suffragettes qui revenaient. J'aurais bien aimé avoir un enfant mais ce n'était pas facile, par exemple, dans l'enseignement public une fille mère était automatiquement révoquée, et ce n'est pas tout, il y avait d'autres problèmes encore, comme la difficulté d'élever un enfant sans père. Le hasard fit que je lus un livre sur ce sujet, c'était l'histoire d'une jeune postière qui avait décidé d'avoir un gosse sans se marier, ça s'appelait *Madame 60 bis*. Cette jeune femme racontait justement les tourments d'un enfant sans père, elle racontait qu'à l'école, partout où il allait, il y avait toujours quelque imbécile pour le traiter de « bâtard » ou de « fils sans père ». Ce récit m'avait donné à réfléchir.

Ma rencontre avec Jean Carles avait changé tout ça. Désormais je pouvais être une maman comme je le souhaitais, Jean et moi, nous étions d'accord là-dessus. La seule chose que je pouvais craindre c'était de faire une mauvaise grossesse comme ma sœur Catherine. J'avais donc été voir un docteur pour en avoir le cœur net. « Non, non, me dit le bonhomme, vous êtes tout à fait normale, vous n'avez rien à craindre et vous pouvez avoir autant d'enfants que vous le désirez. »

« Chat échaudé craint l'eau froide », dit-on, mais on a beau se méfier, prendre toutes les précautions possibles, lorsque le malheur doit arriver rien ne peut l'arrêter. Le premier enfant que j'ai eu était un garçon, mais il ne survécut pas aux difficultés de l'accouchement. Le gosse se présentait si mal qu'il fallut employer les forceps et le médecin fit une fausse manœuvre, il blessa le bébé à la tête avec ses instruments et quand il le sortit, il était déjà mort. Je ne l'ai même pas vu, j'étais dans un tel état d'épuisement que je n'avais conscience de rien, sauf de la douleur et des larmes. Mais, dérision de la dérision, tandis que je me débattais dans mes souffrances et que Jean était comme un fou, incapable de s'occuper de quoi que ce soit, le maire faisait enterrer le corps du gosse au fond du cimetière dans la fosse commune réservée aux noyés et aux pendus. C'est ainsi. Je sais que nous aurions pu demander réparation, mais ni Jean, ni moi nous n'eûmes le courage de faire des démarches, tous les deux nous avons jugé qu'il valait mieux ne pas revenir en arrière et puis, la vie continuait, c'était elle qui était la plus forte. Un an plus tard j'accouchais de mon fils Jojo et, deux ans après, j'eus une petite fille que nous appelâmes Janny. Jean et moi nous étions comblés.

Ces années furent véritablement des années de bonheur. Jean était un compagnon d'une prévenance et d'une attention extraordinaires, il cherchait toujours à me faire plaisir, de lui je recevais tous les présents de la terre. J'avais toujours droit aux premières violettes qu'il était allé cueillir sous les feuilles sèches, aux premières fraises du jardin, aux premières cerises. De lui j'avais sur ma table de chevet les premières roses et dans mon assiette les premières truites de mars... Ainsi, celui qui n'avait rien au soleil rayonnait sur ceux qu'il côtoyait. Jean Carles, par la chaleur qui émanait de lui, par ses dons qu'il prodiguait à tous, dispensait le bonheur.

C'était un homme épris de liberté. Pour lui, il n'y avait rien au-dessus. Il défendait ses idées et il s'informait. Je n'avais jamais vu quelqu'un lire autant, dès qu'il avait fini son travail il s'installait pour lire dans un coin, il recevait toutes les revues progressistes de l'époque, *Le Canard enchaîné*, *La Patrie humaine*, *L'En-Dehors* et la littérature contemporaine. C'est lui qui me fit découvrir Panaït Istrati, Céline, Albert Londres et bien d'autres encore ainsi que *Le Nouvel Age littéraire* d'Henri Poulaille.

Jean était un idéaliste, mais un vrai, un pur, il avait ça de commun avec mon père, comme lui il mettait en pratique ses idées dans la vie de tous les jours, jamais il n'aurait pu supporter le moindre écart entre ce qu'il disait et ce qu'il faisait. Ça n'allait pas sans mal, parce que c'est bien beau de prôner la générosité et la fraternité mais il faut encore en avoir les moyens. Qu'importe, Jean était aussi un rêveur, un poète, il avait en horreur les tracasseries administratives et il ne savait pas compter, ou il ne voulait... C'est moi qui m'occupais des comptes et lui m'appelait la fourmi, il disait aux enfants : « Vous avez une mère unique au monde, il n'y en a pas deux comme elle », il pouvait leur dire ça, parce que sans moi je ne sais pas comment il aurait fait. Il avait les mains percées, il donnait tout ce qu'il avait sans jamais compter et, quand il n'y avait plus rien, que le porte-monnaie était vide, il disait : « Mais, ce n'est pas possible ! » et moi je lui disais : « Mais si, il n'y a plus rien. » Il comptait tellement sur la fourmi qu'il fallait que la fourmi ait amassé. C'était son tempérament. Parfois, il m'arrivait de prendre la mouche, alors Jean me prenait dans ses bras et il me récitait un de ces poèmes dont il avait le secret.

« Ah ! le tendre bonheur que d'avoir en sa vie,
Une bouche amie qui vous conte toujours
De doux propos d'amour tout le long du jour,
Et qui sur votre lèvre en désir caressant
Se pose par instant et vous verse dans l'âme
Oh ! trinité bénie, Amour, Bonté, Folie. »

Ainsi chantait Jean Carles, celui qui n'avait rien au soleil.

« VOTRE MAÎTRESSE VOUS BAT-ELLE ? »

Dans ce portrait de Jean je m'aperçois que j'ai oublié une de ses qualités essentielles, tel que j'en ai parlé on pourrait croire qu'il était un doux rêveur et un poète uniquement préoccupé de liberté et de fraternité. Mais Jean était aussi un travailleur et pas n'importe quel travailleur. C'était un ouvrier hors pair et il avait de son métier une conscience élevée.

Avant de nous marier nous nous étions posé la question de savoir comment nous allions nous organiser. Moi je lui disais : « Mon Dieu, après Le Lauzet où vont-ils m'envoyer ? J'aurai un poste mais vous, il vous faudra trouver un travail. »

Lui me répondait : « Qu'importe, je ne suis bien qu'avec vous, où que vous serez je viendrai. »

Le hasard fit que je fus nommée ici, à Val-des-Prés. C'était une chance, je pouvais tout à la fois faire ma classe et m'occuper de la maison, de mon père et de mes deux filleuls. Jean s'installa, il alla à Briançon pour chercher du travail et il en trouva. Ce ne fut pas sans histoire, car Jean avait de son métier une idée qui était conforme à ses idées en général, mais qui ne collait pas avec les habitudes des ouvriers et des patrons de par ici.

Il s'était présenté dans les plus grosses maisons de la ville et, parmi celles-là, il y eut un patron qui l'avait engagé tout de suite.

« Très bien, lui avait dit le bonhomme, je peux vous embaucher, c'est tant la semaine. »

La somme n'était pas terrible, et Jean avait sa façon à lui de régler ce genre d'affaires. Il avait dit au patron :

« Avant de m'offrir cette somme vous devriez attendre et voir ce que je sais faire, après on reparlera argent.

— Ah ! ben oui, avait dit l'autre, si vous voulez », et Jean avait fait sa semaine sur un chantier et le samedi lorsqu'il avait été voir le patron, on lui avait donné une enveloppe avec la somme dérisoire dont il ne voulait pas. Jean avait refusé. Il avait rendu la paie, et avait dit au patron :

« Gardez-vous ça, je n'en veux pas.

— Pourquoi ? demanda l'autre.

— Parce que moi je n'accepte pas de gagner moins que ma femme, je mérite d'être payé ce que je demande, si vous trouvez que je n'ai pas assez de rendement, mettez-moi seul sur un chantier et vous verrez. »

C'est vrai que c'était là que résidait le problème, ici à Briançon les ouvriers étaient plutôt mal payés, et Jean qui avait voyagé et travaillé dans toute la France pouvait faire la comparaison. Il me disait : « C'est normal, ils ne sont pas payés et ils ne le seront jamais parce que ce sont des rigolos, ils tirent sur la ficelle, et ils ne gagnent même pas le peu qu'ils font. » Il avait dû en parler avec son patron, il avait dû lui dire qu'il avait une autre conception du travail, mais que pour s'en apercevoir il lui fallait travailler seul et le patron avait accepté, il lui avait dit : « J'ai un chantier qui commence lundi, c'est la femme la plus difficile de Briançon, il faut refaire tout son appartement, je vais vous en charger. » Jean a pris le chantier et il était seul comme il l'avait demandé. Il a pu s'organiser et travailler comme il l'entendait. Il a tout refait, il mettait des papiers partout, le midi en s'en allant pour déjeuner il remettait tout en place, tout était nettoyé comme s'il n'y avait ni chantier, ni ouvrier ; la bonne femme en payant dit au patron : « Je n'ai jamais vu un ouvrier comme celui-là, c'est à peine si je me suis aperçue que j'avais un ouvrier chez moi et la maison est impeccable. »

Le patron n'en est pas revenu lui non plus. Il a dit à Jean : « Eh bien, je ne sais pas comment vous avez fait, mais cette bonne femme qui est réputée pour être la plus difficile du pays ne m'a dit que du bien de vous et de votre travail... pour avoir contenté celle-là vous devez en effet être quelqu'un », et il lui donna ce qu'il avait demandé.

Mais l'argent n'est pas tout, et Jean souffrait beaucoup du climat. L'hiver il se gelait les oreilles à faire les allées et venues entre Val-des-Prés et Briançon. Pour lui qui avait connu les pays chauds et qui avait vécu le plus clair de son temps dans les départements du Midi, dans le Vaucluse et dans le Var, c'était dur à supporter. Nous décidâmes de changer notre fusil d'épaule. Il partit travailler dans la région de Cavaillon où nous avions des amis et, dès que j'ai pu, grâce à la loi Roustan, je suis allée le rejoindre. Le temps que nous avons passé là-bas est sans intérêt, lui travaillait dans une entreprise et moi je m'occupais de l'école maternelle. Le seul souvenir que j'en ai gardé est d'avoir supporté pendant un an une directrice acariâtre et de m'être battue avec elle et son mari au moment des grèves. J'étais la seule à les faire, c'était en 1930-1934, à ce moment-là les luttes sociales se faisaient plus dures et le Front populaire n'était pas loin. C'est ainsi que nous sommes revenus ici le plus vite possible, malheureusement je n'avais plus mon poste à Val-des-Prés et j'ai dû accepter ce que l'académie a bien voulu me donner : l'école des Alberts.

C'est aux Alberts qu'il m'est arrivé l'histoire la plus extraordinaire de toute ma carrière d'institutrice. Deux en fait, la première c'est celle que j'appelle l'histoire de l'encrier. Un jour, un gosse a voulu m'envoyer son encrier à la figure... Il a fait le geste et je me suis retournée juste à ce moment-là et je l'ai vu. Ça m'a tout de suite rappelé le coup d'Armand et de Félicie avec la pierre. Ce garçon-là était aussi un des grands de la classe, il devait avoir quatorze ans et c'était une forte tête. Dans des cas comme celui-ci, quand il y a une menace physique, on engage sa responsabilité par sa façon de réagir et on a intérêt à ne pas se tromper. Et justement ce garçon avait des antécédents. Ce gamin avait piqué une colère chez lui avec ses frères, il avait pris le couteau à tuer le cochon et il l'avait lancé contre l'un d'eux. Un couteau à tuer le cochon, c'est une arme dangereuse, et lui, l'avait envoyé avec l'idée de faire mal, il voulait le toucher à la tête ou à la poitrine, mais l'autre s'était retourné au dernier moment, il avait sauté et il avait reçu le couteau dans les fesses. Ça s'était mis à saigner et à gicler de partout au point que personne n'avait pu le garrotter correctement et qu'il avait fallu l'emmener à l'hôpital de Briançon pour le soigner.

L'affaire n'avait pas été plus loin, ce n'était que la réaction d'un gosse en colère contre ses frères. Quelque temps plus tard, pendant une classe d'instruction civique où je parlais de la colère, j'ai voulu me servir de cet exemple-là pour faire comprendre à mes gamins l'ineptie de la colère. Je leur disais : « Il est toujours idiot de se mettre en colère, moi quand ça m'arrive, je le regrette et je crois que tout le monde fait comme moi, on le regrette après, parce que l'on sait que l'on s'est laissé emporter, on sait qu'on a dit des bêtises ou fait des gestes dangereux, et on le regrette, hein, toi ! — et je m'adressais à celui-là en pensant à son coup de couteau — tu es bien placé pour le savoir », mais lui ne l'entendait pas de cette oreille, il dit devant toute la classe :

« Moi, je ne regrette jamais !

— Comment ça, dis-je, et le coup de couteau à ton frère tu ne le regrettes pas ?

— Si, je regrette qu'une chose, c'est de l'avoir raté et qu'il ne soit pas resté sur le carreau. »

Eh bien, c'était celui-là qui me tenait sous la menace de son encrier. Heureusement que je lui ai fait face, autrement j'y avais droit. Je lui ai dit : « Allez, vas-y, lance ! », et en même temps je me suis approchée de lui, mon aplomb l'a complètement désarçonné. C'est sûr que si j'avais eu peur et surtout si je l'avais montré, si j'étais sortie, jamais plus je n'aurais été maître dans la classe et plus un enfant ne m'aurait obéi, jamais.

Mais cela n'est rien à côté de l'autre histoire qui m'est arrivée au même endroit. Il y avait aux Alberts un type, un capitaine d'aviation, qui était venu s'installer dans le pays avec sa famille. Il courait sur son compte des bruits, on disait qu'il battait sa femme et qu'il terrorisait ses gosses. Il avait deux garçons qui venaient dans ma classe mais je n'avais aucune raison de me mêler de ses affaires tant que je n'avais pas de problèmes avec ses gosses. Pourtant un jour, je me rendis chez lui pour parler de ses deux fils, des petits problèmes d'étude sans importance, et pendant l'entretien j'avais entr'aperçu la femme. Effectivement le peu que j'en avais vu m'avait édifiée, elle était couverte de bleus et sans en faire une histoire j'ai dû en parler avec les gens du pays. Ça a suffi à déclencher la fureur du capitaine.

Quelques jours plus tard, le bonhomme amène un de ses gosses à l'école juste un peu avant l'ouverture et il l'installe directement à son pupitre dans la classe. C'était le matin, je n'étais pas encore là et les enfants jouaient dans la cour. J'arrive, la cloche sonne et je commence mon cours. Au bout de quelques minutes je vois ce garçon qui se tenait raide sur son banc, le visage très pâle et qui se mordillait les lèvres nerveusement. Je lui demande ce qu'il a : « Mais Jean, qu'est-ce qui se passe, tu es tout pâle ? » Il me répond en faisant manifestement un effort pour parler :

« Rien, madame, j'ai un peu mal à la jambe. »

Moi je continue ma classe et, à la récréation, le gosse ne bouge pas, il me demande la permission de rester assis à cause de sa jambe.

« Mais, qu'est-ce qu'elle a ta jambe ?

— Je ne sais pas, madame, mon père me soignera tout à l'heure. »

Moi, je ne sais que penser, je lui dis : « Eh bien, reste. » A la fin de la classe il ne bouge pas et me dit : « Mon frère est allé chercher mon père parce que je ne peux pas marcher. »

J'étais perplexe, mais bien loin de me douter de la manœuvre qui avait été préparée... Entre-temps, le capitaine d'aviation avait alerté l'inspecteur d'académie en lui disant que je battais les enfants et que j'avais cassé la jambe de son fils.

En fait, c'était lui qui avait cassé la jambe de son fils et il avait monté son coup de manière à me faire porter le chapeau, le gosse et son frère ne pouvaient rien dire, ils étaient terrorisés et pendant qu'ils jouaient la triste comédie qu'il leur avait demandé de me jouer, lui était allé se plaindre pour coups et blessures sur des enfants.

Le lendemain matin, l'inspecteur était là, très tôt. Je me suis dit : « Mais qu'est-ce qui va arriver », et lui essaya de me rassurer, disant : « Mais, madame Carles, je ne suis pas là pour vous enfoncer mais pour vous défendre, je sais très bien que vous n'avez pas cassé la jambe de cet enfant, seulement comme cet homme a porté plainte, je dois faire mon enquête, il faut que j'interroge les enfants de la classe et le règlement exige que je le fasse sans vous. »

Je suis sortie, j'ai laissé l'inspecteur avec mes gosses. Il leur a donné une feuille de papier à chacun et il a écrit au tableau : « Votre maîtresse vous bat-elle ? » leur disant : « Ecrivez la réponse. » Ils ont tous dit : « Non. »

« Madame Carles a-t-elle battu l'un d'entre vous ?

— Oui, son Jojo. » Lorsque j'en corrigeais un c'était toujours le mien, je lui donnais un soufflet de temps en temps, quand il dépassait les bornes. Ils ont tous dit ça et Jojo a écrit : « Oui, ma mère m'a donné une paire de claques.

— Madame Carles a-t-elle touché Pierre Gentil ?

— Non.

— A-t-elle battu d'autres enfants que son fils ?

— Non. »

L'inspecteur était éclairé et le capitaine d'aviation en fut pour ses frais. « Vous voyez, me dit l'inspecteur, j'étais venu pour vous défendre, je savais que vous auriez gain de cause, tous les enfants ont confirmé ce que vous m'avez dit. » J'étais bouleversée à l'idée que l'on puisse faire des choses pareilles... Dire de l'institutrice qu'elle battait les enfants au point d'avoir cassé une jambe, alors que c'était tout le contraire. Je n'ai jamais vécu quelque chose d'aussi monstrueux de toute ma carrière. Le plus étonnant c'est qu'à l'époque je n'ai pas réagi, j'étais trop heureuse d'avoir été disculpée par mes gosses et je n'ai rien fait contre le bonhomme. Je crois qu'aujourd'hui je ne laisserais pas passer une affaire comme ça, ce type était un fieffé salaud, il n'y a pas d'autre mot et il méritait qu'on lui casse les reins, mais à ce moment-là j'ai laissé courir. Jean était d'accord avec moi, il disait que ça ne valait pas la peine de perdre son temps avec des gens de cette espèce. Et puis, nous nagions dans le bonheur mon mari et moi, nous avions bien autre chose à faire que de nous abaisser à ça.

Un jour, Carles me dit : « Ecoute, si nous devons rester ici, avec une maison comme celle-ci, autant essayer d'en faire quelque chose. La maison est grande et inemployée, moi je sais cuisiner, on pourrait y faire un hôtel. »

L'idée me plut, d'un côté Jean en avait assez de rouler sa bosse comme peintre en travaillant chez les autres et surtout personne ne pouvait développer la ferme... Nous en avons débattu tous ensemble avec mon père et finalement nous avons décidé de le faire. Mais il y avait du pain sur la planche, tout était à faire et comme nous n'avions pas un sou devant nous, il n'était pas question de passer par un entrepreneur. On a tout fait nous-mêmes, on a commencé par aménager des chambres, on a installé l'eau courante et monté des cloisons.

Jean avait dit aussi : « D'abord on fera des chambres et puis on fera hôtel quand on pourra », et c'est vrai il ne fallait pas être pressé, avec nos méthodes et nos moyens on a mis plusieurs années pour arriver à avoir quelque chose d'à peu près terminé. Il ne suffisait pas d'avoir l'idée, il fallait aussi de l'argent pour acheter les briques, le ciment ou les lavabos et la tuyauterie. Jean faisait le maçon, il avait demandé à son frère de venir nous donner un coup de main et il s'occupait de la literie, il se débrouillait assez bien avec les sommiers et les matelas et mon père cardait la laine de ses moutons. Elle servait à bourrer les matelas et les fauteuils, c'est aussi avec cette laine-là que nous avons fait fabriquer nos couvertures. Bref, c'était une vraie entreprise familiale.

Le tourisme n'était guère développé, il ne faisait que commencer. Au début nous avons fait passer des annonces dans les journaux auxquels nous étions abonnés, *La Patrie humaine*, *L'En-Dehors* et on a commencé par avoir cinq clients, ça c'était la première année. Ensuite nous en avons eu quinze, puis un peu plus chaque fois. Au début, nous faisions table d'hôte, plus tard nous avons dû abandonner ce principe. La table d'hôte c'est très particulier, d'abord il ne faut pas qu'il y ait trop de monde, ensuite il faut que les gens qui se retrouvent ensemble soient en sympathie, sinon au moindre accrochage ça ne va plus du tout. Il suffit qu'il y en ait un qui ne soit pas à son aise pour que toute la table soit fichue en l'air.

Jean avait trouvé un nom : Les Arcades. Depuis le premier jour nous avons tout mis de nous-mêmes dans cette affaire-là, et pour moi ce fut un changement d'importance. Outre que je faisais le plâtrier et le peintre, dès que l'hôtel fut ouvert je m'en suis occupée. Après mes classes je faisais les chambres, je lavais le linge, le soir je servais à table et je nettoyais la cuisine, sans parler des heures que je passais à faire les comptes, préparer les commandes et payer les factures. A mes yeux tout ça ne comptait guère, nous avions fait cet hôtel ensemble et c'était notre vie. C'est ce que je lui disais :

« Au lieu de partir en vacances nous avons l'hôtel. »

Lui me répondait :

« Tu vas voir la vieillesse heureuse que nous aurons, maintenant il faut en mettre un coup mais plus tard on vivra comme des milords, on fera des économies sur ta retraite et chaque été nous partirons en voyage. »

On n'est jamais parti. Nous pensions que cet hôtel serait une bonne affaire, il ne fut jamais bien rentable. Ici les saisons sont trop courtes et puis dans les années 30, avant la loi sur les congés payés, les vacances étaient encore quelque chose d'exceptionnel.

N'empêche, nous étions heureux. La maison avait retrouvé la vie et l'animation d'antan, outre Jean et moi, il y avait nos deux enfants, mon père et ma belle-mère qui vivaient avec nous et, de plus en plus souvent, les enfants de Marie-Rose qui venaient se réfugier chez nous.

C'est qu'entre-temps, Marie-Rose était revenue de l'hôpital psychiatrique. Le médecin nous avait dit qu'elle était guérie. En fait sa santé dépendait de la vie qu'elle mènerait. Dès son retour son mari recommença à la persécuter et à la battre. Tous les deux étaient fous, chacun à leur manière, et ensemble ils ne pouvaient que retomber dans la vie de, patachon qui avait été la leur auparavant. Ni l'un ni l'autre n'étaient capables de prendre de décisions ou d'assumer des responsabilités, la seule chose sur laquelle ils étaient d'accord c'était de faire des enfants. Pendant sa vie commune avec Jacques

Mercier, Marie-Rose accoucha huit fois. Il n'en est resté que quatre.

C'était lamentable. Quand il y avait une crise plus violente ils s'en allaient tous, ma sœur partait se cacher n'importe où sans s'occuper de rien et les gosses se débrouillaient comme ils le pouvaient. Marie venait se réfugier chez nous avec ses sœurs et son frère. A l'époque dont je parle elle avait une dizaine d'années et c'était une enfant qui avait la maturité et le sérieux d'une grande personne. Elle était comme tous ces enfants qui sont obligés de se défendre par eux-mêmes, elle prenait des décisions. Quand les parents se disputaient, elle s'échappait de la Draille en portant le plus petit dans ses bras et en tirant les deux autres qui se tenaient accrochés à son tablier, chacun d'un côté. Quand elle venait, Marie avait un sixième sens, elle se disait : « Il ne faut pas que j'aille chez la marraine tant qu'il y a un client, sinon, ils vont se demander ce que nous faisons chez la tante à cette heure. » En attendant elle allait se cacher avec les autres petits dans un hangar de l'autre côté de la route et elle attendait dans le noir, souvent dans le froid, que je sois seule dans la cuisine. C'était une habitude, le dernier client parti je restais seule pour faire la cuisine à fond, tous les jours... Je nettoyais les tables, les bancs et le sol avec de la soude et une brosse, et la gamine attendait toujours ce moment-là pour venir. Il fallait les voir arriver ces quatre gosses, je leur disais :

« Alors vous voilà encore, est-ce que vous avez mangé au moins ?

— Oui, ma tante, nous avons mangé un peu de soupe avant de nous en aller.

— Et où est votre mère ?

— Je n'en sais rien.

— Et ton père ?

— Oh ! comme d'habitude, il a pris la hache et il voulait couper la mère avec, nous on est parti parce que nous avions trop peur. »

Cela revenait plus souvent que d'habitude et lui, Jacques Mercier, nous faisait toutes sortes d'histoires parce qu'il ne supportait pas que ses gosses viennent chez nous. Chaque fois qu'il pouvait les en empêcher il le faisait, il les menaçait pour les dissuader de venir aux Arcades. Cela fait que nos relations étaient plutôt tendues... Cet homme était dévoré par la haine, il était jaloux et méchant, et il disait à ses gosses : « Je vous interdis d'aller chez les richards du "château", je vous interdis de prendre ce qu'ils vous donnent. » Ma sœur avait tout fait pour le pousser aux pires extrémités... Elle avait ses torts elle aussi, enfin je pense qu'elle aurait dû avoir l'intelligence de ne pas l'exaspérer avec ses propos. Dès leurs premières disputes elle lui avait dit : « Mais qu'est-ce que tu fous ici ? t'as rien à toi, la maison est mienne, les terres sont miennes, c'est mon père qui a payé le mulet et la vache, alors qu'est-ce que tu fais ici ? »

On ne devrait jamais parler ainsi. Se servir de ce que l'on possède pour en faire reproche à celui qui n'a rien est une manœuvre indigne, mais ma sœur n'avait pas assez de discernement pour le comprendre, elle faisait peser son pouvoir et sa force et lui ça le rendait dix fois plus haineux et violent que de coutume... Je ne sais pas, si j'avais fait une chose pareille avec Jean, si je lui avais dit : « Tu n'as rien à toi ici », il serait parti sur-le-champ et je ne l'aurais jamais plus revu. C'est normal, un homme a sa dignité... En plus, quand il y a quatre gosses qui sont là à entendre et à écouter, un homme ne supporte pas ce genre de vexation. Jacques Mercier un jour dit à ma sœur : « Qu'importe, un jour toi non plus tu n'auras plus rien, tu perdras tout et t'en auras pas plus que moi » et c'est bien ce qui est arrivé.

Marie-Rose avait réussi à décupler la méchanceté de cet homme qui au départ déjà en voulait à la terre entière... Au milieu de leur discorde qui était permanente, les répits étaient rares et, malheureusement, la tragédie prenait chaque jour des proportions de plus en plus effrayantes. Ils eurent un cinquième enfant, un garçon, Jean-Baptiste, qui ne vécut que trois semaines... Ce gosse mourut pratiquement de faim, ils en étaient à un point tel de dénuement et de désordre qu'il n'y avait pas assez de lait, pas d'argent pour en acheter et qu'un biberon sur deux était fait avec de l'eau. Comment aurait-on pu se douter du drame qui se préparait, lui, Jacques Mercier, allait partout disant qu'avec son cinquième gosse il avait droit au prix Cognac. Quelle infamie ! Faire des gosses pour toucher de l'argent, la loi elle-même était infâme, elle était faite pour tenter les pauvres gens. A l'époque, l'Etat accordait une prime de

25 000 francs aux couples de moins de trente ans qui avaient cinq enfants et 25 000 francs c'était une somme puisqu'on avait une maison pour 2 000 ou 3 000 francs et ce Jean-Baptiste c'était leur prix Cognac, pas autre chose. Ils n'ont même pas été capables de le nourrir suffisamment. Le soir où l'enfant est mort, Jacques Mercier était soûl comme d'habitude, il s'était réfugié je ne sais où, dans un des bistrots de la commune, et ma sœur s'était cachée elle aussi tellement elle avait peur de lui, ce qui fait que le bébé était seul. Quand Marie-Rose est venue me chercher aux Arcades c'était déjà trop tard. Elle était dans tous ses états, elle disait sans cesse : « Viens, je ne veux pas y aller seule, il faut habiller le petit. » Elle n'avait rien pour l'habiller correctement, même pour l'enterrer, il a fallu que je cherche dans mes affaires pour trouver quelque chose et, quand nous sommes arrivés à la Draille, Jacques Mercier était là, avec sa mère. La première chose qu'il nous a dit fut : « Regardez un peu ce qu'elle a fait de mon prix Cognac ! », c'était monstrueux de faire une réflexion pareille à ce moment-là, devant le cadavre encore tiède, c'était tellement monstrueux que même sa mère ne l'a pas supporté, elle lui a dit : « Tais-toi, elle n'a pas tous les torts, tu en as aussi. »

Jacques Mercier a regardé sa mère : « Quoi ! lui dit-il, toi tu prépares un feu de paille avec des brindilles, tu craques l'allumette et tu voudrais que ça ne brûle pas ? » En clair ça voulait dire : « Tu as toujours dit du mal de Marie-Rose et maintenant tu voudrais que ce soit moi. » Tout ça je l'ai entendu, j'étais là, j'essayais de nettoyer le corps du gosse et de l'habiller pour l'enterrement.

Je ne sais pas, si ce gosse avait vécu, s'ils avaient touché ces 25 000 francs, je ne peux pas dire si les choses se seraient arrangées. Je ne le crois pas, peut-être y aurait-il eu un répit, mais, après, une fois l'argent dilapidé, tout serait redevenu comme avant. De fait, ça n'a pas traîné, quelques mois plus tard Jacques Mercier a mis le feu à la Draille et quand il l'a fait il était persuadé de les faire griller tous, Marie-Rose et les quatre gosses. Il a allumé trois foyers en trois endroits différents, un dans le foin, un dans la réserve au bois et un troisième je ne sais plus où. Par bonheur, ma sœur était partie avec les gosses, on aurait dit quelle le pressentait, ils étaient tous allés se réfugier dans le four communal pour lui échapper, et lui, est allé s'asseoir au-dessus, sur une colline, et il est resté là à regarder l'incendie. Tout a brûlé, les pompiers sont arrivés trop tard, il n'est plus rien resté que les murs et quelques bouts de charpente. Telle fut l'œuvre de Jacques Mercier. Il est passé en jugement et il a fait de la prison. Mais qu'est-ce que c'était en regard du mal qu'il avait causé ? Après cette nuit-là, les quatre enfants sont restés traumatisés et Marie-Rose ne valait guère mieux, elle était retombée dans sa folie et nous l'avons gardée à la maison. Peu de temps après, elle a eu une crise plus violente que les autres, je me souviens elle est arrivée aux Arcades et elle est allée directement dans la chambre de mon père. Elle s'est mise à crier et à tout casser, tout ce qui lui tombait sous la main, elle le prenait et l'envoyait contre le mur, elle était comme une furie, pour la maîtriser j'ai été obligée d'appeler mon mari. Il est parvenu à la calmer, mais nous ne pouvions plus la garder et elle est repartie pour l'hôpital psychiatrique.

Quand Jacques Mercier est sorti de prison, on lui a demandé ce qu'il comptait faire de ses enfants pendant que sa femme était à l'hôpital.

« Oh ! dit-il, moi je ne peux pas m'occuper des quatre.

— Mais, dans ta famille, en veulent-ils un ou deux ?

— Certes non, mettez-les à l'Assistance publique. »

Mon mari s'y est opposé, il a insisté pour que nous prenions les enfants de Marie-Rose, disant « il ne faut pas laisser les enfants s'en aller à l'Assistance, ils seront dispersés aux quatre coins du département et ils ne sauront jamais qu'ils sont frère et sœurs ». Il avait raison, il n'y a rien de plus terrible pour des gosses, mais quatre enfants de plus c'était une charge et une responsabilité de taille et j'ai hésité... Je voulais bien en garder un ou deux, je voulais bien me charger de Marie, l'aînée, puisque je l'avais élevée depuis qu'elle était toute petite, mais les quatre ensemble c'était trop.

Jean, quand il le voulait, pouvait être persuasif. « Ecoute, Emilie, me disait-il, nous n'avons pas le droit de les laisser s'en aller ainsi, c'est pire que de les envoyer à la mort... Ici, nous arriverons toujours à nous débrouiller, nous mangerons ce que nous avons, s'il le faut nous mangerons des pissenlits crus, des pissenlits cuits, mais ils n'iront pas à l'Assistance. »

Il a si bien parlé qu'il a fini par nous convaincre, mon père et moi, mais l'affaire n'était pas simple, il a fallu que le tribunal décide. Les gosses, eux, ils avaient fait leur choix, ils ne voulaient entendre parler de rien d'autre que des Arcades mais le tribunal devait statuer.

François mon frère aîné accepta de prendre le garçon Auguste avec lui. Il le voulait uniquement parce qu'il était en âge de travailler et de lui rendre service. Le temps qu'ils ont passé ensemble à Briançon, François l'a exploité. Il ne l'envoyait jamais à l'école, il lui faisait garder son troupeau sans se soucier de son éducation et, régulièrement, l'instituteur venait me voir : « Madame Carles, il faut dire à votre frère de m'envoyer le petit, au train où vont les choses il va en faire un illettré, ce gosse va avoir dix ans et il ne sait ni lire ni écrire. »

J'allais voir François pour le relancer. Je lui disais : « Il faut envoyer Auguste en classe sinon les gendarmes vont venir te le prendre » et il l'envoyait à l'école pendant une semaine et puis tout recommençait comme avant.

Cette situation dura quelques mois. Ce qui était inadmissible c'est que Jacques Mercier qui était un ivrogne et un pyromane, qui avait été condamné à la prison pour avoir mis le feu à sa propre maison, avait toujours la responsabilité civile de ses enfants. Il était pourtant loin d'être responsable de quoi que ce soit, mais il fallait respecter la loi. Pour en arriver à ce qu'il soit déchu de ses droits paternels il a encore fallu qu'il fasse parler de lui. Jacques Mercier courait toujours après l'argent, quand je dis argent il s'agit de quelques pièces pour aller au bistrot, et il aurait fait n'importe quoi pour s'en procurer. Il était connu à Briançon pour faire le pitre sur le pont et les plaisantins lui faisaient faire ce qu'ils voulaient pour quelques francs. Avec ces sous il allait aussitôt s'acheter des cigarettes et boire des verres de vin. Un jour de soûlographie il se déculotta et il montra son zizi à tout le monde. Ça fit scandale, et il passa en jugement une deuxième fois pour gestes impudiques sur la voie publique et, cette fois-là, pour cette raison-là, le tribunal le destitua de ses droits paternels. C'est ça la justice ! Voilà un homme qui pendant des années ne s'était jamais occupé de ses enfants, qui en avait laissé mourir un de faim, qui avait essayé de brûler vive toute sa nichée et sa femme, sans que les juges pensent un seul instant à le destituer de ses droits, par contre du moment qu'il avait montré son cul devant la poste de Briançon ça suffisait. Pauvre justice qui s'offusque d'un attentat à la pudeur sans conséquence mais se fiche d'abandonner des enfants aux mains d'un criminel en puissance. Après le jugement, l'assistante sociale vint me voir pour connaître nos intentions. Je lui dis :

« Nos intentions, mais elles sont claires, nous gardons les petites, d'ailleurs elles ne veulent pas s'en aller ailleurs.

— Mais il faut aussi prendre le garçon, me dit cette femme, sinon, si vous ne le prenez pas lui aussi, je suis dans l'obligation de vous enlever les trois autres.

— Vous croyez que je n'en ai pas assez comme ça ?

— Faites comme vous voudrez, mais la loi exige qu'ils soient tous ensemble ou bien je dois les mettre à l'Assistance. »

Jean et moi décidâmes de le prendre aussi. Ça faisait quatre pupilles à élever, plus les deux nôtres, plus mon père, plus ma belle-mère. C'était en 1936, l'hôtel nous rapportait souvent moins qu'il nous coûtait et nous n'avions que mon mois pour vivre. A l'époque je gagnais 700 francs, cet argent arrivait par un mandat de la préfecture et, lorsque le facteur me l'amenait, je le signais mais je ne touchais rien... A la place je remplissais les trois formules roses, je faisais un mandat de 300 francs pour la nourrice de Catherine, la plus jeune, un autre de 300 francs pour celle de Louisette et un troisième de 100 francs pour la pension de Marie à l'orphelinat. Le cercle était fermé, il ne me restait pas un centime de ma paie.

Une de mes cousines me disait : « Mais enfin, Emilie, c'est de la folie, tu fais du tort à tes enfants, tu donnes tout ton avoir »... parce que, avec mon père, on avait gardé quelques bêtes, des moutons, des lapins, un peu de bétail et nous vivions sur ces bêtes-là et sur le peu que nous rendait le restaurant pendant l'été. Ma cousine, comme beaucoup, pensait que nous dilapidions ces biens et elle ne pouvait s'empêcher de me dire : « Tu fais du tort à tes enfants. » Moi, ça me mettait hors de moi. « Comment ! je fais du tort à mes enfants ! pourquoi dis-tu une chose pareille ? Ils ne manquent de rien, ils ne sont pas nus, ils sont chaussés, habillés, ils n'ont ni faim ni froid et je ne vois pas en quoi je leur fais du tort ! Je ne pourrais jamais supporter que mes enfants aient tout ce qui leur faut et laisser les autres à l'Assistance. »

C'est Jean qui avait dit : « Nous mangerons des pissenlits crus, des pissenlits cuits, mais ils n'iront pas à l'Assistance » et c'est ce que nous avons fait, nous les avons gardés et nous les avons élevés comme nos propres enfants. C'était dur mais que nous importait, une fois que Jean m'avait convaincue j'étais devenue la plus acharnée de nous deux. Il le fallait sinon je ne sais pas comment nous aurions fait... chaque fois que c'était nécessaire la fourmi était là et, parfois, Jean avait des remords, il me disait : « C'est moi qui t'ai forcé la main pour garder ces gosses et c'est toi qui en as le plus de souci. » Certes c'était vrai, c'était moi qui faisais le plus gros, je lavais, je raccommodais, c'est moi qui faisais les démarches pour les inscrire aux écoles ou réclamer les bourses et Jean le voyait bien, je lui disais : « Quand il y a des enfants, on a beau faire, c'est toujours la femme qui se tape le plus dur. » Il n'y a pas à dire quand quelque chose ne marchait pas c'était moi qui allais au charbon, jusque et y compris d'aller chez les voisins emprunter de l'argent quand nous n'en avions plus. Il a fallu sacrément se défendre pour élever ces quatre gosses, mais nous l'avons fait et je ne l'ai jamais regretté.

L'ÂGE D'OR

Un jour, je suis allée voir le député du département, Bernard, je ne me souviens plus comment l'occasion s'était présentée, mais j'y étais allée pour lui parler de nos paysans et de leurs conditions de vie. Pour la plupart, le changement était long à venir. Beaucoup de familles vivaient sans aucun confort, au point qu'ils se chauffaient et qu'ils cuisinaient encore avec le feu de cheminée. Nous, nous avions un fourneau et une cuisinière au gaz butane, mais c'était une exception. Il faut imaginer ce qu'était la vie des femmes qui devaient se débrouiller avec ça, allumer le feu, supporter la fumée, c'était si peu pratique que, pendant les périodes de grands travaux, le midi, les paysans ne cuisinaient pas. Ils mangeaient cru, ne prenaient pas le temps d'allumer un feu ni même de faire réchauffer leurs aliments. S'ils avaient eu l'électroménager, une cuisinière au gaz, ils auraient pu le faire. C'est pour cette raison que j'étais allée voir le député, pour lui dire que si les paysans n'avaient pas ce minimum de confort c'était bien regrettable, que c'était trop cher pour eux et qu'il fallait une loi qui leur permette de s'équiper plus facilement. Le député m'avait écoutée poliment, mais c'était évident, il ne comprenait pas très bien mes histoires de paysans. A la fin il m'avait dit :

« Bien sûr, madame Carles, je comprends, mais vous savez, je ne peux pas faire grand-chose.

— Comment ça ! dis-je, mais pour vous faire élire vous avez promis à tous ces gens de vous occuper de leurs intérêts et de vous employer à améliorer leurs conditions de vie... ce qu'il faut c'est une loi qui leur permette d'acheter moins cher l'électroménager, il faut en parler à la Chambre.

— Certes, certes, je vous comprends, mais à la Chambre je ne pèse pas lourd, je suis seul contre six cents.

— Ah bon ! vous êtes seul contre six cents, eh bien ne me dites plus rien, je comprends maintenant, vous promettez aux paysans tout ce qu'ils veulent pour qu'ils votent pour vous et puis après vous venez leur dire que vous ne pouvez rien faire, c'est clair que les cinq cent quatre-vingt-dix-neuf autres font exactement comme vous, mais les dindons ce sont les électeurs. »

C'était ça le résultat des élections démocratiques. Moi je n'étais qu'à moitié étonnée, je savais depuis toujours que les élections c'était du baratin et de la poudre aux yeux, une fois de plus j'en avais la preuve. Depuis l'école je gardais une méfiance instinctive pour ce que les manuels appellent le suffrage universel. Ce fameux suffrage, orgueil de la république, c'est quoi ? Moi je ne vois rien d'universel là-dedans, étant donné que la moitié plus un fait le compte de celui qui veut se faire élire et que l'autre moitié moins un se trouve grugée. C'est une forme d'injustice comme une autre, légale et acceptée, mais une injustice. Sans compter que dans les petits pays comme ici, les élections se préparaient à l'influence.

A l'approche des élections on voyait arriver un Rothschild ou un Petch, qui venait faire son tour. Du jour au lendemain, ces hommes qui étaient des crésus et des banquiers qui vivaient à Paris, débarquaient dans nos villages pour visiter les électeurs et les convaincre. Je m'en souviens, je l'ai vu de mes yeux, le futur député se baladait en donnant le bras au maire et tous les deux faisaient le tour des maisons en distribuant des billets de 50 et 100 francs aux paysans. Le maire indiquait les gens intéressants et la somme : « Celui-là vous lui donnez 100 francs, celui-là 50 suffiront. » C'était simple, ils achetaient les voix. Après ils s'arrangeaient entre eux. Le maire aussi touchait des pots-de-vin et il avait des avantages. C'était ainsi que les choses se passaient. C'est pour ces raisons que je disais à mes gosses que le suffrage universel c'était une duperie et qu'il fallait s'en méfier comme de la peste. Aux paysans aussi j'essayais d'ouvrir les yeux, je leur disais : « Mais pauvres comme nous sommes, laborieux comme nous sommes, comment pouvons-nous voter pour des milliardaires, ils ne peuvent pas défendre l'intérêt des travailleurs. »

Eux me répondaient :

« Ah ! mais, on ne sait jamais ce qui peut arriver, on peut avoir besoin de ces gens-là. »

Mon père lui-même ne me comprenait pas quand j'essayais de lui expliquer la bêtise de ces votes, si je lui demandais de m'expliquer pourquoi il votait comme ça, il me répondait : « Ah ! ben le maire vote comme ça et on ne sait pas de ce qu'on peut avoir besoin. » Le maire n'avait pas besoin de lui graisser la patte, il venait le voir et lui donnait le bulletin en lui disant : « C'est ce bulletin-là qu'il faut mettre » et mon père le faisait. Je crois bien qu'il ne regardait même pas ce qui était écrit dessus, il se contentait de mettre le bulletin dans l'urne. Tout marchait ainsi, c'était le régime du conservatisme. Il n'y avait pour ainsi dire pas d'opposition, ou si peu que ça ne comptait guère.

Mon mari avait des idées toutes différentes et il ne s'en cachait pas. Pendant longtemps il a été la seule voix communiste du canton, après il y en eut quelques autres, mais ce ne fut jamais qu'une goutte d'eau. Je me sou-viens, en 32 ou en 33 il y avait eu un accrochage entre lui et le maire à l'occasion des élections municipales. C'était au moment où le frère de Jean travaillait avec nous aux Arcades. Jules était un garçon qui aimait le bistrot plus que son frère, et l'après-midi ou le soir des élections il dit à mon mari : « Viens, Jean, on sort un peu, on va aller au café écouter ce qui se raconte sur les élections. » C'était par pure curiosité, on connaissait déjà le résultat, on savait qui venait d'être élu maire à Val-des-Prés et ils y sont allés. Le maire arrosait sa victoire. C'était justement celui lui apportait les bulletins de vote à ses administrés après y avoir fait des marques avec une épingle. Il faisait de tout petits trous, en haut à gauche, à droite, en bas, au milieu, un trou seul ou deux côte à côte, et dans un carnet, il notait ces marques en face du nom de celui auquel il avait donné le bulletin. Comme c'était lui qui vérifiait le scrutin, il savait qui avait voté pour lui ou non. C'était assez archaïque mais à l'échelle de la commune ça marchait.

Lorsque Jean et son frère sont arrivés au bistrot c'était la fiesta et le maire leur a sauté dessus disant : « Mon-sieur Carles, je vais vous offrir un verre, c'est ma tour-née. » Ils ont accepté, ils ont trinqué et puis ils ont remis ça une fois, puis une fois encore. Quand ils eurent suffisamment arrosé la victoire, le maire dit : « Mon-sieur Carles, vous savez que vous m'avez trahi ? »

Mon mari dit : « Moi, je vous ai trahi ?

— Ben, oui ! »

La veille ou l'avant-veille le maire était venu à la maison, il avait demandé à mon père et à Jean de voter pour lui et, en même temps, il leur avait laissé un bulletin à chacun. Pour moi c'était clair — à l'époque les femmes n'avaient pas encore le droit de vote — je ne voulais pas qu'ils votent pour ce coco-là. Une fois de plus Jean se montra conciliant, il me dit : « On peut bien lui faire confiance pour une session, on verra bien, on aura tout le temps de préparer autre chose par la suite. » Jean ne connaissait pas le bonhomme ni toutes les histoires qu'il traînait derrière lui, quant à mon père, il me dit en patois : « Je lui ai promis, je suis obligé. » Tous les deux avaient donc voté pour lui, mais en changeant la liste des conseillers.

« Carles, vous m'avez trahi et le père Allais aussi, vous avez voté pour moi c'est un fait, mais vous n'avez pas voté pour ma liste. » Fort de la surprise qu'il venait de causer chez mon mari et chez son frère, il s'empressa d'ajouter : « Attendez, je peux vous en dire plus encore, les noms ont été barrés, c'est votre femme qui a écrit les noms sur votre bulletin et sur celui de votre beau-père. »

C'était vrai, j'avais rayé tous les noms de la liste des conseillers du maire et je les avais remplacés par d'autres noms, pour la plupart des braves gens du pays. Je n'avais pu m'empêcher de lui jouer ce tour.

« Ah ! dit Jean, vous en savez des choses.

— Mais dites-moi, monsieur le maire, dit Jules à son tour — il était plus direct et plus virulent que mon mari —, comment vous savez ça ?

— Ben, j'ai porté les bulletins ici, on est allé chercher des lettres de votre belle-sœur à son oncle du temps où elle était à Paris, c'était la même écriture, donc on sait très bien qui a écrit les noms sur les bulletins. »

Sur le coup, Jules s'est écrié : « Mais, nom de Dieu, vous savez ce que ça vous vaut ça ? Il y a que vos élections sont bonnes à foutre à la poubelle, il n'y a qu'à téléphoner au sous-préfet pour les faire annuler parce que vous n'avez pas le droit de porter les bulletins chez vous, encore moins d'aller chercher des lettres personnelles pour voir qui a écrit sur les bulletins.

— Mais... mais », disait l'autre. Il ne savait plus où se mettre.

« Il n'y a pas de mais qui tienne, ce que vous avez fait là est tout à fait illégal et nous pouvons faire casser votre élection. »

Plus mon beau-frère se faisait menaçant plus le bonhomme s'aplatissait. « Monsieur Carles, dites à votre frère de ne pas faire une chose pareille, je vous en prie, ça ferait un scandale. »

Voilà le genre de maire que nous avions ici, voilà le genre d'élections auxquelles nous avions droit. La seule fois où j'ai vu un homme se présenter honnêtement, ce fut à Briançon, un petit gars qui s'était présenté à la députation sous l'étiquette du parti communiste. On peut dire ce que l'on veut sur les communistes, sur leur sectarisme, sur les œillères qu'ils se mettent, mais le seul candidat intègre que j'ai vu dans ma vie était communiste. C'était un jeune ouvrier de Briançon, pauvre comme Job, fagoté presque comme un clochard... je me souviens quand il est venu à Val-des-Prés pour faire sa réunion, il était drôlement habillé, il n'avait même pas de lacets à ses chaussures, il était en loques. A Briançon, il n'y avait jamais eu de candidat communiste, c'était un pays tellement arriéré que lorsque vous parliez d'un communiste les gens vous regardaient comme si vous aviez la peste ou le choléra. Pourtant ce gosse de la misère voulait se présenter sous l'étiquette du Parti et il l'a fait. Il a fait le tour de la circonscription en demandant asile aux rares sympathisants qu'il pouvait trouver. J'en ai encore les larmes aux yeux. Un comme celui-là on n'en rencontre pas deux dans une vie, il était courageux, transparent comme un diamant et il y croyait. Quand il est venu dans notre vallée on a dû se bagarrer avec lui pour qu'il s'habille correctement, on lui a acheté une paire de chaussures et pour qu'il accepte de les mettre on lui a dit : « Tu ne vois pas que tu sortes député ! Tu ne pourrais pas te présenter à Paris comme tu es, il te faut un costume et des chaussures avec des lacets. »

Le soir, après la réunion à la mairie, nous l'avons gardé aux Arcades pour le faire dîner, et mon mari, qui avait ramassé quelques truites dans la Clarée, lui a servi des truites... Quand ce gosse a vu ces truites dans son assiette, il est resté comme pétrifié, il avait les yeux grands comme des soucoupes, il n'avait jamais eu autre chose que des patates et du lard dans son assiette, et quand il a dit : « Quand je vais dire à ma mère que j'ai mangé des truites elle en tombera à la renverse. » C'était si spontané, si naïf, que je n'ai pas pu me retenir de pleurer. C'était un pur celui-là, un communiste, mais un pur, un homme qui voulait défendre les ouvriers. Il n'avait aucune chance, nous le savions tous et lui le premier, mais ça n'avait aucune importance. Lui-même disait : « Il faut bien commencer par quelque chose, il faut bien se faire entendre, je ne sais combien j'aurai de voix, ce qui compte c'est de faire un geste. » Je ne sais combien de voix il a obtenues, peut-être une centaine, en s'y mettant tous, les copains, les sympathisants et les marginaux. Jean et ses amis avaient pour principe, quoique libertaires ou anarchistes, d'aller voter.

Tous estimaient que s'abstenir c'était faire le jeu de la droite.

C'était 36. Au début de la saison, Jean me dit : « Emilie, il faut marquer le coup, il faut faire quelque chose pour le Front populaire, c'est la première fois que les ouvriers ont droit aux congés payés, nous allons baisser le prix de la pension à dix francs par jour tout compris, ainsi les camarades pourront venir respirer l'air de nos montagnes. » A la fin du mois de septembre nous étions en déficit, on avait mangé tout l'argent que l'on voulait. Mais, comment pourrait-on regretter des élans et des moments pareils ? Ce sont ces années-là, 36, 37, qui furent l'âge d'or des Arcades.

Tous les amis qui venaient passer leurs vacances étaient des pacifistes ou des sympathisants du pacifisme. Nous étions abonnés aux revues qui défendaient la cause des non-violents et des objecteurs et, pour être sûr d'avoir quelques clients, Jean avait fait passer une annonce dans ces revues : « Pension rustique, prix modérés, vous trouverez aux Arcades une ambiance sympathique et familiale, entre camarades. » Cette annonce paraissait dans *La Patrie humaine,* dans *L'En-Dehors,* et ceux qui venaient chez nous appartenaient à ce milieu-là.

Durant des années Les Arcades ont toujours gardé cette marque de familiarité. Comme on dit « ça se passait en famille », Jean l'avait voulu ainsi et moi aussi. J'avais un tempérament très sociable et j'aimais ça. L'été il y avait un peu de personnel mais ça ne changeait pas grand-chose, on mangeait tous ensemble, on vivait ensemble et quand il le fallait, lorsqu'il y avait des invités, nous faisions les corvées ensemble. Il y avait entre nous tous un lien très particulier, le soir on se retrouvait à la cuisine, on débouchait quelques bouteilles de clairette, on faisait la vaisselle et on nettoyait. Tout ça en chantant et en plaisantant. C'était une ambiance formidable.

A la pleine saison on manquait toujours de chambres, alors Jean, les enfants et moi nous abandonnions les nôtres aux clients et nous allions coucher au grenier. Tout le monde appelait ça la chambre des patrons, de la paille pour toute la famille et des bourras [1] suspendues aux poutres en guise de cloisons.

Une ou deux fois par semaine, lorsqu'il y avait une voiture, ou même lorsqu'il n'y avait pas de voiture, nous partions tous en bande pour pique-niquer. On montait jusqu'à L'Aile-Froide ou bien au-dessus de Névache avec nos paniers. Le soir avant d'aller nous coucher, soûls d'air pur et de fatigue, on s'installait autour de la table d'hôte pour dévorer ce qui restait dans le garde-manger.

En 36, avec cette pension à dix francs par jour nous eûmes tellement de monde que nous ne sûmes plus où donner de la tête. Les gens venaient, et Jean les soignait si bien, il les nourrissait tant, que plus personne ne voulait s'en aller. On ne savait plus comment faire, ni où les installer, il y avait des lits dans tous les coins. Au point de vue ambiance ce fut un été extraordinaire, mais ça mis à part, pour combler le déficit, je dus prendre sur mon traitement. Je peux dire que je l'ai sentie passer la note du Front populaire ! Ces premiers congés payés des ouvriers furent la fin des miens. J'étais sur la brèche du matin au soir et je travaillais pour la gloire.

Qu'importe ! L'argent manquait mais quelle richesse ! Avec tous ces amis, tous ces camarades nous discutions à n'en plus finir. Le soir nous échangions nos idées, nous discourions sur les événements politiques, sur les auteurs... C'était comme un creuset en plein bouillonnement, tout y passait. La plupart des hommes et des femmes qui venaient chez nous étaient des individualistes enragés, pour eux ne comptaient que la liberté, la conquête de la liberté, la défense de la liberté. L'affaire Sacco et Vanzetti était encore chaude, l'assassinat des deux anarchistes italiens restait douloureusement présent au cœur de tous les humanistes et nous signions des pétitions pour la révision du procès et leur réhabilitation. Le Front populaire avait rallumé l'espoir, ça c'était quelque chose, c'était nouveau et c'était bien, mais, disions-nous, ce n'était qu'une première étape. Il fallait lutter car le but c'était « la Sociale », la vraie. Déjà nous regardions du côté de l'Espagne, les anars étaient nombreux là-bas et tous autant que nous étions, nous

1. Bourras : grande pièce de tissu confectionnée avec de vieux draps qui sert à transporter le foin.

rêvions d'une Europe libertaire affranchie des patrons, de l'armée et de l'Eglise.

Il nous arrivait d'avoir des discussions passionnées, c'est normal, quand on joue avec les idées, avec des hommes de cette trempe il y a toujours des moments d'enthousiasme et des mots excessifs. Jean était un des plus virulents, il fonçait droit devant lui, tandis que moi j'avais toujours eu conscience des limites de l'anarchie. Dans ces moments-là, je lui disais :

« Vos idées sont belles mais vous n'avez rien de constructif, dis-moi donc quand on verra une société libertaire qui fonctionne ? Avec vous, prendre le pouvoir est une utopie. Ni Dieu, ni maître, c'est tout ce que vous savez dire.

— Emilie, Emilie, serais-tu pour les curés, serais-tu pour les militaires, les banquiers et les affairistes ?

— Non, non, mais tout de même, ce sont eux qui sont aux commandes, il ne suffit pas d'être individualiste et marginal et de lire *La Patrie humaine*. Regarde les ouvriers comme ils sont divisés à cause de la politique. Chacun vit dans son camp, il y a les communistes, il y a les socialistes, il y a les anarchistes, tous veulent la même chose mais tous ont des œillères. La seule chose qui unit les ouvriers, c'est la sueur et la fatigue, moi je suis contre les chapelles.

— Justement... »

Pour nous réconcilier nous avions nos lectures. Je l'ai déjà dit, Jean était un lecteur impénitent... *Le Nouvel Age littéraire* nous tenait au courant des dernières parutions et, chaque mois, nous achetions les romans les plus intéressants : Panaït Istrati, Albert Londres, Henri Bérault, Céline ! — Les Panaït Istrati nous les avions tous à la maison, nous en avions douze que nous faisions circuler, il y avait des choses passionnantes là-dedans. Et Henri Bérault ? c'était formidable aussi, c'est lui qui a écrit *Au bois des Templiers pendus*. Je crois que dans toutes les lectures que j'ai faites c'est une de celles qui m'ont le plus marquée. On y parlait de la persécution des templiers au Moyen Age, Bérault était un homme qui écrivait... Ça avait une valeur, un poids, il y avait quelque chose de fantastique dans son livre. J'ai pleuré quand on l'a tué, dire que l'on tue des types comme ça !

Il y a des contradictions dans le pacifisme, c'est-à-dire

que, en face d'une réalité, on se trouve pris dans un nœud de contradictions... on voudrait que personne ne se fasse la guerre, on ne voudrait plus qu'il y ait des militaires et des bellicistes et, en même temps, la réalité nous oblige à faire des choix. Par exemple, pour un pacifiste, au moment des maquis et de la libération, c'était difficile de dire : « Je ne suis ni pour les uns, ni pour les autres », parce que l'on savait que les Allemands c'était l'esprit du mal, les camps de concentration et l'assassinat du peuple juif. En face, il y avait des hommes et des femmes qui se révoltaient contre ça, qui RÉSIS-TAIENT CONTRE ÇA, parce qu'ils ne voulaient pas que ce nouvel ordre s'établisse. Et il y avait Céline. Lui, s'ils ne l'ont pas tué, s'ils ne l'ont pas ASSASSINÉ, c'est parce qu'il s'est échappé, parce qu'il a fui, sinon s'il n'avait pas quitté Paris, ils l'auraient fusillé comme les autres. Même s'il s'est trompé, même s'il a eu des paroles mal-heureuses pendant la guerre, Céline est resté un monu-ment, comme homme et comme écrivain. *Le Voyage au bout de la nuit,* c'est un chef-d'œuvre de la littérature, c'est fantastique. Il touche à tout cet homme-là. Il a prévu la guerre de 40 quand il a écrit *Bagatelle pour un massacre.* Avec Jean nous lisions tous ses livres, mais celui qui m'a le plus marquée c'est *Le Voyage* parce qu'on y trouve tout et surtout parce que l'on s'y retrouve. Les premières pages ont été une révélation pour moi, ce qu'il disait de la guerre correspondait tellement à ce que moi j'avais vécu et ressenti, c'était tellement la réalité, celle de Catherine et de son mari, celle de Joseph, qu'après les avoir lues je ne pouvais plus revenir sur ces pages-là. Il faudrait que tout le monde les lise et les connaisse par cœur, je crois bien qu'après plus personne n'accepterait d'aller se battre au nom de n'importe quoi. Je le cite.

«... Mais enfin on est tous assis sur une grande galère, on rame tous à tour de bras, tu peux pas venir me dire le contraire et, qu'est-ce qu'on en a ? Rien ! Des coups de trique seulement, des misères, des bobards et puis des vacheries encore... On travaille qu'ils disent, c'est ça encore qu'est plus infect que tout le reste, leur travail... on est en bas, dans les cales à souffler de la gueule, puants, suintants, et puis voilà, en haut sur le pont, au frais, y'a les maîtres qui ne s'en font pas, avec des belles femmes roses et gonflées de partout sur les genoux, ils nous font monter sur le pont, ils mettent leurs beaux chapeaux haut de forme et puis ils nous en mettent un bon coup de la gueule, comme ça « bande de charognes c'est la guerre », qu'ils font, on va les aborder les saligauds qui sont sur la Patrie N° 2 et on va leur faire sauter la caisse, allez ! allez ! il y a tout ce qu'il faut à bord, tous en cœur gueulez voir d'abord un bon coup et que ça tremble « Vive la Patrie N° 1 », qu'on vous entende de loin, celui qui gueulera le plus fort, il aura la médaille et la dragée du bon Jésus ....

« Alors on a marché longtemps, y'en avait plus qu'il y en avait encore des rues et puis, dedans, des civils et puis leurs femmes qui nous poussaient des encouragements et qui lançaient des fleurs des terrasses, devant les gares, des pleines églises... Ah ! il y en avait des patriotes... et puis, il s'est mis à y en avoir moins des patriotes, la pluie est tombée et puis, encore de moins en moins et puis, plus du tout d'encouragements, plus un seul sur la route... Ah ! nous n'étions donc plus rien qu'entre nous, les uns derrière les autres, la musique s'est arrêtée « en résumé, que je me suis dit alors quand j'ai vu comment ça tournait, c'est plus drôle, mais c'est tout à recommencer »... J'allais m'en aller... hé ! hé ! trop tard ! ils avaient refermé la porte en douce derrière nous les civils, on était fait comme des rats...
....

« Tout au loin sur la chaussée, aussi loin qu'on pouvait voir, y'avait deux points noirs au milieu, comme nous, mais c'étaient deux Allemands bien occupés à tirer depuis un bon quart d'heure... Lui, notre colonel savait peut-être pourquoi ces deux gens-là tiraient, les Allemands aussi peut-être qu'ils savaient, mais moi, vraiment je ne savais pas... La guerre en somme c'était tout ce que l'on ne comprenait pas... Ça ne pouvait pas continuer, il s'était donc passé dans la tête de ces gens-là quelque chose d'extraordinaire que je ne ressentais moi pas du tout... j'avais comme envie malgré tout d'essayer de comprendre leur brutalité, mais plus encore, j'avais envie de m'en aller, ah ! énormément ! absolument ! tellement tout cela m'apparaissait soudain comme l'effet d'une formidable erreur. Dans une histoire pareille y'a rien à faire, il n'y a qu'à foutre le camp que je me disais après tout... Au-dessus de nos têtes, à deux millimètres, à un millimètre peut-être des tempes venaient vibrer l'un derrière l'autre ces longs fils tentants que tracent les balles qui veulent vous tuer dans l'air chaud d'été... Jamais je ne m'étais senti aussi inutile parmi toutes ces balles et les lumières de ce soleil, une immense, universelle moquerie. Je n'avais que vingt ans d'âge à ce moment-là.

« Le vent s'était levé brutal de chaque côté des talus, les peupliers mêlaient leurs rafales de feuilles aux petits bruits secs qui venaient de vers nous... Ces soldats inconnus nous rataient sans cesse, mais, tout en nous entourant de mille morts on s'en trouvait comme habillé, je n'osais plus remuer. Ce colonel c'était donc un monstre ! à présent j'en étais assuré, mais pire qu'une recrue, il n'imaginait pas son trépas, je conçus en même temps qu'il devait y en avoir beaucoup des comme lui dans notre armée, des braves et puis tout autant sans doute dans l'armée d'en face, qui savait combien ? un, deux, plusieurs millions peut-être en tout ? Dès lors ma frousse devint panique, avec des êtres semblables cette imbécillité infernale pouvait continuer indéfiniment, pourquoi s'arrêteraient-ils ? Jamais je n'avais senti plus implacable la sentence des hommes et des choses... On est puceau de l'horreur comme on l'est de la volupté, comment aurais-je pu me douter moi de cette horreur en quittant la place Clichy ? Qui aurait pu prévoir avant d'entrer vraiment dans la guerre tout ce que contenait la sale âme héroïque et fainéante des hommes ? A présent j'étais pris dans cette fuite en masse, vers le meurtre en commun vers le feu, ça venait des profondeurs et c'était arrivé. »

C'est des textes comme celui-là qu'on devrait apprendre aux gosses, non seulement ils y apprendraient la langue française, mais ça serait fini, plus un ne marcherait pour aller se faire tuer. Il y a une autre page qui m'avait frappée dans Céline, c'est quand il va visiter une fille qui s'est fait engrosser par son patron et qui a essayé de se faire avorter. Elle s'est blessée, elle perd son sang et il faut arrêter l'hémorragie. Céline la soigne et il lui dit qu'il faudrait qu'elle prenne des bons vins et des bonnes viandes pour se remettre et lui, il doit lui prendre ses honoraires, Céline dit : « Si moi je lui prends de l'argent je suis de la merde parce que je sais qu'elle n'a pas d'argent, je le vois et je le sens, mais demain matin, j'ai mon terme à payer, si je ne le paie pas, le propriétaire va me mettre dehors, alors si moi je suis de la merde, lui c'est un fumier, c'est un tas de merde parce qu'il a plus d'argent que moi »... J'avais trouvé ça tellement humain que je ne l'ai jamais oublié. Il y a beaucoup de choses comme ça dans Céline. Mais ici, les gens ne lisent jamais rien, c'est ça le désastre. Mon père que j'adorais était de cette race-là, il n'avait jamais lu un livre de sa vie, ni un journal. Je me souviens, au moment de mon mariage c'est une des choses qu'il avait reproché à Jean, il avait dit comme l'ultime preuve de sa bonne foi : « Il lit trop », montrant ainsi où se trouvait sa méfiance et sa peur. Comment pourraient-ils penser par eux-mêmes après ça, ils ne sont pas avec un auteur ou contre, ni pour une idée, ni contre. En définitive ce manque, ça ne leur apprend qu'une chose, à se taire et à vivre dans un monde qui se tait, tout comme l'eau qui dort. Le moindre souffle, la moindre parole qui sort de l'ordinaire les fait fuir. C'était ça les paysans ici, et à peu de choses près c'est encore ça, car s'il y a eu des changements c'est uniquement d'un point de vue matériel, pour le reste ils sont toujours les mêmes : la conversation, la participation, tout simplement être contre et le dire si on le pense, ça, ils ne connaissent pas. On peut dire que c'est l'Eglise qui est responsable de cet état d'esprit, elle a eu une emprise formidable sur les gens et elle les a marqués. Par la suite ce fut le patriarcat qui prit le relais, le père était le chef incontesté de la famille, on lui obéissait au doigt et à l'œil et le chef lui-même se pliait aux lois de l'Eglise et de l'Etat. C'est vrai que les instituteurs sont tous fautifs de ce qui se passe dans les écoles, c'est eux qui ont la possibilité de changer la mentalité des gosses, de leur ouvrir l'horizon et de faire en sorte que le monde change. Je faisais ce que je pouvais pour ça, je ne leur faisais jamais chanter *La Marseillaise*, les paroles sont tellement belliqueuses, tellement chauvines que jamais de la vie je n'aurais pu leur demander d'apprendre et de réciter ça. J'essayais au contraire de faire tomber la méfiance qu'ils avaient des autres, je leur donnais à apprendre des récitations contre le racisme, des textes comme la mort du juif...

« C'est un Juif, disaient-ils, venu je ne sais d'où
Un ennemi de Dieu que notre terre adore
Et qui s'il revenait l'outragerait encore
Son corps infecterait un cadavre chrétien
Aux crevasses du roc traînons-le comme un chien.
Et la femme du Juif et ses petits enfants
Imploraient vainement la pitié des puissants
Et disputant son corps au dégoût populaire
Retenaient par les pieds le mort dans son suaire.
Lorsque j'arrivai et fus témoin du drame
Je fis honte aux chrétiens de leur dureté d'âme
Et, rougissant pour eux, pour qu'on l'ensevelît,
« Allez ! dis-je, et prenez les planches de mon lit. »
Ces deux mots ont suffi pour retourner leur âme
Et l'on se disputait les enfants et la femme. »

Jean était pour la liberté, pour les gosses il disait : « Il faut les laisser vivre librement, les enfants ne sont pas une propriété sur laquelle on a le droit de décider », et il essayait de vivre conformément à ce principe. J'étais tout à fait d'accord avec ça, je peux dire que dans l'ensemble on a laissé nos enfants entièrement libres. Je sais que la plupart des parents — aujourd'hui encore — ne pensent pas ainsi, mais je crois qu'ils se trompent. Ils ont tort de vouloir imposer leur point de vue, d'autant qu'en général il s'agit pour eux de réussir avec leurs gosses ce qu'eux-mêmes n'ont pas été capables de faire. C'est fou ce que les parents peuvent se sentir vertueux à travers les enfants, c'est comme un miroir et en y regardant de plus près c'est souvent : « Faites ce que je vous dis mais ne faites pas ce que je fais », qui est le seul dialogue entre parents et enfants. Ça ne peut rien donner de bon, au contraire on a tout intérêt à les laisser vivre comme ils veulent en faisant confiance à notre propre vie. C'est ce que nous avons toujours fait mon mari et moi. Un jour à Briançon, je rencontre une directrice d'école, elle me dit : « Alors qu'est-ce que vous faites ? » je lui raconte un peu ma vie, je lui dis :

« Maintenant je suis à Val-des-Prés définitivement, nous avons Les Arcades, mon mari s'en occupe, moi je fais l'école et je l'aide...

— Et vos enfants ? que font-ils ?

— Oh ! lui dis-je, ils ont choisi ce qu'ils ont voulu, je crois bien qu'ils seront moniteurs de ski tous les deux.

— Et votre mari qu'est-ce qu'il en dit ?

— Mon mari est pour leur laisser faire ce qu'ils veulent, puisqu'ils aiment le soleil et la neige, eh bien... »

La directrice me regarde et me dit : « Mais, Emilie, votre mari est un sage. » J'ai compris qu'elle faisait son mea culpa. Elle avait obligé ses deux filles à devenir pharmaciennes, elle les avait forcées à pousser leurs études jusqu'à ce qu'elles aient leurs diplômes et ensuite elle avait encore dirigé leur vie en les empêchant d'épouser les hommes qui se présentaient sous prétexte qu'ils n'étaient pas assez bien pour elles. Peu à peu elle avait gâché leur vie, l'une avait épousé un vieux bonhomme et la seconde était restée vieille fille. La directrice avait pris conscience du gâchis dont elle était responsable et c'est la raison pour laquelle elle me répétait « mais votre mari est un sage ».

Quelque temps plus tard elle vint aux Arcades, elle vit tout ce que nous avions fait, Jean et moi, les chambres, les décors, les meubles, et elle dit : « Mais ce que vous pouvez vous compléter avec votre mari, c'est une fortune que vous avez là ! Avoir comme lui deux métiers, la décoration et la cuisine, vous qui l'aidez et qui en plus avez votre école juste là, c'est extraordinaire. »

COMME UN OISEAU TOMBÉ DU NID

Qui aurait pu prévoir le malheur ? Quand on est heureux c'est absurde de penser au malheur. De celui qui le prédit, ou tout simplement qui en parle, on dit « Oiseau de mauvais augure », et on lui tourne le dos. En 1938, après ces quelques années de bonheur, les nuages commençaient à s'amasser au-dessus des têtes. Le Front populaire battait de l'aile, en Espagne la guerre civile faisait rage et nous aidions les réfugiés comme nous le pouvions. Nous collections les vieux vêtements que nous apportions aux enfants des républicains qui déjà affluaient dans le Midi de la France. L'Europe entière était atteinte par la folie de la guerre, en Allemagne Hitler et le nazisme triomphant devenaient chaque jour plus menaçants et, en Italie, l'ordre fasciste ne connaissait aucune limite. Pour des pacifistes comme nous c'était dur.

Autour de nous on ne parlait que de la guerre et les plus pessimistes la pressentaient inévitable et imminente. Mais quelle guerre ? Moi je ne pouvais m'empêcher de repenser aux années terribles de 1914. Je me disais que si cela devait recommencer encore une fois, avec les armements modernes, les progrès techniques, la tuerie serait universelle. Dans ces cas-là on devient facilement égoïste, je me rassurais en pensant que Jean était trop âgé pour aller se battre et que mes enfants étaient trop jeunes pour en souffrir. Mon fils Jojo avait huit ans, ma fille Nini en avait six. De ce côté-là je me sentais à l'abri du malheur. Quelle dérision ! C'est justement par là que le malheur vint nous frapper de plein fouet.

A Briançon, les militaires, qui pendant des années n'avaient été que de braves petits gars qui faisaient leur service, commençaient à s'agiter. Chaque jour ils devenaient plus présents, ils prenaient l'importance de ceux dont tout dépend. Ils sillonnaient le pays par convois entiers, la frontière d'Italie n'est pas loin, à quelques kilomètres à vol d'oiseau et, au moment des affaires de Munich, cette agitation devint un véritable cauchemar... Ils passaient par trains de camions, traversant les villages sans ralentir pour soi-disant transporter du matériel de guerre au col de l'Echelle. Je me demande ce qu'ils pouvaient bien essayer de défendre là-haut, comme si les Italiens allaient attaquer dans un endroit pareil... Mais il n'y avait rien à faire, les militaires étaient sous pression, rien ne pouvait les arrêter.

La dérision c'est que, à l'âge où moi j'étais tombée d'une hauteur de deux étages sur l'aire de battage, ma petite fille tomba sous les roues de ces camions. Nini avait six ans, elle allait à vélo, elle adorait ça. Nous lui avions acheté un petit vélo pour qu'elle vienne avec moi à l'école des Alberts. Chaque jour nous faisions la route ensemble, le matin, le soir et à midi pour le déjeuner. En général elle roulait devant moi, souvent je la voyais qui ralentissait son allure comme si elle voulait s'arrêter. Je lui disais :

« Qu'est-ce que tu as Nini à ralentir ?

— Mais, maman, tu n'as pas vu le petit oiseau ? Je ne voulais pas lui faire peur, alors j'ai attendu qu'il s'envole tout seul sans que je lui fasse peur. »

Pauvre enfant, ce fut elle qui mourut. Elle jouait sur la route avec son vélo pendant que je faisais les chambres aux Arcades. Lorsque les camions sont arrivés, Nini s'est rangée sur le bord de la route pour les laisser passer... Ils transportaient d'immenses poteaux et, on ne sut jamais pourquoi, l'un d'eux fit un écart et les poteaux qui dépassaient à l'arrière de plusieurs mètres se sont balancés. Ma petite fille a été prise et soufflée comme un papillon. Mon mari s'est précipité, quand il l'a ramassée il a tout de suite vu qu'il n'y avait plus rien à faire, elle respirait encore mais elle perdait sa cervelle par le nez. Il est revenu en la portant dans ses bras, mais il n'a rien dit, il a fait comme si nous pouvions encore la sauver. Il l'a posée sur le lit pendant que je téléphonais à tous les médecins de Briançon. Tous me disaient : « Amenez-la immédiatement nous lui ferons une transfusion avec le sang de son père. »

Jean accepta d'y aller. Il prit une voiture et il partit avec la petite. Moi je suis restée, je n'avais pas le courage de les accompagner. Quand il est revenu deux ou trois heures plus tard, ma petite fille était morte. Elle avait cessé de vivre sur le chemin du retour. Bien sûr, ils n'avaient rien tenté, dès que les médecins l'avaient examinée, ils avaient vu que son petit crâne était vide, tout était resté sur la route. Ils n'avaient même pas essayé de faire une transfusion, ça n'aurait servi à rien.

Je suis devenue comme folle. Je crois que ce que j'ai traversé à ce moment-là est indescriptible. Perdre une enfant c'est... comment dire ? Je suis devenue quelqu'un d'autre. Pour moi il n'y avait plus aucune réalité, il n'y avait que la douleur et le terrible désir de disparaître à mon tour. Pendant des jours et des jours je suis restée dans cet état d'abattement et d'agressivité. J'étais comme une tigresse, je ne pouvais voir personne et personne ne pouvait m'approcher, ni mon mari, ni mon fils. J'étais comme un animal déchaîné qui ne supporte pas la manifestation de la vie. Tout me faisait mal, leur voix, leurs gestes... Quant à mes nièces non seulement je ne pouvais ni les voir ni les entendre mais encore je souhaitais ne jamais les revoir, je ne pouvais me souvenir que de ma petite Nini quand elle jouait avec elles. Je devenais chaque jour plus mauvaise, je n'aimais plus personne ni rien. Mon mari tournait autour de moi comme une âme en peine, il avait toujours été fataliste et, bien souvent, il avait essayé de me faire partager ses idées... Mais là, quand il essayait de me raisonner, je ne pouvais plus l'écouter.

« Je t'en prie, Emilie, me répétait-il, accepte le sort qui nous est fait, cette enfant est comme un oiseau tombé du nid. Le jour de sa naissance, le jour de sa mort étaient déjà écrits, nous n'y pouvions rien, ni toi, ni moi, ni personne. »

Quant à mon père ce fut insupportable, avec tout l'amour que je lui dois, je peux le dire encore aujourd'hui, dans ce moment-là il fut atroce. Il ne voulait pas comprendre — ou bien il ne pouvait pas le supporter — que je pleure et que je sois malade à cause de la mort de ma petite fille. Il me dit : « Mais cesse de pleurer, c'est ridicule à la fin, cette petite ne fait faute à personne. » Des paroles comme celles-là étaient insupportables, je ne comprenais pas que mon père puisse dire des choses pareilles.

A la douleur succéda la culpabilité. Je me disais que si ma petite fille était morte c'était parce que je ne m'occupais pas assez d'elle. Je cherchais absolument à me rendre responsable de sa mort... C'était à cause de l'hôtel, à cause de mes nièces, à cause du travail dont j'étais surchargée. Je tournais toutes ces idées dans ma pauvre tête à longueur de journée. C'était faux, archifaux, ça ne servait plus à rien. Dans les campagnes comme ici, ce n'est pas comme en ville, les enfants ne sont jamais surveillés, ils vont et viennent librement, mais c'était plus fort que moi, je m'accusais, je me torturais, je souffrais et, plus le temps passait, plus je me détruisais.

Cette mort était tellement injuste. Toutes les morts que j'avais connues étaient injustes, celle de ma mère, celle de Catherine, celle de Joseph, mais celle-là l'était bien au-delà de ce que je pouvais supporter... C'est à ce moment-là que j'ai perdu la foi et que j'ai rompu définitivement avec l'Eglise. Il m'était impossible d'accepter l'idée d'un Dieu aussi injuste. Si j'avais abandonné mes nièces à l'Assistance publique, la mort de Nini aurait pu être une sorte de punition du Ciel. C'est déjà dur d'imaginer un Dieu de vengeance, mais c'était le contraire, je les avais gardés tous les quatre avec moi, je les avais élevés comme mes propres enfants sans jamais me poser la question ni de récompense, ni de devoir et quand j'ai vu ma petite fille morte j'ai dit tout de suite : « Mais il n'y a pas de Bon Dieu, s'il y a un Bon Dieu où est-il ? Que fait-il ? Ce n'est pas vrai, ça ne peut pas être vrai, ce Dieu-là est un monstre. » Déjà en 1918, j'avais pris mes distances avec l'Eglise mais là ce fut la rupture complète et je ne suis jamais revenue dessus.

J'allais si mal qu'il fallait faire quelque chose. Un jour je demandai à un de mes amis médecins si je n'étais pas en train de devenir folle.

« Je ne vis plus, je n'accepte plus que les gens vivent autour de moi, il n'y a qu'elle qui compte, tout le reste je ne le vois pas, vous croyez que je vais finir comme ça ?

— Non, me dit-il, votre réaction est humaine, c'est celle d'une mère qui vient de perdre son enfant, cela passera avec le temps, mais si j'ai un conseil à vous donner ne restez pas ici, quittez cet endroit où tout vous rappelle votre enfant. Vous verrez, partir quelque temps vous fera du bien. »

Jean et moi décidâmes de suivre le conseil. On ferma l'hôtel, on boucla nos sacs tyroliens et on partit, à pied, droit devant nous en direction du sud. Je me souviens, nous marchions comme des bêtes, sans dire un mot, montant et descendant à travers les montagnes jusqu'à ce que nous ne puissions plus avancer, tellement nous étions fatigués, à bout de souffle, la tête soûle d'air et d'altitude. Pour manger et pour dormir nous nous arrêtions là où nous nous trouvions, parfois dans un refuge, parfois dans une auberge, le plus souvent dans la nature. Cette marche fut comme une purification. Je ne sais plus jusqu'où nous sommes allés, au départ nous voulions marcher jusqu'à la mer, mais nous nous sommes arrêtés avant.

Fataliste ou pas, Jean avait raison, il fallait accepter cette mort. La disparition de ma petite fille n'était qu'une injustice de plus dans une famille décidément marquée par la fatalité. Cela avait commencé avec ma mère tuée par la foudre à trente-six ans, ensuite était venu le tour de ma sœur Catherine morte en couches à l'âge de vingt-deux ans, et de son mari le fromager qui l'avait suivie dans la tombe quelques mois plus tard, puis de Joseph à vingt-deux ans lui aussi, mort de faim le jour de l'armistice. Mes autres frères et sœurs devaient connaître une mort rapide et dramatique. Marie-Rose et Rose-Marie moururent toutes deux sur la table d'opération, quant à François, il fit la mort la plus stupide de tous.

François appartenait à ces « Faux vivants » dont parle Panaït Istrati dans *Kira Kiralina,* ces vivants qui sont morts et qui empêchent les autres de vivre... Depuis toujours il avait été un garçon sans grande personnalité, il avait suivi ses curés et ils en avaient fait un sacristain. Ce métier lui allait comme un gant, il en avait l'onctuosité et la roublardise. Je n'avais jamais eu avec lui que des rapports très distants. Depuis l'enfance il nous embêtait tous avec son droit d'aînesse, il en était insupportable. Lorsque je m'étais mariée le fossé n'avait fait que s'agrandir. Il ne s'était jamais résigné au fait que j'aie épousé un étranger et un ouvrier et il n'avait jamais accepté que nous soyons athées. Depuis, il ne nous adressait jamais la parole, ni à Jean, ni aux enfants, ni à moi. Lorsqu'il m'arrivait de le rencontrer à Briançon, rien que de le voir traverser la rue et changer de trottoir me rendait malade et, quand il croisait mes enfants, il disait aux gens : « Regardez-moi ces petits païens, c'est ma sœur qui les a faits avec son anarchiste. »

Il est mort tout bêtement un soir de foire. Il s'est aperçu à la fin de la journée qu'il lui manquait un agneau et, comme il avait dû boire un peu plus que de coutume comme il arrive pendant ces journées-là, et qu'il voulait absolument retrouver son agneau, il était parti à sa recherche. Il avait bien essayé de trouver quelques gars pour l'accompagner, il avait demandé à tous ceux qu'il rencontrait : « Voulez-vous venir avec moi chercher mon agneau ? » Mais personne n'avait accepté et il était parti seul. Il était monté au Fort des Têtes, un de ces forts isolés au-dessus de Briançon, et puis, en cherchant son agneau, il s'était penché un peu trop au-dessus d'un puits et il était tombé dedans. On l'avait cherché pendant deux ou trois jours jusqu'à ce que l'on retrouve son corps tout gonflé au fond du puits.

Du côté de ma mère, presque tous sont morts d'accidents aussi. Une de mes tantes fut tuée par son mulet, un oncle qui était ordonnance d'un officier à Nice se tua en tombant dans une cage d'ascenseur, il venait de se déchausser et croyant entrer dans sa chambre il était tombé dans le vide. Les deux autres frères de ma mère se sont suicidés tous les deux en se coupant la gorge avec un rasoir.

On peut dire que dans chaque pays il y a des traditions en ce qui concerne les suicides. Dans un coin ils se jettent tous dans les puits, dans un autre ils se pendent ou ils se noient dans la rivière, ailleurs ils se tirent des chevrotines... Chaque pays a ses habitudes, et on peut dire que les suicides y ont souvent un air de famille. Ici, dans la vallée, la plupart des hommes qui voulaient en finir avec la vie se pendaient dans le grenier, quelques autres se noyaient dans l'eau glacée de la Clarée. Autant dire que, lorsque cet oncle s'était suicidé avec son rasoir, il avait fait figure d'original. Pourquoi avait-il choisi cette façon de mourir ? On ne le sut jamais. Il était douanier, plutôt bien de sa personne et avait fait un bon mariage. Il avait tout pour être un homme heureux. Malheureusement il était dévoré par le démon du jeu, il jouait comme un forcené et, plus il jouait, plus il perdait de l'argent. Il en était arrivé, à force de s'endetter, de ne plus savoir à quel saint se vouer et peu à peu il en vint aux pires extrémités.

Il avait épousé une femme qui avait du bien et de l'argent, mais cette femme était insupportable à vivre. C'était une orpheline qui avait été très mal élevée par ses tuteurs. Elle avait grandi avec l'idée que l'argent et la propriété étaient la base de toute chose. Sa fortune lui était montée à la tête et elle se prenait pour bien plus que ce qu'elle valait. Mon oncle vivait auprès d'elle comme un malheureux, complexé par ces histoires d'argent. Quand ils s'étaient mariés il avait solennellement promis de ne jamais toucher à la dot et aux biens de sa femme. Pourquoi avait-il fait une promesse aussi stupide ? Par orgueil je crois bien, en tous les cas ça lui a coûté la vie puisque, lorsqu'il eut ses difficultés de jeu, au lieu d'en parler à sa femme et de voir avec elle comment trouver une solution, il a préféré se taire et régler son affaire tout seul. Un soir il est descendu à la cave, disant qu'il allait tirer du vin pour le souper, et il y est resté. Quand elle est descendue pour voir ce qui se passait, elle l'a trouvé allongé dans son sang, il s'était égorgé d'un coup de rasoir.

On enterra l'oncle dans la fosse commune comme il se devait et ma tante ne trouva rien de mieux que d'offrir le rasoir au jeune frère du suicidé. C'était un cadeau plutôt macabre, mais ce nigaud accepta et il le garda avec lui. Cet oncle aussi était marqué par la fatalité. A quinze ans, alors qu'il était beau jeune homme il contracta une mauvaise scarlatine qui le laissa sourd et muet pour le reste de sa vie. Il n'avait pas perdu complètement l'usage de la voix, mais ce qui lui restait ne valait guère mieux, il pouvait juste dire quelques phrases dans le genre « Moi qu'avé toi », ce qui signifiait en clair « Je veux aller avec toi. » Il souffrit beaucoup de cette infirmité. De plus, cet oncle était un grand sentimental, un hypersensible qui réagissait aux malheurs de ceux qu'il aimait. En 14, pendant les quatre années de guerre, lui qui était resté au village à cause de son infirmité vit mourir tous ses amis et ses proches. Ses neveux disparurent les uns après les autres dans les tranchées, il voyait sa sœur, ma tante Colombe qui, à chaque fois qu'on lui apprenait qu'un de ses fils venait d'être porté disparu, s'étiolait un peu plus. Lorsque le dernier mourut à Cassino en Italie, ma tante Colombe me dit : « Elle en a de la chance votre maman d'être morte ! » Moi j'avais seize ans, c'était dur d'entendre une phrase pareille de la bouche même de la sœur de ma mère, je me disais : « Mon Dieu comment raisonne-t-elle ? » et je lui dis : « Mais, tante Colombe, je ne vous comprends pas. » « Comment tu ne me comprends pas ? » a-t-elle ajouté : « Mais, Emilie, je sais ce que je dis, elle n'a pas vu mourir ses enfants, moi je vois mourir tous mes petits. »

De ces malheurs répétés mon oncle souffrait plus que tout autre. Il ne supportait ni la mort de ses neveux ni la douleur de sa sœur et il allait partout disant : « Ce n'est plus possible, je vais faire comme Alfred, je vais faire comme lui je vais me servir de son machin. » Il voulait parler du rasoir que cette idiote de veuve lui avait donné en souvenir de son frère. Mais, quand il disait ça, personne ne le croyait, au contraire on se moquait de lui et ses copains lui disaient : « Tu en parles trop pour le faire » et lui leur répétait : « Si, si, je vous dis, je ferai comme Alfred. »

Chaque fois que je le rencontrais il me disait : « Jules est mort, Clément est mort, Alfred est mort, ma sœur Colombe va mourir aussi. » Il avait un air si triste et si désespéré que je ne savais quoi faire ni quoi dire pour lui remonter le moral... « Mais non, lui disais-je, Colombe ne va pas mourir », et j'essayais de lui faire comprendre que la guerre en tuait suffisamment comme ça.

Un matin on l'a retrouvé mort. Il s'était ouvert la gorge avec le rasoir. On dit que ces objets-là ont une attraction particulière à laquelle il est difficile d'échapper. En tous les cas, il avait fini par s'en servir. Quand on l'a enterré, le maire, toujours le même, n'a rien trouvé de mieux que de dire aux fossoyeurs : « Faut qu'on mette le rasoir avec lui dans la tombe... » Je ne sais pas, il aurait pu le jeter et le faire disparaître n'importe où, mais pas là, pas dans la tombe. C'est pourtant ce qu'il a fait, il l'a lui-même jeté dedans.

Avec une famille marquée à ce point, à force d'y réfléchir, j'ai compris combien mon mari avait raison quand il parlait de la fatalité. Ce n'était pas une question de se résigner, mais, disait-il, quand la mort est là, il faut l'accepter, ce qui ne veut pas dire que l'homme doit tout accepter, au contraire, il doit lutter contre toutes les inégalités humaines, il doit se révolter contre l'exploitation, contre la pauvreté et la misère. C'est ça qu'il appelait vivre et, disait-il encore, il ne faut pas que les morts empêchent les vivants de vivre. C'est ainsi qu'il m'a remise sur les rails et quand nous sommes revenus à Val-des-Prés j'étais en état de reprendre ma place au sein de la famille. De notre petite fille nous gardâmes le meilleur, le souvenir d'une enfant douce et innocente qui n'avait connu ni le mal ni le malheur.

Nous reprîmes le cours normal de nos activités, un peu la ferme, un peu l'hôtel, le reste du temps était consacré à la vie de famille. Ce fut une époque pendant laquelle j'avais le temps de m'occuper de la maison. L'inspecteur n'avait pas voulu que je reprenne ma classe aux Alberts : « Pas tout de suite, m'avait-il dit, vous ne pourriez pas supporter de faire la classe avec sous vos yeux la place vide de votre fille », et comme j'attendais un autre enfant il m'avait laissé un congé, ajoutant : « Vous reprendrez après et vous reviendrez à votre école de Val-des-Prés. Je vous le promets. »

LA DRÔLE DE GUERRE

La guerre fut déclarée le 2 septembre 1939. Cette déclaration de guerre fut pour moi toute différente de celle que j'avais connue en 1914. Cette fois-ci personne ne fut surpris par la nouvelle, au contraire. Je crois bien que la plupart des gens attendaient que l'orage éclate. A Val-des-Prés, la guerre était dans l'air, non seulement à cause des militaires qui allaient et venaient de plus en plus nombreux, mais on sentait depuis des mois et des mois que l'Europe fichait le camp et la paix avec. Mussolini, Hitler, l'invasion de l'Autriche, la mort de la République espagnole, la fin du Front populaire, ne faisaient que le confirmer. Lorsque la Pologne fut envahie ce fut comme la goutte d'eau qui fait déborder le vase. Jean et moi nous n'étions pas d'accord avec cette guerre, pas plus avec celle-là qu'avec les autres. Jean avait ses idées et il y tenait, non seulement ses idées de pacifiste, mais aussi celles de Français. Pour lui il ne faisait aucun doute que la France n'était prête, ni matériellement, ni moralement, à se lancer dans une nouvelle guerre. « Cette guerre, disait-il, sera une drôle de guerre. » Il le disait bien avant que le terme ne soit à la mode, mais il le répétait trop souvent et trop fort pour que cela ne finisse par nous attirer des ennuis.

Je l'ai déjà dit, durant ces mois-là, on ne voyait plus que des militaires dans le pays, il y en avait de tous grades et de tous poils : des réservistes, des appelés et bien sûr des galonnés avec bottes et cravache. Nous qui ne pouvions les supporter nous étions bien obligés de faire avec, d'autant que Les Arcades étaient loin de leur déplaire, la nourriture y était bonne, le site agréable et les prix raisonnables. Nous étions littéralement envahis.

Il y en avait tant et tant que dès les premiers jours de

la guerre les Allemands, ou bien les Italiens, ont fini par nous tirer dessus avec leurs canons. Ils tiraient depuis le col du Montgenèvre et comme toujours dans ces cas-là, les coups tombaient n'importe où. C'était Val-des-Prés qui était visé, et plus particulièrement le coin où nous étions nous, l'hôtel et l'école. Il paraît que les Allemands croyaient que l'état-major se trouvait là. Le maire reçut du préfet l'ordre d'évacuation et, du jour au lendemain, toute la population du village se trouva obligée de s'en aller.

C'était déjà la fin de la drôle de guerre, en mai ou au début de juin 40. Le maire partit avec tous les habitants de la commune pour un village de l'Ardèche. Nous, nous sommes restés. Mon père n'avait pas voulu quitter Les Arcades et aucun argument n'avait pu le faire changer d'avis : « J'ai quatre-vingts ans, disait-il, je ne veux pas quitter cette maison. A mon âge, mourir pour mourir je préfère rester chez moi. »

On ne pouvait ni le forcer, ni l'abandonner, nous sommes donc restés aussi.

Dans notre esprit il ne faisait aucun doute que nous ne faisions de mal à personne en refusant de quitter Val-des-Prés. Tout ce que nous risquions c'était de recevoir un obus sur la tête, mais comme nous l'avions dit au maire, cela nous regardait et puis ces tirs étaient de moins en moins dangereux, ou trop courts ou trop longs. Les mortiers ne nous inquiétaient guère. Lorsque les Allemands s'énervaient un peu plus, nous allions nous cacher dans la nature en attendant que ça passe.

Un jour, les militaires — des Français — sont revenus et ils ont envahi le village. C'était le soir, vers cinq heures, nous étions au jardin en train de travailler quand un officier est venu vers nous. C'était un petit bonhomme, genre « vieille France », avec une badine à la main et un air distant. Il nous dit :

« Qu'est-ce que vous faites ici, le village a été évacué ?

— Mais, dit Jean, nous n'avons pu, nous avons un vieillard qui ne veut pas se déplacer.

— Je ne veux pas le savoir, je vous donne une heure pour vous en aller, sinon je vous fais fusiller... »

Le terme était pour le moins excessif, mais l'officier et ceux qui étaient avec lui avaient tellement l'air de se prendre au sérieux qu'ils étaient bien capables de faire une bêtise. Pourtant Jean ne voulut pas céder sans avoir une explication. Il dit à l'officier :

« Fusillés ? J'espère que vous pesez vos paroles, ici vous avez une famille française avec six enfants dont un nouveau-né de quelques mois, un vieillard et ma femme qui est l'institutrice du village, nous ne sommes pas des espions.

— Justement ! Personne ne doit rester ici, c'est une zone interdite aux civils. C'est vous qui le dites que vous n'êtes pas des espions, mais alors pourquoi êtes-vous ici ? Si ça se trouve, la nuit quand vous allez vous cacher dans les bois vous faites des signes à l'ennemi. Je vous donne deux heures pour partir. »

C'était gros, si gros qu'il fallait le prendre au sérieux. Jean nous dit : « Cette fois-ci, je crois qu'il ne faut plus insister, grand-père, on va s'en aller de l'autre côté de Briançon. »

Mon père est parti devant, à pied, avec les moutons, les brebis et mes nièces. Direction Embrun, je crois qu'au fond il était ravi de refaire ce chemin avec son troupeau, cela devait lui rappeler sa jeunesse et le temps où il faisait de la contrebande. Jean et moi avons chargé la voiture, à l'époque nous avions une B 12, nous l'avons bourrée de tout ce que nous avons pu. Une chance, nous avions à l'hôtel toutes les provisions pour la saison d'été : des conserves, du café, du sucre, de l'huile, du savon, nous en avons rempli la voiture, car nous ne savions pas du tout ce qui allait nous arriver ni combien de temps nous resterions absents.

A Embrun, nous nous installâmes chez mon ancienne institutrice, celle qui m'avait présentée au certificat d'études en 1912, nous étions toujours restées en très bons termes et elle avait la place pour nous héberger. Mais ce genre de cohabitation est fragile. Il y eut quelques scènes à propos du bébé qui pleurait ou bien qui s'oubliait sur le tapis et très vite il nous fallut trouver une autre solution. C'est là que nos provisions nous ont servi, l'huile, le sucre et le café commençaient à se faire rares et, donnant-donnant, tant que nous en eûmes nous pûmes obtenir en échange ce dont nous avions besoin.

Finalement, Jean trouva je ne sais comment une antique cabane à lapins assez grande pour nous loger. C'est un paysan qui nous avait offert ça, mais l'endroit était terrible. C'était un local désaffecté depuis des années, sale et triste comme la mort. Jean partit chercher des pinceaux et de la chaux disant : « Nous nous installerons là-dedans quand ça sera propre, en attendant nous coucherons dans la voiture. »

C'est ainsi que nous vécûmes notre « exode », avec la B 12, nos sacs de couchage, nos tyroliens, les chèvres de mon père et mon tout dernier, Michel, qui n'avait pas dix mois. Ce voyage, plus cocasse que dramatique, dura onze jours, le onzième jour le sous-préfet nous fit prévenir que nous pouvions revenir chez nous. L'invitation était d'ailleurs impérative : nous devions retourner d'urgence à Val-des-Prés pour défendre le village contre les pillards. L'armistice venant d'être signé et les militaires étant partis, le village se trouvait abandonné et le sous-préfet comptait sur nous pour veiller au grain en attendant que les habitants de la commune reviennent de l'Ardèche.

Nous sommes donc revenus aux Arcades et nous avons fait ce que nous avons pu. Effectivement il y en avait qui étaient déjà passés et qui s'étaient servis... Car, dans cette histoire, il n'y avait eu que notre village qui avait été évacué, et rien n'est plus tentant pour des paysans que de venir prendre le fumier et le foin chez les autres quand il n'y a personne, ça va même très vite dans ces cas-là. Dès qu'ils avaient su que Val-des-Prés se trouvait abandonné, ils n'avaient pas perdu leur temps, ils étaient venus en camion de Granvillard, de Pont-de-Cervières, de Saint-Chaffrey et ils avaient pris ce qu'ils avaient voulu.

Mon mari et moi, qu'est-ce que nous pouvions faire ? Pas grand-chose... En général, nous étions au jardin et, dès que nous entendions un camion ou un moteur, nous nous précipitions sur la route et nous courions en faisant des gestes, un peu comme des épouvantails, avec les gosses qui trouvaient ça plutôt amusant. Mais ce n'était pas très efficace. C'est difficile d'être honnête et de défendre le bien d'autrui. Nous avions accepté en croyant faire une bonne action mais, lorsque les gens du village sont revenus, nous avons dû déchanter. Pendant vingt jours nous avions défendu le village contre les pillards, nous l'avions fait de notre mieux, mais, dès leur retour, les paysans firent circuler le bruit que, sous prétexte de garder leurs biens, nous nous étions servis en premier.

Je ne voudrais pas trop m'étendre sur cette période. Pourtant, c'est tellement révélateur de la mentalité des gens et il y eut de telles conséquences par la suite qu'il m'est difficile de ne pas en parler. D'abord, quand ils sont revenus, après un mois d'absence, ils étaient complètement démunis et la première chose que nous fîmes fut de les aider dans la mesure de nos moyens. Comme il nous restait encore pas mal de provisions de l'hôtel, dès que j'entendais parler d'un bébé ou d'un vieillard qui avait besoin de quelque chose, j'y allais et j'apportais ce que nous avions, à l'un du savon, à l'autre du sucre. Je le faisais de bon cœur et sans aucune arrière-pensée, eh bien, il s'est trouvé pas mal de gens pour dire : « Ça lui est facile de donner puisqu'elle nous a volés. »

Personne ne m'a jamais rien dit en face et je crois que c'est mieux ainsi, sinon je ne me serais pas gênée d'en prendre un par la peau du cou pour le traîner chez le sous-préfet afin qu'il sache que ce que nous avions fait, nous l'avions fait sur ordre. Jean et moi nous cherchions à comprendre pourquoi les gens en étaient à ce niveau-là... Ou bien c'était de la jalousie pure et simple, ou bien ils étaient incapables d'imaginer un autre comportement que celui qu'ils auraient eu s'ils avaient été seuls dans le village. Dans le fond, ce qui ne passait pas, c'était le fait d'avoir refusé de partir avec le reste du village et de nous être mieux débrouillés qu'eux. Au mois de juin, quand on arrête les travaux pendant un mois, la récolte peut être catastrophique, en définitive c'était ça, ils étaient jaloux de l'avance que nous avions prise sur eux, même en les défendant contre les voleurs. A cela il faut ajouter que, dans le climat de collaboration qui était en train de s'installer, dans un pays où le pétainisme allait fleurir plus que de raison, les idées de Jean, nos fréquentations, ne pouvaient qu'ajouter à la méfiance générale. Au cours des mois à venir nous allions sentir peser le poids de cette hargne, les amis allaient se faire rares, mais, juste retour des choses, ils n'en deviendraient que plus précieux et plus chers.

Comme me l'avait promis l'inspecteur, au mois de septembre 1940 je fus nommée institutrice à Val-des-

Prés. Jean et moi nous étions naïfs, nous pensions que, après les remous du mois de juin, nous en avions fini avec les tracasseries et les médisances et que nous allions connaître enfin une paix relative. A la fin du premier trimestre, c'est-à-dire au mois de décembre, je reçus une lettre de l'académie de Gap, c'était un avis de déplacement d'office dans un petit village de la vallée de la Guisane, au Casset. Dans l'enseignement un déplacement d'office c'est une sanction grave. Le coup était rude. Avec mon mari nous avons essayé de savoir d'où il venait et nous avons tout imaginé. Le maire après les histoires de juin ? Certes nous étions à couteaux tirés avec lui, pour des tas de raisons, mais c'était peu probable. Alors ? Qui ? et pourquoi ? Tout à coup, Jean pensa au colonel.

« Quel colonel ? dis-je.

— Eh bien, celui avec lequel je me suis engueulé en 39.

— Ah ! oui, tu crois ça ? »

Il fallait que j'en aie le cœur net, de toute façon je ne pouvais accepter une brimade de cet ordre sans réagir, c'était mon droit et mon devoir. J'ai commencé par téléphoner à mon inspecteur, tout de suite je sentis combien il était gêné, il me dit : « Ordre de la préfecture, ce n'est pas de mon ressort, je crois que vous avez intérêt à être très prudente dans cette affaire, et si j'ai un conseil à vous donner, c'est de vous présenter vous-même à l'académie pour avoir des explications sur les motifs de votre déplacement. » Entre-temps, il s'était renseigné, il avait téléphoné à Gap, disant : « Mais pourquoi déplace-t-on Mme Carles, je n'ai rien à lui reprocher »... On l'avait prié de se taire et de se tenir tranquille et, en définitive, il m'avait dit qu'il n'y avait que moi qui pouvais savoir ce qui s'était passé.

Je suis allée à Gap, à l'académie. Quand je suis arrivée là-bas, le bonhomme qui m'a reçue était furieux.

« Mais c'est de la folie de venir me voir pour cette affaire-là, c'est un ordre supérieur de la préfecture et je n'ai fait qu'exécuter... Vous ne vous rendez pas compte de votre situation, vous avez tout intérêt à laisser l'eau dormir tranquille.

— Mais non, je veux des explications, je veux savoir pourquoi j'ai été sanctionnée.

— Madame Carles, vous devriez être heureuse que les choses se passent comme ça, votre mari s'est mis dans une mauvaise posture en parlant à tort et à travers, c'est une chance qu'il ait tenu ses propos défaitistes avant la déclaration de la guerre, sinon ce n'est pas votre déplacement qui serait la sanction, mais le camp de concentration pour lui. Vous voyez que vous n'avez aucun intérêt à faire du bruit. Acceptez votre nouvelle nomination, autrement ça pourrait vous coûter beaucoup plus cher. »

Maintenant c'était clair, je savais d'où venait le coup, c'était effectivement le colonel. Le plus écœurant était quand même le comportement des fonctionnaires de l'académie, ils n'étaient que les valets de la préfecture. Je dis au bonhomme :

« Mais enfin, ce qu'a dit mon mari, Pétain l'a dit six mois plus tard et puis, c'est tout à fait inadmissible que je sois sanctionnée à sa place.

— Je vous en prie, madame Carles, acceptez cette nomination c'est le meilleur conseil que je puisse vous donner. »

J'ai signé, j'ai accepté, je ne pouvais pas me permettre de prendre des risques, ni d'en faire prendre à mon mari. Finalement ils étaient les plus forts et leur chantage avait marché. Tout ça pour une prise de bec avec un colonel de rien du tout qui s'était cru obligé de faire un scandale dans le restaurant des Arcades.

L'affaire était vieille pourtant, mon mari et moi nous l'avions oubliée depuis longtemps. C'était à la fin de l'été de 1939, quelques semaines avant la déclaration de guerre. Ce colonel était venu aux Arcades, il nous avait demandé si nous pouvions lui faire ses repas avec ses officiers et nous avions accepté. A cette époque, nous avions en pension un groupe de réservistes qui faisaient leur période. C'est connu, passé un certain âge les réservistes ne peuvent plus se satisfaire du rata de l'ordinaire, c'est la raison pour laquelle ces hommes venaient prendre leurs repas chez nous. Comme ils étaient assez nombreux nous faisions deux services. Un à dix heures pour les militaires et un autre à la suite pour nos clients réguliers.

Lorsque le colonel s'est présenté avec ses officiers, leur table était déjà dressée. Nous avions fait les choses comme nous en avions l'habitude avec tous nos clients, c'est-à-dire plutôt bien, mais, évidemment, il y avait du monde dans la salle du restaurant. J'ai bien vu que le colonel tiquait, mais j'étais loin d'imaginer le tour qu'il allait nous jouer. C'était le genre pète-sec, sans un gramme d'humour, il me dit :

« Mais madame, vous n'avez pas une autre salle où nous installer ?

— Non, monsieur, nous n'avons que celle-là.

— Mais vous avez bien un autre endroit pour nous servir, une chambre ou bien sur la terrasse au-dessus, je ne sais pas moi, en tous les cas pas ici avec les hommes de troupe. »

Mon mari vint à la rescousse, il dit au colonel :

« Non, monsieur, votre table est dressée ici, elle l'est correctement, je n'ai pas de personnel pour vous servir au premier, c'est trop loin.

— Je vous donnerai deux hommes pour vous aider au service.

— Non, dit mon mari, je n'ai pas pour habitude de me faire aider par des soldats, je ne peux pas vous servir sur la terrasse, il y a trop d'escaliers.

— Alors, si je comprends bien, dit le colonel, vous nous mettez à la porte.

— Non, pas du tout, vous êtes servis, votre table est là.

— Mais vous croyez que je vais manger avec les hommes !

— Et vous, vous croyez que je vais faire sortir une trentaine d'hommes pour vous laisser la place ? Pour nous ce sont des clients comme les autres.

— Eh bien, puisque c'est ainsi, je m'en vais ! Mais vous aurez de mes nouvelles, vous pouvez me faire confiance. »

Mon mari haussa les épaules et le colonel s'en alla avec ses officiers. Quelque temps plus tard il revint et, comme il l'avait promis, il chercha à nous créer des ennuis. Il se présenta aux Arcades un après-midi, il salua, claqua des talons et dit : « Il faut que je réquisitionne votre salle — il voulait parler toujours de la salle du restaurant — j'en ai besoin pour y loger les chevaux de mon unité. »

Jean alla vers lui, dans ces cas-là il savait rester calme. « Colonel, lui dit-il, je crois que l'on peut me réquisitionner en temps de guerre, mais ce n'est pas encore la guerre, nous sommes encore en temps de paix et je sais qu'il vous faut un ordre de réquisition en bonne et due forme. Si vous l'avez je vous donne la salle, sinon...

— Sinon quoi ?

— Ecoutez, je n'ai pas de temps à perdre, si vous n'avez pas d'ordre de réquisition vous ne pouvez rien faire et vous le savez très bien, quand la guerre sera déclarée revenez si ça vous amuse...

— Mais la déclaration est imminente.

— Vous savez, dit mon mari qui commençait à perdre patience, cette guerre, si elle vient, ce sera une vraie mascarade, ce sera ridicule, nous la perdrons à coup sûr parce que nous ne sommes pas prêts, les Anglais ont l'habitude de faire la guerre avec la peau des autres et l'on demandera l'armistice avant un an. »

Le colonel réagit aussitôt et violemment.

« Oh ! dit-il, je vois que vous tenez des propos défaitistes !

— Oui, dit mon mari, remarquez que je suis un pacifiste et pour moi la guerre et ceux qui la font ne sont pas les meilleurs arguments, il y a d'autres solutions.

— Des propos comme les vôtres sont intolérables, vous portez atteinte au moral de la nation et je vais faire en sorte que cette affaire n'en reste pas là. »

Nous n'avions pas cru à ses menaces. Entre-temps, le cours des événements n'avait fait que confirmer les paroles de mon mari, il y avait eu la débâcle, Dunkerque, la fuite du gouvernement et le discours de Pétain. Mais le colonel s'était débrouillé pour nous faire sanctionner par la préfecture. Faute de pouvoir se venger directement sur mon mari.

A mon retour à Val-des-Prés, j'eus droit à la visite d'un docteur de Briançon, un ami, qui avait appris la nouvelle de mon déplacement au Casset.

« Mais comment l'avez-vous appris, lui demandai-je, nous n'en avons parlé à personne ?

— Ah ! madame Carles, ces choses-là voyagent vite, me dit le médecin, moi ce que je comprends c'est qu'on est en train de vous faire une saleté, c'est un mauvais tour politique que l'on vous joue là, à cause des opinions de votre mari et de vos idées en général et il faut vous défendre. Pour commencer je vais vous faire un congé de maladie d'un mois, après on verra. »

J'ai d'abord refusé, je lui ai dit :

« Non, je ne veux pas que vous fassiez ça, si jamais il y a un contrôle vous risquez d'avoir des ennuis, ça je ne le veux pas.

— Mais non, pas du tout, me dit mon ami, très honnêtement je vous dois ce congé, d'abord vous avez un enfant de quinze mois qui tète encore, ensuite je me suis renseigné, là-bas vous aurez une classe de dix-neuf gosses, filles et garçons, vous ne vous en rendez pas compte parce que vous êtes dure comme une paysanne, mais vous êtes très fatiguée. Cet arrêt de travail je le prends sous mon bonnet. Je vous donne un mois. »

Le mois passé il fallut bien que je rejoigne mon nouveau poste. Jean et moi avions décidé de ne pas nous opposer à la sanction, d'ailleurs comment aurions-nous pu le faire sans prendre le risque de nous attirer des ennuis encore plus grands ? A la fin du mois de février, Jean vint m'accompagner au Casset avec mon bébé. Lorsque nous descendîmes du car à Monestier, il y avait une tempête de neige. Notre route n'était pas terminée, il fallait trouver un moyen pour se rendre jusqu'au Casset où se trouvait l'école. Monestier était un gros bourg et j'y étais venue pendant trois ans faire mes courses lorsque j'étais institutrice au Lauzet... En arrivant ce jour-là dans cette tourmente de glace, je comptais bien y retrouver d'anciennes amitiés. Hélas ! La nouvelle de mon déplacement d'office m'avait précédée et elle avait creusé un fossé entre mes anciennes relations et moi. Partout où nous allions frapper nous ne trouvions que porte close... Même ceux avec qui j'avais vraiment été très liée, la postière, le facteur, me fuyaient et évitaient de me parler. Je n'ai jamais compris les raisons de cette attitude. Avec ce déplacement ils devaient s'imaginer que j'avais commis un crime de la pire espèce, l'esprit de la collaboration était là qui pesait sur les gens. C'était la peur, la méfiance, l'hypocrisie qui régnaient. Sur le coup, nous fûmes plus étonnés que peinés, Jean et moi. C'était tellement énorme de penser que des gens que j'avais connus, avec lesquels j'avais vécu pendant trois ans, refusaient de me reconnaître, tout ça parce qu'ils avaient peur de se compromettre, que nous avons préféré en rire.

A force de tourner en rond dans Monestier nous avons fini par rencontrer des paysans du Casset qui s'apprêtaient à retourner dans leur village. Nous sommes tombés sur eux tout à fait par hasard juste au moment où ils prenaient le chemin du retour avec leurs ramasses et leurs raquettes. Ils revenaient de porter leur lait à la fromagerie et, nous dirent-ils, ils étaient venus sans attelage, car il y avait tellement de neige que pas un cheval n'aurait pu avancer sans être bloqué. Ils étaient cinq ou six bonshommes, ni malveillants ni bienveillants, qui nous dévisageaient. Ils savaient bien qui nous étions, mais ils acceptèrent que nous fassions la route avec eux. On mit mes valises sur une des ramasses, Jean prit notre petit Michou sur ses épaules et nous suivîmes le groupe en prenant soin d'utiliser leurs traces. Nous marchâmes dans la tempête deux heures pour parcourir les deux kilomètres qui nous séparaient du Casset. Tous les dix pas, nous risquions de nous rompre le cou et de basculer dans la neige molle. Sans ces hommes nous n'y serions jamais arrivés. Au Casset l'accueil fut aussi glacial que l'était le temps. Les gens ont commencé par me regarder comme une bête de foire, ensuite, lorsque j'allai demander du lait et du pain, personne ne voulut me servir sous prétexte qu'ils n'avaient plus rien. Ici aussi ils avaient été prévenus contre moi. Mais je n'avais pas l'intention de me laisser faire. Il me fallait absolument du lait pour faire la soupe pour l'enfant et j'étais décidée à en trouver par n'importe quel moyen. C'était lamentable de la part de montagnards de nous faire un accueil comme celui-là. Au Casset, le logement constitué d'une seule pièce sans confort, sans une bûche pour se chauffer, était minable. Jean regardait ça d'un air effaré, il me dit :

« Mais je ne vais pas repartir ce soir, je ne vais pas m'en aller en te laissant ici toute seule avec Michou, ces gens-là sont des moins que rien.

— Si, tu vas repartir et je vais me débrouiller, reste encore un moment pour garder le gosse, le temps que j'aille faire un tour dans le village, je reviens tout de suite. »

Lorsque je revins, je dis à Jean :

« Eh bien, ils sont tellement pétainistes qu'ils n'ont plus rien d'humain, mais ne t'en fais pas, j'ai trouvé quelques bricoles à l'épicerie, j'ai suffisamment de couvertures pour tenir la nuit, demain je me débrouillerai.

— Mais, Emilie !

— Tais-toi et va prendre ton car pour Briançon, je ne veux pas que tu laisses mon père seul avec les petites, ne te fais pas de souci, on en a vu d'autres. »

Jean parti, j'ai commencé à ranger mes affaires, je n'avais ni lait ni pain, mais comme j'avais dit à mon mari, j'en avais vu d'autres et je pouvais tenir jusqu'au lendemain.

Le lendemain ? J'étais inquiète sur ce qu'il me réservait. Le plus dur ce n'était pas d'être démunie de tout, c'était de sentir l'hostilité de ces gens à mon égard, comme si j'avais été une réprouvée. Je savais qu'il me serait difficile d'aller leur demander ce dont j'aurais besoin, demain et les jours suivants. Les habitants du Casset avaient suffisamment de raisons pour m'en vouloir doublement. Non seulement j'étais suspectée, condamnée pour une faute qu'ils devaient imaginer la plus monstrueuse de toutes, mais encore on m'avait envoyée chez eux pour que j'éduque leurs enfants, ça, j'étais sûre qu'ils l'acceptaient difficilement.

Quelqu'un frappa à ma porte. J'allai ouvrir et vis le visage d'une femme que j'avais connue quand j'enseignais au Lauzet.

« Hélène, dis-je, mon Dieu ce n'est pas possible, que fais-tu là ?

— Bonsoir, mademoiselle Allais, j'ai appris que vous veniez d'arriver avec un bébé, je vous apporte un berceau avec une paillasse, vous pourrez coucher votre petit, je vous apporte aussi de quoi faire un feu, parce que vous savez ici il fait très froid et il ne faut pas que vous ayez froid.

— Hélène, toi ici, tu m'en fais une surprise, moi qui commençais à désespérer des hommes, te voilà avec tout ça, c'est un vrai miracle, mais — je savais qu'elle était très pauvre — Hélène, il ne faut pas te démunir pour moi.

— Oh ! non, mademoiselle, je suis bien trop contente de vous faire plaisir, vous avez été si gentille avec moi quand vous étiez au Lauzet, je vous dois bien ça. »

Le Lauzet ! ça faisait tellement longtemps que je l'avais presque oublié. C'était une autre époque, une autre vie me semblait-il. Au Lauzet, Hélène était une pauvre fille, elle l'était deux fois, d'abord parce qu'elle n'avait pas d'argent, ensuite parce qu'elle vivait seule, étant depuis longtemps sans famille et surtout parce qu'elle n'avait pas trouvé un homme qui veuille l'épouser. Elle menait une vie de pauvre paysanne, elle n'était ni très jolie ni très aidée par la nature, il lui arrivait de bégayer et seule sa sœur qui était mariée venait avec son mari lui donner un coup de main de temps à autre pour labourer un champ ou ramasser ses récoltes. Ce qui caractérisait la vie d'Hélène c'était la solitude, une solitude éperdue dont elle ne voyait pas la fin. Aussi, à la première occasion qui s'était présentée elle avait accepté sans y regarder de trop près. Le prétendant était un berger du Casset, un être tout aussi pauvre et solitaire qu'elle et qui, lui aussi, n'avait pas trouvé à se marier. Cet homme buvait, mais qu'importait, Hélène avait entrevu cette union comme une occasion inespérée. Vivre seul dans nos montagnes, uniquement occupé à cultiver la terre et à soigner les bêtes, c'était la pire des conditions. Les moyens de communication étaient encore rudimentaires, il n'y avait ni radio ni télévision ; pour une femme c'était terrible d'être isolée d'un bout de l'année à l'autre, avec, pour seule compagnie, pour unique chaleur, celle des animaux. C'est pourquoi Hélène avait accepté sans hésiter de vivre avec ce berger.

« Et puis, me dit-elle encore, avec mon mari, on vous donnera ce dont vous aurez besoin, vous n'avez qu'à nous demander, on fera notre possible pour vous aider, si nous on n'a pas ce qu'il vous faut on se débrouillera pour le trouver ailleurs. »

Quelques minutes après qu'elle fut partie, on frappa à nouveau à la porte. Cette fois-ci c'était un homme, un paysan d'un certain âge avec une belle figure. Il me dit :

« Bonjour, madame, vous ne me connaissez pas, mais ça ne fait rien, moi je vous connais.

— Vous me connaissez ?

— Oui, madame, j'ai entendu parler de vous, pour moi, du moment qu'on vous a déplacée d'office c'est que vous êtes à l'index et, par les temps qui courent, je vois à peu près ce qui se passe, je voulais vous dire qu'avec Toussaint vous pouvez compter sur un ami. »

L'homme avait un panier avec lui, il le prit et le posa sur la table, il était bourré de poireaux, de pommes de terre et de plein d'autres choses. Il me donna aussi un pain, un beau pain de ménage qui ne sortait pas de chez le boulanger.

« C'est moi qui fais mon pain, me dit-il, et je vous en apporte parce que je sais qu'on vous en a refusé ainsi que du lait, mais Toussaint a une chèvre et il a du lait et tant que je serai ici vous ne manquerez jamais de rien. C'est honteux une société pareille. »

Cet homme était d'une générosité et d'une ouverture d'esprit extraordinaires, c'était exceptionnel de rencontrer un type de cette trempe dans un pays pareil, je ne savais comment le remercier.

« Ne me remerciez pas, me dit-il, moi, du moment que l'on vous montre du doigt, c'est que vous êtes quelqu'un. »

Nous sommes devenus de très grands amis et nous nous rendions service mutuellement. Nous avons échangé nos capacités, j'allais l'aider à faire son pain, je m'occupais un peu de sa maison et lui me fournissait en légumes, en lait et en fromage.

Toussaint était lui aussi un cultivateur qui n'avait presque pas de terres, il n'avait que sa chèvre pour tout bétail et l'hiver il gardait dans son étable les bêtes de paysans plus riches. Mais Toussaint se débrouillait, c'était un homme d'expérience et surtout un esprit indépendant et noble qui tranchait au milieu de tous ces peureux. C'est toujours étonnant de rencontrer dans les pays des hommes qui ne pensent pas comme les autres, ça l'est d'autant plus qu'ils sont rares et qu'ils se remarquent. Toussaint était de ceux-là, pourtant il n'avait jamais quitté Le Casset, mais il était contre le pouvoir, contre les banquiers. De sa vie il n'avait jamais voté pour un Rothschild. Toussaint avait naturellement senti qu'il y avait un autre côté.

Nous causions beaucoup ensemble, mais je n'ai jamais su vraiment comment il en était arrivé à avoir des idées aussi radicales et ouvertes dans un pays aussi fermé. A vrai dire je n'ai jamais osé l'interroger, j'ai pensé que c'était un Jean Carles perdu dans la montagne.

Toussaint était une lumière au milieu des ténèbres. Sans lui, sans Hélène, je ne sais comment j'aurais tenu le coup.

Par la suite, la situation s'améliora tout de même. Un jour j'appris que le curé, dans son prône du dimanche, s'était fâché et qu'il avait reproché à ses ouailles leur attitude. C'était d'autant plus remarquable et courageux que ce curé-là avait les mêmes renseignements sur moi que les autres paroissiens, il savait qui j'étais, il savait que je n'allais pas à l'église, mais c'était un homme bon et tolérant. Il leur avait dit : « Mais avant de refuser du pain et du lait à cette femme et de la montrer du doigt, saviez-vous qui elle est, saviez-vous ce qu'elle a fait. Dans cette affaire vous avez manqué à vos devoirs de chrétiens, vous avez manqué à la charité chrétienne la plus élémentaire. Si vous vous étiez renseignés on vous aurait dit qui elle est et ce qu'elle a fait quand elle était jeune fille. Pendant trois ans elle a été institutrice au Lauzet eh bien, vous n'avez qu'à demander qui est cette femme aux Lauzenins, ils en parlent encore avec les larmes dans les yeux, pour elle ils donneraient leur dernière chemise, mais vous autres vous vous êtes conduits comme des philistins. »

Cette intervention avait un peu secoué les esprits du Casset, et à partir de ce jour les gens me regardèrent un peu moins de travers. Et puis comme d'habitude j'ai eu les enfants avec moi, et quand on a les gosses on a les parents. Personne ne pouvait rien contre ça, j'aime tellement les enfants que très vite ils le sentent et me le rendent. Insensiblement les familles s'adoucirent et ma position devint plus tolérable.

Pourtant, je n'avais pas l'intention de m'éterniser au Casset. Quelques mois après mon déplacement, Jean-Hérold Paqui vint dans la région pour faire une tournée de conférences. Lorsqu'il passa à Monestier, nous fûmes tous convoqués pour écouter le discours du ministre de Pétain. Instituteurs, prêtres, conseillers municipaux, fonctionnaires ne purent échapper à cette réunion dont le thème était : « Etes-vous satisfaits du régime de la collaboration ? »

Jean-Hérold Paqui fit son speech, en gros il essaya de justifier la politique de collaboration du gouvernement, disant que Pétain avait été l'homme de la situation, que sans lui la France serait tombée dans le gouffre de la guerre et que, de toute façon, Pétain s'était trouvé au pied du mur alors que la France n'avait pas d'autre choix que de se plier aux exigences des Allemands. Pendant qu'il parlait, je pensais que mon mari avait dit exactement la même chose quelques mois auparavant et que c'était pour avoir dit ces quelques vérités évidentes à un colonel irascible que nous avions été sanctionnés tous les deux.

Après son discours, le ministre demanda à l'assistance s'il y avait des personnes qui voulaient donner leur opinion sur le régime de collaboration, précisant qu'il était là pour tout entendre y compris ceux qui avaient des critiques à formuler. Dans l'assemblée personne ne pipa mot, ce fut un silence de mort pendant quelques minutes, un silence gênant avec Jean-Hérold Paqui debout à la tribune qui attendait. Alors je me suis levée et j'ai demandé la parole. L'autre, très poli, me dit :

« Madame, je vous écoute.

— Ecoutez, monsieur le ministre, j'ai une requête à faire, mon mari pour avoir dit ce qu'a dit le maréchal Pétain quelques mois plus tard a failli être poursuivi, mais comme on ne pouvait pas le poursuivre légalement c'est moi qui ai été sanctionnée par l'administration, j'ai eu droit à un déplacement d'office. Je fais appel contre cette sanction d'autant plus que les conditions dans lesquelles je suis obligée de vivre m'interdisent de m'occuper de mes trois pupilles. Ces pupilles c'est moi qui en ai la responsabilité, mais à cause de ce déplacement c'est mon mari qui les garde, la loi est formelle, elle interdit que ces trois fillettes soient confiées à un homme. »

Le bonhomme me laissa parler jusqu'au bout. Autour de moi, je devinais le visage consterné de mes collègues et du maire, mais je me fichais pas mal de ce qu'ils pensaient, j'avais dit ce que j'avais à dire, advienne que pourra. A la fin, Jean-Hérold Paqui me dit : « Très bien, madame, je vais prendre votre demande en considération et je ferai mon possible pour vous aider. »

A la sortie de la conférence, le maire vint vers moi, il en était encore tout rouge d'émotion.

« Eh bien, madame Carles, on peut dire que vous

m'étonnerez toujours, il n'y a que vous pour sortir des choses pareilles.

— Ben, il nous a bien demandé si nous avions des choses à dire, pourquoi je me serais tue, personne n'ouvrait la bouche.

— Ah ! dites donc, on peut dire que vous n'avez peur de personne, je me sens lâche à côté de vous. »

Le plus extraordinaire, dans cette histoire, c'est que mon culot fut payant. Quelques semaines après mon intervention à Monestier, je reçus un avis de l'académie comme quoi j'allais être nommée dans ma vallée. Jean-Hérold Paqui était intervenu comme il me l'avait promis.

NEUF POUR UNE LISTE D'OTAGES

Les années qui suivirent s'écoulèrent dans un calme relatif. C'était la guerre mais elle était loin, les militaires avaient disparu de notre horizon et le village avait retrouvé son rythme saisonnier été-hiver, avec en priorité les travaux de la terre et les problèmes matériels qu'impliquaient les restrictions. Nous connaissions la pénurie, comme partout nous avions droit aux cartes d'alimentation et aux rationnements, mais dans un pays comme Val-des-Prés, chacun arrivait à se débrouiller. Tous les paysans avaient leur jardin, beaucoup tuaient des bêtes en cachette et quelques-uns faisaient du marché noir.

Ces années de guerre sont passées sans que personne ne soit véritablement concerné. Pas de prisonniers, pas de disparus, ce fut tout à fait le contraire de l'autre guerre. Quant aux idées elles étaient doublement sous l'éteignoir. Comme ils n'avaient d'opinion sur rien, que depuis toujours ils suivaient le maire comme des moutons, les paysans continuèrent de se conformer aux règles de prudence qui étaient les leurs. Quand passaient quelques Allemands ils ne leur léchaient pas les bottes mais presque. C'était le régime de la peur et du silence.

Nous aussi nous faisions attention. L'école, la terre et

les gosses nous suffisaient. Après ce qui venait de se passer nous avions intérêt à ne pas nous faire remarquer. Jean se tenait à l'écart des passions politiques, il était contre le fascisme mais il n'était pas gaulliste non plus. Pour lui le général était un homme de pouvoir comme un autre. Certes, il avait eu la clairvoyance de déclarer la France Libre, mais après, quand la guerre serait terminée, il deviendrait le maître du pays. Pour en faire quoi ? « Un général ne peut pas gouverner à gauche, disait Jean. Il a peut-être le sens de l'Histoire mais le moment venu il aura le sens de sa classe. » Ce qui nous révoltait le plus c'était qu'une fois encore des hommes acceptaient de tuer et de se faire tuer au nom de leur patrie respective. A nos yeux rien ne pouvait justifier un tel engagement. Bien sûr, il ne faisait aucun doute qu'il y avait un bon et un mauvais côté, la victoire de Franco nous révoltait tout autant que les pogroms ou les représailles nazies, mais nous regardions au-delà de cet enfer organisé, nous pensions à tous ces ouvriers et à tous ces paysans qui allaient se faire trouer la peau alors que ceux qui avaient toléré et organisé cette guerre continuaient de faire carrière et d'amasser des fortunes. « Après, me disait Jean, je te parie qu'ils demanderont aux survivants de se serrer la main. »

Mon mari souffrait beaucoup de cet isolement. Il était la seule voix de gauche du village et cela se savait, il aurait aimé militer pour les ouvriers concrètement mais, disait-il, pourquoi s'enfermer dans un ordre et se plier aux règles d'un parti ? « Je suis un individualiste et je le resterai jusqu'au bout. » Je crois cependant qu'il avait conscience de ses limites, lorsque nous discutions, que je l'obligeais à faire le compte de toutes ses contradictions, il en convenait, mais, à la fin, il en revenait toujours à ce qui lui tenait le plus au cœur : la non-violence et la liberté.

Malgré sa prudence et son désir de se tenir à l'écart, il lui arrivait de se quereller parfois avec un gars du pays. Dans ces cas-là, pour défendre ses idées il ne mâchait pas ses mots, il pouvait même se laisser emporter. Ces discussions, quoique rares, suffirent à le faire cataloguer comme tête de turc, et le jour où le sous-préfet de Briançon eut besoin de fournir une liste d'otages aux Allemands, le maire de Val-des-Prés n'eut pas à chercher bien longtemps pour trouver celui qu'il mettrait sur la liste. Grâce à lui Jean Carles fut le premier inscrit.

On s'est toujours demandé pourquoi il y avait eu cette liste d'otages. Les Allemands l'avaient-ils exigée ou bien le sous-préfet avait-il fait du zèle ? Car, autour de Briançon pendant les années d'occupation, il ne s'était jamais rien passé. Le seul incident notable, dont un soldat allemand avait été la victime, relevait du fait divers plutôt que de la résistance. C'était en 43 ou 44, à l'époque les Allemands travaillaient sur la route de Névache, ils la faisaient remettre en état par une équipe des Ponts et Chaussées. On ne sut jamais exactement ce qui s'était passé, est-ce l'un des ouvriers qui se montra trop susceptible ? Ou bien, au contraire, est-ce le soldat qui les surveillait qui fit preuve de trop d'arrogance ? Mystère. En tous les cas il y eut une altercation violente entre eux et l'un des types des Ponts et Chaussées sortit un pistolet et tira. L'Allemand ne fut pas tué sur le coup, avant de mourir il avoua que ce qui s'était passé était entièrement de sa faute, c'est lui qui avait provoqué les Français, il les avait poussés à bout et revendiquait la responsabilité du drame. Le soldat avait ajouté : « Je ne veux pas qu'on en tue d'autres à cause de moi », et l'affaire n'avait pas eu de suite. Le type qui avait tiré s'était volatilisé dans la nature et jamais personne ne chercha à savoir ce qu'il était devenu. Mis à part cette histoire il n'y avait pas eu l'ombre d'une violence dans tout le Briançonnais. N'empêche que le sous-préfet avait dressé sa liste et pour le faire il avait exigé que neuf villages lui livrent le nom d'un homme ; tous des gars comme mon mari qui s'étaient fait remarquer pour leurs idées non conformistes.

A Briançon, tout le monde parlait de cette liste d'otages mais personne ne la connaissait. Le sous-préfet la gardait secrète et, pour être sûr de ne pas se la faire voler, il la portait toujours sur lui. Un soir, le bonhomme qui, à ses qualités de collaborateur ajoutait celle de noceur, téléphona pour qu'on lui organise une partie fine avec quelques filles. A l'époque toutes les conversations téléphoniques passaient nécessairement par un central d'écoute, l'affaire fut éventée aussitôt, et quelques heures plus tard, pendant que le sous-préfet et sa clique sablaient le champagne dans des cabinets particuliers, des jeunes du pays se débrouillèrent pour lui voler la liste dans une poche de son pantalon. Sans perdre une minute ils s'étaient empressés de la recopier et ils avaient prévenu les neuf otages.

Jean fut prévenu aussi. La première surprise passée, il nous fallut agir au plus vite. Jean hésitait, moi pas, de nous deux j'étais la plus déterminée. Je lui dis :

« Pas question de rester ici une minute de plus, il faut que tu files tout de suite, imagine qu'il y ait un mauvais coup avec les Allemands, la Gestapo viendrait te ramasser et te fusillerait pour l'exemple.

— Mais, Emilie...

— Pas question, je ne veux pas que tu prennes le moindre risque, ça serait trop bête si tu te faisais prendre ici. »

Je lui ai préparé un balluchon avec deux fois rien, deux chemises, deux paires de chaussettes, un pull-over, pour le charger le moins possible de manière à ne pas attirer l'attention et il est parti sur son vélo, avec sa canne à pêche, comme un humble pêcheur. Il n'était pas loin de minuit quand je l'ai vu disparaître dans le dernier virage, le village était absolument désert mais, nous le savions, c'était veille de foire à Briançon et nous espérions qu'il y aurait suffisamment de remue-ménage pour qu'il puisse traverser sans se faire remarquer.

Deux ou trois jours plus tard j'eus droit à la visite des gendarmes qui me demandèrent où était mon mari.

Je leur dis : « Il est parti à Lyon chez sa mère », et le surlendemain je reçus une convocation pour me présenter à la sous-préfecture. C'est le sous-préfet qui m'accueillit en personne. Il me fit entrer dans son bureau et me dit :

« Madame Carles, vous avez déclaré aux gendarmes que votre mari était allé à Lyon pour voir sa mère, j'ai fait prendre des renseignements, ce n'est pas vrai, il n'y est pas ! »

Qu'est-ce que je pouvais répondre à ça, il fallait que je dise quelque chose, mais quoi ? Pourtant, dans mon émotion, j'avais bêtement dit la vérité, tout au moins ce que je croyais être la vérité. Jean avait directement filé sur Lyon en espérant pouvoir s'y cacher plus facilement, mais là-bas, ils avaient la trouille des Allemands autant qu'ailleurs. Quand mon mari avait raconté son histoire à sa mère et à son frère, ils s'étaient aussitôt écriés qu'ils ne pouvaient pas le garder. « Si tu restes, lui avaient-ils dit, et qu'on vienne te chercher nous serons faits comme des rats. » Jean était donc reparti et le sous-préfet était déjà au courant, il pensait que moi je savais où il se trouvait et il voulait que je le lui dise.

« Madame Carles, vous devez bien connaître l'endroit où il se trouve ?

— Mais je vous dis, il est à Lyon.

— Non ! Vous mentez, vous savez très bien où il est.

— Ah ! Pourtant c'est ce qu'il m'a dit... »

Le sous-préfet m'interrompit brutalement :

« Comment osez-vous ? Dites-moi où il est sans ça !...

— Mais, je ne peux rien vous dire, s'il n'est pas à Lyon alors je ne sais pas où il est allé, certainement qu'il ne va pas tarder à revenir. »

A ce moment-là j'étais vraiment sincère, je ne savais plus où se trouvait mon mari et je me dis que c'était mieux ainsi car, en face de ce bonhomme qui semblait capable de n'importe quoi, j'étais loin de me sentir sûre de moi. Je me disais qu'il pouvait tout aussi bien me faire questionner par ses hommes ou bien me remettre aux soldats de la Gestapo et, quoique morte de peur, j'étais heureuse à l'idée que quoi qu'ils me fassent, je ne pourrais rien leur dire.

J'avais trop d'imagination. C'était une affaire entre le sous-préfet et moi, rien de plus, et il continua à me poser des questions pendant deux heures.

Une chose l'intriguait et il y revenait sans arrêt :

« Mais, qui vous a averti que votre mari était sur une liste d'otages ? »

Moi, je faisais l'idiote, je lui répondais :

« Mon mari otage ? Je ne savais pas, c'est vous qui me l'apprenez, c'est terrible.

— Mais si, vous le saviez, tout le pays le savait puisque votre mari s'en est allé et les huit autres aussi. Vous rendez-vous compte de la gravité de la situation, madame Carles ? Ils ont été avertis tous les neuf, inutile de me raconter des histoires, votre mari a été prévenu lui aussi et vous êtes complice de sa fuite. »

Je l'écoutais parler, je me disais : « Carles est dehors et il y est bien, il ne risque pas de se faire prendre par un salaud de ton espèce. » A la fin, le sous-préfet s'énerva au point de dire n'importe quoi. « Mais c'est de la folie, me dit-il, vous vous rendez compte de ce que nous risquons, de ce que je risque ? Les neuf qui étaient sur la liste ont tous disparu de chez eux, si demain il arrive un mauvais coup, que l'on tue un Allemand, la Gestapo va venir et va me demander la liste et quand elle ira chercher les otages elle n'en trouvera aucun ! Qu'est-ce que va penser la Gestapo ? Qu'est-ce qu'ils vont me dire ? Que je suis complice et c'est moi qu'ils prendront. Je risque ma peau dans cette affaire-là. »

D'un seul coup, cette phrase me redonna du courage, je me dis : « Eh bien, mon vieux, si tu crois que ta peau est plus précieuse que celle de Carles et des huit autres, alors tu te trompes ! S'il suffit d'un type comme toi pour les remplacer, alors tant mieux ! » Qu'est-ce que ça pouvait me faire que les Allemands embarquent le sous-préfet et qu'ils le fusillent. Ça en ferait un de moins et un de bien salaud...

De son côté le maire de Val-des-Prés essayait aussi de me tirer les vers du nez. Cet homme était un misérable, non seulement il avait eu l'aplomb de donner le nom de Carles au sous-préfet mais il venait régulièrement me tourmenter et, en même temps, il en profitait pour me faire des propositions. Ça faisait longtemps qu'il me tournait autour et, au début de mon mariage lorsque je m'étais installée à l'école de Val-des-Prés la première fois, nous avions déjà eu une explication à ce sujet. A cette époque il m'avait joué un tour à sa façon. L'école était dans un triste état, l'appartement surtout, et j'avais demandé à la municipalité si je pouvais faire blanchir les murs et si mon mari pouvait se charger des travaux. C'était son métier et il avait la possibilité de remettre la maison en état comme il l'entendait. Le conseil municipal avait accepté, seulement Jean à son habitude en avait fait beaucoup trop, non seulement il avait blanchi les murs mais il avait peint des fresques et décoré les pièces et, au moment de passer la note, le conseil avait tiqué : « C'est très bien que votre mari ait décoré les pièces, avaient-ils dit, mais nous ne devons que le blanchiment. » Le maire vint le lendemain pour se rendre compte de ce qui avait été fait : « Avant de payer la facture je suis obligé de constater la qualité du travail, il faut que tu me montres l'appartement. »

Ce jour-là, j'étais seule et j'ai accepté, normalement je crois que je ne pouvais pas lui refuser. Je lui ai fait visiter toutes les pièces, la salle à manger, la cuisine et quand nous sommes arrivés dans la chambre à coucher, avant que j'aie pu me douter de rien, le bonhomme m'a bousculée et m'a fait basculer sur le lit. Je ne me suis pas laissé faire, je me suis débattue et je l'ai mis à la porte sans ménagement. L'affaire en était restée là, je n'en avais même pas parlé à Jean par crainte qu'il n'aille lui casser la figure et pendant des années il n'y eut que le maire et moi qui sûmes ce qui s'était passé dans la chambre. Depuis il avait entretenu à mon égard une rancune et une aigreur exagérées et il ne manquait jamais l'occasion de le faire sentir.

Cela explique sa hargne et son cynisme au moment où mon mari avait pris la fuite pour échapper au sous-préfet. C'était vraiment un pauvre type, il venait et il me demandait : « Alors, Emilie, tu n'as pas de nouvelles de ton mari ? »

Je pouvais me permettre de le faire marcher, je ne suis pas hypocrite mais pour une fois je n'avais aucune raison de me gêner. Lui aussi était dans de sales draps avec son otage qui avait disparu sans laisser de trace, je suppose que le sous-préfet ne l'avait pas ménagé et moi, je ne prenais pas de gants pour lui répondre.

« Ben, que je lui disais, tu ne savais pas que Carles était un coureur de femmes ? Il a toujours eu des maîtresses et cette fois il est bel et bien parti avec une poule. Qu'est-ce que tu veux que j'y fasse ?

— Mais, mais — il était déconcerté — tu vas élever tes gosses toute seule ?

— Bien sûr, je n'ai besoin de personne, je suis assez grande pour me défendre seule, j'ai mon traitement, j'ai tout ce qu'il me faut. » Il s'en retournait contrit, à moitié convaincu, ne sachant si ce que je lui disais était du lard ou du cochon.

Les gendarmes revenaient régulièrement eux aussi. Après mon interrogatoire par le sous-préfet ils étaient venus plusieurs fois pour me poser toujours les mêmes questions : « Avez-vous des nouvelles de votre mari ? Savez-vous où il se trouve actuellement ? » et chaque fois je leur répondais non. C'est eux que je craignais le plus, car j'imaginais qu'un jour ou l'autre ils m'emmèneraient pour me livrer Dieu sait à qui. Quand je faisais ma classe et que je les apercevais sur la route je perdais tous mes moyens, je me disais : « Cette fois, ils viennent te chercher, Emilie. »

Dans ces cas-là, je faisais n'importe quoi, je me levais, j'allais au tableau et j'écrivais ce qui me passait par la tête, un numéro de problème, un titre de leçon et aussitôt je disais aux gosses :

« Personne ne veut aller aux cabinets ? »

Il y en avait toujours un ou deux qui sautaient sur l'occasion. Quand ils revenaient je leur demandais :

« Vous n'avez rien vu ?

— Si, madame, les gendarmes montent la côte, ils continuent sur Montgenèvre. »

Je poussais un soupir de soulagement, ils étaient passés, ce n'était pas pour cette fois.

Cette peur était ridicule, je le savais, mais je ne pouvais pas m'empêcher de penser à la torture en sachant que je ne résisterais pas bien longtemps avant de parler. Car, entre-temps, j'avais reçu des nouvelles de Jean et je savais où il était.

Mon père mourut à ce moment-là, au mois de février 1945. Il avait quatre-vingt-six ans. Depuis un mois nous savions qu'il allait mourir, il était rongé par le diabète et les médecins qui le soignaient ne nous avaient laissé aucun espoir. Lui aussi le savait et il me disait : « Je suis arrivé au bout de ma route. »

Cet homme avait été tout pour moi, pendant des années il avait été mon père et ma mère tout à la fois et nous ne nous étions pour ainsi dire jamais quittés. Nous avions avancé dans la vie côte à côte, chacun avec ses idées, mais toujours proches l'un de l'autre. Il avait été la tendresse et la dureté, son monde était à l'opposé du nôtre, celui de Jean et le mien, mais comment aurais-je pu lui en vouloir, mon père était un homme de l'ancien temps qui n'avait jamais quitté son pays. Le plus loin qu'il connaissait c'était Briançon, les quelques villages où il allait aux foires et les villages italiens où il achetait ses moutons quand il faisait de la contrebande. A part ça il ne savait rien du monde.

Il n'avait jamais lu non plus, ni un livre, ni un journal. Ce n'est que lorsqu'il eut soixante-quinze ans qu'il ouvrit le premier livre de sa vie, Jean et moi avions réussi à opérer ce petit miracle. Je me souviens, c'était un livre d'Emile Guillaumin, je ne sais plus lequel, mais cette lecture fut pour lui une révélation. Quand il eut terminé il me dit que ça lui avait plu, parce que, précisa-t-il, ça touchait aux choses de la vie qu'il avait connues. Ce fut un des moments les plus émouvants de toute ma vie, le fait que cet homme qui avait presque quatre-vingts ans parle d'un livre comme d'un enrichissement, lui qui n'avait eu que de la méfiance pour tout ce qui était imprimé et quand pour finir il m'en demanda un autre je crois que j'eus du mal à ne pas pleurer tellement j'étais émue.

Le jour de son enterrement, tout le village était présent. Mon père était un ancien, dans l'assistance la plupart l'avaient aimé, certains vénéré pour sa droiture et sa rigueur morale et quelques autres avaient profité de sa bonté pour lui jouer des tours pendables. De sa génération il était un des derniers à s'en aller.

Ce jour-là, l'absence de Jean pesait plus lourd que d'habitude, curieusement mon chagrin cédait le pas devant l'inquiétude. Je n'avais plus de nouvelles de mon mari depuis plus d'un mois et, quand on sait un homme en fuite, traqué par les gendarmes, obligé de se cacher chez les uns et chez les autres, un mois c'est long. Malgré moi je ne pouvais m'empêcher de penser à la mort ou à la déportation. C'est à cet instant, au moment des condoléances, qu'un homme que je ne connaissais pas me glissa une lettre dans la main. Mon cœur se mit à battre, ce ne pouvait être qu'une lettre de lui. Dès que je le pus, je partis m'isoler dans l'écurie et j'ouvris l'enveloppe. Jean me donnait plutôt de bonnes nouvelles, il était dans le Midi, il se débrouillait assez bien, jusque-là il n'avait eu aucun ennui grave.

Le reste de l'enterrement passa sans que je m'en rende compte. J'étais incapable de verser une larme, j'étais trop heureuse et je crains que les gens du village crurent que je n'aimais pas mon père. D'un seul coup mon angoisse s'était envolée, je me sentais légère comme un oiseau et j'étais incapable de jouer la comédie.

Il n'y eut que le maire pour ternir cette joie. Le lendemain il revint une fois de plus pour me questionner. Il avait pris pour prétexte la mort de mon père et l'obligation dans laquelle il était — me dit-il — de reprendre ses cartes d'alimentation. Moi je trouvais ça monstrueux, de venir récupérer les tickets de pain d'un mort, lui pas, il était culotté au possible, cynique même et, à la fin, il me dit :

« Alors, maintenant c'est définitif, avec ton mari il n'y a plus rien puisqu'il n'est même pas venu pour l'enterrement ?

— Laisse, lui ai-je dit, voilà tes cartes et fiche-moi la paix.

— Ah ! bon, pourtant j'aurais cru qu'il viendrait.

— Comment veux-tu qu'il vienne, je ne sais pas où il est. »

J'ai joué le jeu jusqu'au bout, moi qui me croyais incapable de mentir, ce jour-là je le fis tout naturellement et je n'en eus aucun remords.

Pendant ce temps, Carles battait la campagne, il vadrouillait dans le Midi, allant d'un pays à l'autre en évitant de se faire remarquer. La plupart du temps il dormait dans des granges et ce n'était que lorsqu'il ne pouvait pas faire autrement qu'il demandait à être hébergé chez les gens.

Je ne sais si c'est cette mobilité de vagabond qui le sauva, en tous les cas les gendarmes ne purent jamais le retrouver. Pour finir, il se réfugia chez un de mes cousins à Tallard. Il y resta suffisamment longtemps pour que je puisse correspondre régulièrement avec lui. Mon cousin était négociant en fruits et légumes et, comme pour nous écrire il nous fallait prendre un minimum de précautions, le courrier comme le reste étant surveillé, nous nous servîmes très naïvement de cette couverture. Lorsque je lui envoyais un mot, quelquefois un télégramme, pour le tenir au courant de la situation à Briançon, j'écrivais : « Les légumes et les fruits sont arrivés pourris. » C'était un code, pour nous cela voulait dire : « Le climat pour toi est encore très mauvais, inutile de revenir. » C'était peu de chose mais notre vie en dépendait.

Plus tard, Jean dut reprendre la route. Sa situation à Tallard était devenue précaire et plutôt que de prendre le risque de se faire ramasser par les gendarmes il avait préféré se réfugier dans les montagnes au-dessus de Curban. Le hasard fit qu'il rejoignit un camp de maquisards et que ceux-ci l'acceptèrent.

Carles n'avait nullement l'intention de prendre un fusil et de se battre, ce n'était pas dans ses idées, mais dans un groupe d'hommes isolés comme l'étaient ceux-là il pouvait rendre des services. C'est ce qu'il leur avait dit. « Je suis un pacifiste, je suis contre la guerre, mais comme on m'a mis sur une liste d'otages, j'ai quitté mon village parce que je ne veux pas donner ma peau aux Allemands. »

Le chef du maquis lui avait répondu :

« C'est ton droit mais si tu restes avec nous il faut que tu nous aides, qu'est-ce que tu sais faire ?

— Je suis cuisinier, je peux vous faire la tambouille.

— D'accord, dit le maquisard, tu peux rester avec nous. »

Tout alla bien pendant un temps, jusqu'au jour où Jean ne put supporter que les gosses, car c'étaient des gosses qui avaient tous entre dix-sept et vingt ans, prennent la garde à sa place. Il demanda au responsable :

« Pourquoi je ne prends jamais un tour de garde ? ça je peux le faire.

— Mais, Carles, parce que tu es trop vieux et que tu nous as dit que tu étais un pacifiste et que tu ne voulais pas prendre un fusil.

— Ah ! dit mon mari, c'est terrible ça. Je ne veux pas que l'on prenne la garde à ma place, la peau d'un jeune vaut bien la peau d'un vieux, si quelqu'un doit y passer autant que ce soit moi, je préfère m'en aller.

— Carles, dit le chef des maquisards, tu vas nous manquer, nous te regretterons parce que tu nous faisais de la bonne soupe, mais nous respectons tes idées et tu peux t'en aller quand tu veux. »

C'est ainsi qu'il les avait quittés, il avait bouclé son sac tyrolien et il était reparti à l'aventure. Deux jours après, les Allemands bouclèrent la forêt où se trouvait le maquis. Avant de donner l'assaut avec leurs chenilles et leurs mitrailleuses ils mirent le feu aux arbres et ils tuèrent tous ceux qui n'avaient pas brûlé vifs. Il n'y eut aucun survivant. Jean avait échappé à la mort de justesse.

Quelques semaines plus tard, ce fut la libération et Carles revint à Val-des-Prés. Drôle de libération pour la vallée de la Clarée ! Nous n'avons vu personne, les Américains et les convois alliés ne sont pas passés par le col de l'Echelle mais par Montgenèvre, Briançon et le Lautaret, direction Grenoble. Nous étions trop à l'écart pour les intéresser. Cela fit que nous entendîmes parler à la radio de la libération tandis que nous restions à l'écart. Les Américains et leurs amis étant passés, les Allemands et les Italiens réoccupèrent la vallée, les cols et les villages. Pendant quatre mois, alors que le reste du Briançonnais était libéré, nous vécûmes sous le joug du régime nazi. Nous ne savions plus ce que nous allions devenir.

Pourtant, au mois d'août, c'était vraiment la fin, cela se sentait. De plus en plus les F.F.I. accentuaient leur pression sur ce qui restait d'Allemands et pendant que nous faisions les moissons ça tirait dans tous les coins. Au fil des jours les choses allaient de mal en pis et plus personne ne se sentait en sécurité. Ceux du village qui avaient un chalet à Granon montèrent s'y réfugier avec leurs vaches et leurs moutons, quelques vieux restèrent au village et nous, nous décidâmes de nous cacher, en attendant que ça se calme. La grotte aux cinquante ânes nous parut l'endroit le plus approprié.

Cette grotte des cinquante ânes, située dans la montagne, entre ici et Plampinet, était une cachette idéale. Elle datait de l'époque où le Briançonnais était une République indépendante et s'appelait « Les Escartons briançonnais ». Un territoire formé par la Lombardie, le Piémont et le pays briançonnais. En 1815 les Sardes et les Autrichiens avaient envahi la région, pillant et massacrant tout ce qui leur tombait sous la main, et pour se protéger et échapper à la réquisition, les habitants s'étaient réfugiés dans la nature et plus particulièrement dans cette grotte avec leurs ânes.

Nous sommes restés là une dizaine de jours en vivant comme des nomades. Nous n'étions pas très nombreux, il y avait nous quatre, Jean, les deux garçons et moi ainsi qu'une autre famille de Val-des-Prés. Nous avions amené nos chèvres avec nous, nos sacs bourrés de provisions et pour dormir, Jean nous avait confectionné des litières avec des herbes et des bruyères. Pour manger c'était à la fortune du pot, la cuisine était des plus simples, et très vite le pain et les pommes de terre vinrent à manquer. Pour le pain on essaya de cuire sur la braise de grosses miches rudimentaires, ce n'était pas très fameux mais ça pouvait tout de même passer pour du pain. Quant aux pommes de terre il fallait aller les chercher dans les champs. C'était risqué. Mon fils aîné partait avec le sac à dos. Un jour, alors qu'il parcourait la campagne pour nous ravitailler, nous entendîmes des coups de feu. J'ai tout de suite imaginé le pire, mon fils avait quinze ans, c'était un gaillard et avec son sac à dos les Allemands pouvaient très bien le prendre pour un résistant. Heureusement ce n'était qu'une fausse alerte et il est revenu. Dès qu'il avait entendu tirer il s'était caché dans des buissons et il avait rampé jusqu'à la grotte. A partir de ce moment nous avons préféré nous passer de patates plutôt que de prendre des risques. Il nous restait encore le lait de nos chèvres et le fromage que nous faisions, nous avions de la présure et nous mangions ce caillé avec notre pain qui ressemblait à de l'éponge noircie.

Un beau jour, mon mari sortit pour appeler les chèvres, quand il revint, il nous dit : « C'est curieux j'ai vu plein de soldats courir dans la campagne, ce n'étaient ni des Allemands ni des Américains, je crois bien que ce sont les maquisards. »

Nous avons attendu encore un peu, le temps d'être tout à fait sûrs. Lorsque nous n'eûmes plus aucun doute sur le départ des Allemands, nous quittâmes la grotte des cinquante ânes et nous retournâmes à Val-des-Prés.

Lorsque nous sommes arrivés il a bien fallu se rendre à l'évidence, avant de partir les Allemands avaient tout saccagé. Ils avaient pillé et volé tout ce qu'ils pouvaient. Aux Arcades les portes et les fenêtres étaient éventrées, il ne restait ni un drap ni une couverture. Nous étions si fiers de ces couvertures que nous avions fait tisser avec la laine de nos moutons ! Un voisin avait vu les Allemands en faire des bourrasses qu'ils jetaient par les fenêtres avant de les charger dans leurs camions. Dans la cuisine, les ravages étaient pires encore. Quelques jours auparavant Marie avait descendu du Granon la confiture de myrtille qu'elle venait de faire. Les Allemands avaient ouvert tous les pots, ils en avaient chaque fois mangé une cuillère ou deux avant de les jeter contre le mur. Tous les pots étaient éventrés et le crépi du mur était maculé des coulées violettes de l'airelle. C'était un spectacle désolant.

Qu'importe, nous étions libérés, la guerre était finie et chacun faisait ses comptes. Drôle de manière de faire les comptes ! Jusque-là dans toutes les maisons trônait sur les cheminées à côté du calendrier des postes, la photographie de Pétain avec son petit ruban tricolore. Du jour au lendemain la photographie du général remplaça celle du maréchal, seul le ruban resta le même. Cela se fit tout naturellement sans qu'apparemment personne ne se pose de problème de conscience, un peu comme si chacun avait tourné la page d'un livre pour passer d'un chapitre à un autre.

Pour le maire ce ne fut tout de même pas aussi facile, pendant ces années d'occupation il avait joué la carte de la sous-préfecture et lorsque les responsables du Comité de la Résistance de Gap vinrent dans la région ils le destituèrent. Jean fut nommé maire à sa place.

A l'époque, pendant ces premières semaines d'après l'occupation, l'autorité du préfet avait été remplacée par ces fameux Comités qui eux-mêmes s'appuyaient sur les Compagnies Républicaines de Sécurité. A Val-des-Prés mon mari avait été catalogué comme un résistant, il avait été en tête de la liste d'otages, il avait pris la fuite, c'étaient les raisons pour lesquelles on lui avait demandé de prendre la direction de la commune et il avait accepté. Le jour où il prit ses fonctions il monta au bistrot de l'ancien maire. Quand il entra dans la salle du café accompagné de ses adjoints l'autre était à genoux, la tête posée sur une table, il leur dit :

« Je savais que vous alliez venir pour vous venger, maintenant vous allez prendre une hache et me couper la tête, allez-y, ne vous gênez pas. »

INSTITUTRICE À VAL-DES-PRÉS

« Monsieur le maire, levez-vous ! dit mon mari, nous ne sommes pas ici pour régler des comptes ni vous faire du mal, reconnaissez seulement que vous avez joué le mauvais cheval, vous étiez pro-allemand, vous leur avez vendu des pommes de terre et autres, sans compter cc que vous m'avez fait personnellement. Dans ces conditions ne vous étonnez pas de ce qui vous arrive. Aujourd'hui, c'est moi qui vais vous remplacer mais n'ayez crainte, je ne vais pas y rester longtemps, il y aura des élections et si ça vous chante de vous représenter ce n'est pas moi qui vous disputerai la place. »

Carles n'était pas rancunier, beaucoup dans les mêmes circonstances en auraient profité, mais ce n'était pas dans nos manières. Nommé maire, mon mari n'eut qu'une préoccupation en tête : défendre les intérêts du village et faire en sorte que tous ceux qui avaient été spoliés par les réquisitions et les dégradations soient dédommagés. C'est ce qu'il me dit : « La première chose à faire c'est d'obtenir des crédits pour rembourser les paysans de ce qu'ils ont perdu en 40 et 45. » Je lui fis remarquer que nous aussi nous étions dans ce cas.

« Certes, me répondit-il, c'est vrai, mais en tant que maire je dois passer en dernier. »

Il partit pour Marseille voir les autorités et plaider la cause des paysans de Val-des-Prés. Le plus urgent était que chacun puisse se procurer au moins une bête de somme pour labourer et travailler la terre. Jean fit tant et si bien, qu'il obtint gain de cause et quand il revint il demanda que toutes les familles préparent leur dossier. A partir de ce moment ce fut la foire d'empoigne, la majorité des paysans se débrouillèrent pour déclarer plus que ce qu'ils avaient perdu. Ils venaient voir Jean avec leur liste et leurs témoins, ces témoins, ce n'était qu'une mascarade. Chacun devait faire confirmer ses déclarations par deux témoins et tous se présentaient à la mairie accompagnés de voisins ou de parents, ils signaient et après ils changeaient de rôle. Ça leur fut facile de déclarer n'importe quoi, par exemple il y avait peut-être deux ménagères dans tout Val-des-Prés, mais tous inscrivirent une ménagère sur leur liste, et ainsi de suite. C'était un abus de confiance flagrant, Jean le voyait bien, il en était malade mais il n'y pouvait rien. C'est lui qui avait mis la machine en route et il fut bien obligé de cautionner tous ces mensonges.

Les plus gourmands furent récompensés, ils touchèrent pas mal d'argent et certains firent d'honorables bénéfices, quant aux autres, à ceux qui très honnêtement donnèrent une liste conforme à la réalité, ils touchèrent des sommes ridicules. Décidément, la guerre n'avait rien changé, tout continuait comme auparavant et la justice était toujours aussi boiteuse. Lorsque je demandais à Jean de s'occuper de notre liste il me répondait toujours : « Ne t'impatiente pas, notre tour viendra quand tout le monde sera servi, nous avons tout notre temps. »

Quand il jugea notre tour venu, Jean déposa notre dossier. Presque aussitôt on nous répondit que c'était trop tard, les crédits étant épuisés, et de l'argent que nous espérions nous ne touchâmes que des poussières. Mon mari comprit alors qu'il s'était fait berner, notre déception fut grande, mais il nous fallut accepter et nous taire puisque c'est lui qui l'avait voulu ainsi. De toute façon, sa tâche était terminée, dès qu'il y eut des élections il se retira de la compétition, il ne voulait pas se présenter comme maire, car, disait-il, il en avait assez vu comme ça. Carles sortit de cette expérience fatigué et vieilli, il savait qu'en agissant ainsi il laissait le champ libre aux affairistes et aux combinards, mais une fois de plus, son penchant individualiste et libertaire fut le plus fort. Comme je lui faisais remarquer tout ce qu'un homme comme lui aurait pu réaliser il me répondit : « Le pouvoir est trop salissant. »

Nous tirâmes un trait sur cette période, il nous fallait repartir à zéro. Vu l'état dans lequel se trouvaient Les Arcades il était impossible de rouvrir l'hôtel. Nous décidâmes de nous remettre à cultiver la terre et de remonter la ferme. Jean était un ouvrier, il s'y connaissait bien mal en culture et en élevage, il n'avait jamais tenu une faux mais il se mit au travail. Ensemble nous remîmes la terre en état, ce ne fut pas sans problème. Depuis le temps que nous avions laissé les champs en friche ou bien en location, c'était difficile de s'y reconnaître. Nous commençâmes par aller au cadastre, pour faire le relevé de toutes les bornes. Nous avions acheté un cahier dans lequel nous dessinions le tracé des terres de la famille, car il n'était pas question de se tromper et de faucher l'herbe du voisin, ça aurait fait des histoires à n'en plus finir.

Je me souviens, nous partions tous les deux avec nos outils pendant que Marie restait à la maison pour s'occuper des enfants. Le soir, pour gagner du temps, nous couchions sur place sous la tente. Jean fauchait, moi je ratelais, ensemble nous faisions nos bourrasses comme au bon vieux temps. Pour les descendre, comme nous n'avions ni mulet ni attelage, nous étions obligés de passer par le bon vouloir de ceux qui en avaient. Le tarif était lourd, une bourrasse pour nous, une pour le propriétaire du cheval. C'était dur mais nous n'avions pas le choix et pas d'autre moyen de nous en sortir.

Aux Arcades nous élevions des lapins, des poules, un ou deux cochons, et de mon père il nous restait quelques brebis et une vache. Je faisais le beurre, les fromages et, durant cette première année qui suivit la libération, nous vécûmes pratiquement sur ce que nous produisions. Dès que j'avais un moment de libre j'allais garder le troupeau, cela me rappelait mes années de jeunesse. Je partais avec les chèvres autour du village, ou plus loin, dans les champs communaux sur la route de Plampinet. L'herbe était haute, les chèvres y étaient bien, comme disait Daudet : « Elles avaient de l'herbe jusqu'au ventre. » Avec mon jeune fils nous nous installions dans quelque pré sauvage, lui avec ses jeux, moi avec un livre ou un tricot, c'était un vrai paradis. Je garde de ces journées sur les bords de la Clarée un souvenir extraordinaire. Les chèvres commençaient toujours par manger les corolles des fleurs, elles s'attaquaient ensuite aux buissons et quand elles étaient soûles d'herbe elles se couchaient et dormaient. C'était l'heure de nous reposer. Avec Michou nous ouvrions le sac et nous déjeunions, le menu était simple, du jambon, un bout de saucisson, quelques œufs durs, du fromage et du pain. Après nous avions le temps de faire la sieste comme les chèvres. Quelquefois, lorsque nous nous réveillions, il nous fallait tout de même courir après elles, les chèvres sont des grimpeuses impénitentes. Ce fut un été formidable, nous vivions simplement, nous étions très près de la nature, heureux et riches de ce que nous faisions.

Pourtant nous ne pouvions nous installer dans cette économie paysanne. Malgré sa bonne volonté mon mari n'était pas un cultivateur. Mon fils aîné non plus, depuis toujours il rêvait de neige, il voulait être moniteur de ski, et ce n'est pas nous qui allions contrarier sa vocation. Mais que faire ? Les Arcades étaient dans un tel état que pour les remettre sur pied il fallait faire des travaux. Ni Jean ni moi ne nous sentions capables de recommencer ce que nous avions fait douze ans auparavant. Nous décidâmes d'en appeler à une entreprise de Briançon pour le plus gros, pour le reste nous verrions bien. C'est une chose que j'aurais presque oubliée si, il y a quelques jours de cela, un homme n'était venu me voir au Vivier. En une phrase il me remit en mémoire toute cette période.

Ce jour-là je prenais le soleil sur ma terrasse lorsque deux hommes se présentèrent, que je ne connaissais pas. Il y en avait un d'une soixantaine d'années et un autre plus jeune, c'est le plus âgé qui vint jusqu'à moi et qui se présenta. Il me dit :

« Bonjour madame, je suis M. Colle. »

M. Colle ? Ça ne me disait rien du tout, je cherchais qui pouvait bien être ce bonhomme, mais je ne voyais pas. Je dis : « Bonjour », et comme je continuais d'attendre et que manifestement ça devait se voir, l'homme me dit :

« Vous ne vous rappelez pas de moi ? »

Je dis : « Franchement, non. » Pourtant à force de le dévisager, je lui trouvais un air de connaissance mais sans pouvoir le préciser.

« Madame Carles, me dit le bonhomme, j'ai travaillé chez vous tout de suite après la guerre. Vous ne vous rappelez pas ? Je faisais le maçon chez Forbras — Gaston ?... »

En effet, le nom me disait quelque chose, c'était celui de l'entreprise qui avait fait les travaux de réfection aux Arcades.

L'homme continua :

« Eh bien, il est mort, la maison n'existe plus et maintenant pour avoir ma retraite il me faut un certificat des gens chez qui j'ai travaillé, si je n'arrive pas à avoir des déclarations et des signatures attestant que j'ai travaillé telle année chez vous, telle année chez un autre, je risque de perdre ma retraite. Alors je viens voir si vous voulez bien me faire cette lettre, et celui-ci c'est mon gendre... »

Il me présenta l'autre bonhomme et je lui dis que je voulais bien lui signer le papier qu'il me demandait, certifiant sur l'honneur qu'il avait travaillé chez nous en 1946.

Pendant que je lui faisais son mot, l'homme, que je

sentais préoccupé et curieux, me dit encore : « Pourtant vous devriez vous en rappeler, d'autant que c'est vous qui m'avez présenté au certificat d'études. »

Du coup je n'en suis pas revenue.

« Moi, je vous ai présenté au certificat d'études ?

— Mais oui, madame Carles, j'avais trente-six ans, souvenez-vous donc, on mangeait tous ensemble dans votre cuisine, vous, vous faisiez l'école, quand vous arriviez on se mettait à table et un jour je vous ai raconté mon histoire, je vous ai dit que je voulais être veilleur de nuit au lycée de Briançon pour me bâtir une bicoque pendant la journée et que le seul empêchement dans cette affaire c'était le proviseur... Parce qu'il me fallait mon certificat pour avoir la place et que je ne l'avais pas. Quand j'ai dit ça, votre mari, qui écoutait aussi, vous a regardée et vous... »

D'un seul coup je me suis souvenue de ce moment-là. J'ai revu notre cuisine des Arcades, la grande table avec tous les ouvriers assis autour et mon mari devant ses fourneaux et ses poêlons. Je me suis souvenue également de cet homme et de ce qu'il avait dit. Avec Jean nous n'avions pas besoin de parler, il m'avait regardée et tout de suite j'avais su ce que ça voulait dire.

« Eh bien, écoutez, avais-je dit, je ne sais pas, on va essayer. »

« Alors, tous les midi pendant que les autres fumaient une cigarette et faisaient la sieste, vous me disiez : "Allez, Colle" et nous partions dans la pièce à côté pour travailler et vous, vous regardiez votre montre parce que vous aviez votre classe et moi mon boulot. »

C'était vrai, nous passions cette heure d'après le repas à préparer son certificat d'études. C'était un élève très attentif, je n'avais pas besoin de lui répéter deux fois la même règle de grammaire. Il désirait tellement obtenir son certificat qu'il ne laissait rien passer, les accords, l'orthographe, le calcul, tout lui allait. Pour le reste, j'avais un memento de cent examens, je lui avais dit : « Si tu lis et si tu apprends les questions d'histoire, de géographie et de science qui sont là-dedans, tu en sauras assez pour te débrouiller le jour de l'examen. »

« Eh bien je l'ai eu mon certificat, vous savez.

— Comment ?

— Je l'ai eu à trente-six ans et c'est grâce à vous. »

En disant ça il en avait les larmes aux yeux, je le voyais qui tremblait tant il était ému et moi je n'ai pas pu me retenir j'ai pleuré aussi.

« Après, j'ai obtenu ce poste de gardien de nuit et j'ai bâti ma maison tout comme je voulais le faire. Quand elle a été finie je l'ai appelée *L'abri-Colle*. C'était le rêve de ma vie. »

C'est le plus beau souvenir de toute ma carrière d'institutrice. Que trente ans après, cet homme vienne me dire qu'il avait eu son certificat d'études à trente-six ans grâce à moi, son poste de gardien et sa maison, c'est la plus belle récompense que j'aie jamais eue.

Je fus enfin nommée institutrice à Val-des-Prés en 1945 et j'y suis restée jusqu'à ce que je prenne ma retraite en 1962. Pour moi c'était l'aboutissement de tout ce que j'avais rêvé depuis que j'étais petite fille, faire la classe aux enfants de mon village. Je ne pouvais souhaiter rien de mieux.

Apprendre aux gosses à lire et à écrire est une chose, c'est important, mais ce n'est pas suffisant. J'avais toujours eu de l'école, de son rôle, et de celui du maître une idée plus élevée. A mes yeux c'est à l'école communale que les enfants prennent la mesure du monde et de la société, après, quels que soient leur métier, leur orientation, c'est trop tard, le pli est pris. S'il est bon tant mieux, mais s'il est mauvais il n'y a plus rien à faire.

Dans un pays arriéré comme ici, avec la vie que j'avais eue, ce qui me paraissait essentiel, c'était de leur ouvrir l'esprit à la vie, c'est-à-dire de faire éclater les barrières dans lesquelles ils étaient enfermés, de leur faire comprendre que la terre est ronde, infinie et diverse et que chaque individu, qu'il soit blanc, noir ou jaune, a le droit — et le devoir — de penser et de décider par lui-même. J'avais autant appris par la vie que par les études, c'est la raison pour laquelle je n'ai jamais pu juger mes élèves uniquement sur le résultat de leurs devoirs, mais aussi sur la manière dont ils se comportaient dans la vie de tous les jours. Par exemple, je ne leur ai jamais caché que tous autant qu'ils étaient ils n'échapperaient pas à la réalité sociale et que, au bout du compte, ils devraient travailler pour gagner leur vie. Mais, en même temps, je les mettais en garde contre les abus. Je leur disais qu'un homme doit se défendre contre l'exploitation et contre l'abrutissement par le travail, je leur disais aussi : « Ce qui est le plus important pour un jeune c'est de choisir un métier qui lui plaise et qu'il aime, sinon, il devient un forcené, un esclave et un malheureux. » Au bout de ce raisonnement je leur parlais toujours de la liberté, leur répétant que cette fameuse liberté ne devait pas être un mot inscrit au fronton des droits de l'homme, une liberté abstraite et illusoire, mais au contraire une réalité pour chacun d'entre eux.

« Méfiez-vous des politiques, méfiez-vous des beaux parleurs, efforcez-vous de juger par vous-même et surtout, profitez des beautés de la vie. » Tel était le message que j'essayais de leur faire comprendre, pendant dix-sept ans, dans le village où j'étais née et où j'avais vécu.

Je savais que les freins les plus puissants se trouvaient en dehors de l'école, dans les familles et que, en définitive, c'était là que devait s'opérer le changement. Comment faire ? Je me suis attaquée au patriarcat, à l'alcoolisme et au chauvinisme. Ils n'avaient fait que trop de ravages. Ce ne fut pas du goût de tout le monde, mais je m'en fichais, je savais que lorsque les enfants grandiraient ils prendraient le pas sur leurs aînés et qu'à ce moment-là, il resterait quelque chose de ce que je leur avais appris. Certes, il y avait des familles où ils étaient indécrottables, mais je me disais qu'à la longue la jeunesse prendrait le dessus et bousculerait les vieilles idées.

Quand on éduque des enfants entre six et quatorze ans, qu'on les a tous les jours avec soi, qu'on leur parle et que l'on veut être entendu, il ne faut ni leur raconter des histoires, ni leur dire : « Faites ce que je dis, ne faites pas ce que je fais. » S'ils s'aperçoivent que le maître leur ment, ils continuent à rester assis sur leur banc parce qu'ils y sont obligés, mais ils ne croient plus rien de ce qu'on leur raconte. Ils sont très exigeants, ils veulent un enseignement conforme à ce qu'ils voient et à ce qu'ils vivent chaque jour.

C'est la raison pour laquelle j'essayais toujours de mettre en pratique mes leçons. Que ce soit sur le plan de l'hygiène ou celui de la morale je m'efforçais d'aller au-delà des mots et des bons sentiments en leur faisant toucher du doigt la réalité. Quand je leur parlais de la propreté et des soins du corps, je les emmenais aux Arcades. Je leur montrais une salle de bain, un W.-C., une machine à laver la vaisselle ou le linge et je les faisais fonctionner. C'était une chance que d'avoir tout ça sous la main, pas une phrase ne pouvait remplacer l'expérience et je dois dire que quand les gosses avaient vu fonctionner une de ces machines ils avaient compris, ce n'était plus la peine de revenir dessus.

Pour l'instruction civique c'était la même chose. Je me souviens un jour je faisais un cours sur l'alcoolisme, et pour qu'ils comprennent vraiment ce qu'est la déchéance de l'alcoolique, je leur parlais d'un cas concret que tout le monde connaissait dans le village. Je procédais toujours ainsi, profitant d'un exemple, pour non pas leur faire la morale, c'est bien, c'est mal, mais pour leur montrer des faits et des conséquences. Cette fois-là nous savions qu'un homme s'était soûlé et qu'il avait battu sa femme. La dispute avait fait du bruit, toute la vaisselle y était passée et tout le pays était au courant. Je leur dis : « Vous savez très bien ce qui se passe quand quelqu'un boit, on dit que l'alcoolique boit le sang et la vie de ses enfants et c'est vrai. Dans une maison où il y a un ivrogne il manque toujours du pain, il manque toujours de tout, la femme n'est pas heureuse et les enfants non plus. C'est un vrai désastre. »

J'allai au tableau et j'écrivis — il fallait leur faire trois lignes d'écriture, une grosse, une moyenne et une fine, c'était obligatoire — : « l'alcool tue ». A peine avais-je terminé d'écrire que j'entends un rire dans mon dos. Je me retournai et dis : « Mais qu'est-ce qui te fait rire Rosa ? » La gosse me répondit aussitôt :

« Mais, madame, c'est vous qui me faites rire avec cette phrase. » Je connais peu de classes où les gosses auraient pu se permettre de répondre ainsi à leur maître, moi je les avais habitués à me dire ce qu'ils pensaient lorsque je leur parlais. Je leur disais toujours : « D'accord ou pas, vous devez vous exprimer », et ça marchait, c'était un accord entre nous qui s'était institué dès le début, ils mettaient leur grain de sel dans tout ce que je faisais et disais... sans vouloir me jeter des fleurs j'ai dialogué avec la classe bien avant les autres et c'est pourquoi une gosse comme Rosa pouvait se permettre de me dire : « C'est vous qui me faites rire avec votre phrase » sans que personne ne s'en étonne.

« Ah ! dis-je, et pourquoi je te fais rire ?

— Eh bien, mon père a acheté un tonnelet d'eau-de-vie pour ma mère, il s'était dit que lorsqu'elle l'aurait bu, elle se serait dégoûtée eh bien, madame, le tonneau est vide et ma mère est toujours là. »

Lorsqu'une gosse de douze ans vous sort une réplique pareille en classe, c'est dur après ça de leur faire un cours de morale. Ma belle phrase, sortie du manuel des idées toutes faites, ne pesait pas lourd et c'était à moi de revenir à la réalité. C'était d'autant plus évident que cette histoire était vraie. La femme vivait toujours et son mari continuait à lui fournir tout l'alcool dont elle avait besoin, après ce tonneau d'eau-de-vie il lui avait acheté un demi-muid de vin en se disant qu'à force de boire elle finirait bien par s'arrêter, imbibée. Il avait dû déchanter, non seulement la femme avait résisté mais elle avait eu six enfants. Ce furent eux qui payèrent pour ses excès, l'un des petits mourut d'une crise d'urémie.

Il y a un autre fléau contre lequel je me suis élevée et battue, c'est l'épargne. A l'époque, la politique officielle voulait que l'on apprenne aux enfants à épargner. Je me rappelle m'être violemment opposée à ça en pleine conférence, j'ai dit que je refusais de donner aux gosses des leçons d'épargne. Je l'ai refusé non seulement en mon nom, mais aussi au nom des instituteurs en général dont beaucoup étaient des partisans du « bas de laine ». Ici c'était le principe admis, dès qu'un malheureux avait quatre sous il courait les placer à la caisse d'épargne... Ils donnaient dix francs, puis vingt, puis trente, à dix ans il fallait que les enfants aient un carnet et à l'école déjà on leur demandait de verser deux sous par semaine à la mutuelle. Pour moi c'était un crime que de se taire, que de ne pas leur dire qu'avec l'inflation tout ce que l'on donne à l'Etat devient bon à jeter à la poubelle. Sur ce point j'étais intraitable, je leur disais : « Ne mettez jamais un sou à la caisse d'épargne, n'achetez jamais des emprunts, prenez le peu d'argent que vous avez et achetez tout ce qui est nécessaire pour votre bien-être, équipez-vous, installez-vous mais ne donnez jamais un centime au gouvernement. »

Pour les guerres c'était la même chose, quelle honte

que de parler aux enfants de la France cocardière, de cette France qui ne se trompe jamais... Depuis que j'étais tout enfant j'avais en horreur toutes les pages de notre histoire où les dates à retenir ne sont que des victoires et les noms propres que des héros. Evidemment dans mes cours je me suis efforcée de rester dans le cadre de ce qui était permis, mais tout de même j'essayais de donner un peu de vie aux images d'Epinal que leur dispensaient les manuels d'histoire. Lorsque nous en étions aux guerres de religions je leur parlais de la tolérance, au moment de la révolution je leur disais que les sans-culottes avaient été à la fois les pionniers de la liberté et les victimes du suffrage universel et quand venaient les guerres napoléoniennes je m'efforçais de détruire l'image mythique du petit général. J'étais impitoyable, je leur disais : « Cet homme a été un tyran pour l'Europe, peu importent les raisons qui l'ont fait agir, rien ne peut justifier les millions de gens qui sont morts à cause de lui, cet homme était un criminel. »

J'étais sincère quand je leur disais ça. Lorsque j'avais leur âge, je ne pouvais pas supporter les récits de ses batailles, j'en étais malade. Je me souviens de ma joie lorsqu'enfin il commença à battre en retraite, petite fille, j'étais du côté des soldats russes, j'étais avec les paysans espagnols et au moment de Waterloo quel bonheur ! Le tyran était anéanti.

Cela peut paraître excessif ou bien naïf, mais je n'en ai aucun remords, bien au contraire. Aujourd'hui encore je me demande si je me suis fait bien comprendre de mes gosses. Rien n'est moins sûr, quand, maintenant qu'ils sont adultes, je les entends tenir des propos nationalistes et chauvins, je me demande si je n'ai pas été trop modérée dans mes propos.

Il y a une chose extraordinaire pour nous les instituteurs, ce sont les récitations. J'ai toujours aimé ça et je crois que les enfants y sont très sensibles et que souvent c'est à travers les poèmes qu'ils s'expriment le mieux. J'ai déjà parlé de *La Mort du juif,* qui me permettait de leur parler du racisme, il y avait un autre poème que j'affectionnais tout particulièrement, car je ne devais pas oublier que j'avais en face de moi des enfants de la terre, des petits paysans dont beaucoup resteraient au village et qu'il était de mon devoir de leur montrer l'utilité et la noblesse du cultivateur. Aujourd'hui encore, mon neveu Auguste qui avait bien failli être un illettré, lorsque je vais le voir, ne manque jamais de me le rappeler. « Cette récitation a tellement eu d'importance pour moi, me dit-il chaque fois, que c'est un plaisir de la déclamer, tu veux bien ? » Et moi je l'écoute.

« Je vais mes chers amis de Louis XII ici vous compter
une histoire :
De ce père du peuple on chérit la mémoire
La bonté sur les cœurs ne perd jamais ses droits.
Il sut qu'un grand seigneur, peut-être une excellence ?
De battre un laboureur avait eu l'insolence.
Il mande le coupable et sans rien témoigner
Dans son palais un jour le retient à dîner.
Par un ordre secret que le monarque explique
On sert à ce seigneur un repas magnifique
Tout ce que de mieux on peut imaginer
Hors du pain que le roi défend de lui donner.
Le roi passe et lui dit : « Vous a-t-on fait bonne chère ?
— On m'a bien servi, sire, un superbe festin
Mais je n'ai point dîné car pour vivre il faut du pain.
— Allez, répond Louis avec un front sévère
Comprenez la leçon que j'ai voulu vous faire
Et puisqu'il faut monsieur du pain pour vous nourrir
Apprenez à bien traiter ceux qui le font venir. »

Une récitation comme celle-là avait une valeur extra-ordinaire pour les élèves, c'était un exemple qui les concernait directement et ils y étaient très sensibles. Après, la leçon allait de soi : le paysan fait le blé, avec le blé on fait la farine, avec la farine le pain. Tout ça ils le comprenaient très bien et surtout ils sentaient la solida-rité qui les liait aux autres hommes et les autres à eux.

Je crois qu'il n'y a rien de plus beau que de faire l'école dans le même village pendant des années et des années lorsque soi-même on est un enfant du pays. Je connais-sais tout le monde, les parents, les enfants, c'était un lien unique qui me liait à tous... Je connaissais les qualités et les défauts de chacun et je voyais le travail qui s'accom-plissait, le changement qui peu à peu s'opérait dans les familles.

J'ai ainsi formé deux générations à Val-des-Prés. On

dit souvent : « Nul n'est prophète en son pays », je ne sais ! En tous les cas mes élèves ont aujourd'hui entre trente et cinquante ans et il me semble qu'ils ont quand même retenu un peu de mes leçons. Je crois que si je ne leur avais pas ouvert l'esprit, si j'avais été rétrograde, ils ne me l'auraient pas pardonné, enfin, il me semble. Le jour où, il n'y a pas si longtemps, je leur ai demandé de s'unir et d'agir pour défendre la vallée contre les bâtisseurs d'autoroute, ils ont tous répondu présent, tout comme au temps où ils étaient des gosses avec leur tablier, leurs galoches et leurs doigts tachés d'encre.

L'ADIEU À JEAN CARLES

Nous avons vécu ces années comme des années calmes et heureuses. Les enfants grandissaient, ils allaient au lycée et l'aîné se passionnait de plus en plus pour le ski et la compétition. Les Arcades nous permettaient de vivoter, comme on dit : « Nous allions notre petit bonhomme de chemin. »

Survint la guerre d'Algérie. Avec le temps nos idées à Carles et à moi n'avaient pas changé, plus que jamais nous étions des pacifistes et des antimilitaristes convaincus. Pendant les années qu'avait duré la guerre d'Indochine, nous n'avions cessé de dénoncer le colonialisme et, lorsque mon fils aîné eut l'âge d'être conscrit, on souhaita qu'il refuse de faire son service militaire. Nous étions prêts à faire des sacrifices pour l'aider mais lui aimait trop son pays, il aimait trop ses montagnes, il voulait être moniteur et il préféra servir dans les chasseurs plutôt que de s'expatrier.

Fidèles à notre idéal de liberté, ni Jean, ni moi ne contrariâmes jamais le choix de nos enfants. Au risque de me répéter, mon mari avait toujours dit qu'il fallait laisser les enfants vivre librement et, quand vint le temps de prendre des décisions, nous les laissâmes faire ce qu'ils voulaient. Quand le second ne voulut pas aller en classe, mon mari ne lui dit pas qu'il avait tort et qu'il le regretterait un jour. — Il répétait depuis toujours qu'un homme n'avait pas besoin d'aller en classe pour faire ce qu'il désirait — au contraire. Il le laissa choisir.

Après son brevet, mon fils m'avait dit :

« Maman, ne crois pas que je vais moisir sur les bancs du lycée, je n'aime pas ça.

— Qu'est-ce que tu veux faire ?

— Je veux être pâtissier. »

J'avais aussitôt pris le téléphone et appelé une amie qui était pâtissière à Paris. Je lui avais dit : « Est-ce que vous prendriez Michou en apprentissage ? »

— Oui, bien sûr.

— Eh bien, je le mets dans le rapide ce soir, il sera chez vous demain matin. »

Et nous avons fait ainsi, mon fils est parti faire son apprentissage comme il le désirait. Il a même fait des merveilles là-bas et peut-être qu'il serait resté à Paris, mais il était comme son frère, il ne pouvait se passer ni de la neige ni du soleil et il est revenu au pays. Lui aussi avait le ski dans la peau, lui aussi fit ses classes dans un régiment alpin, malheureusement c'était au moment de la guerre d'Algérie et il est parti pour faire la guerre.

Carles était comme un fou, lui l'anar, lui le pacifiste, il ne pouvait supporter qu'un de ses gosses aille se battre avec un fusil contre les Algériens. Il disait : « Je ne veux pas que mes enfants tuent qui que se soit, surtout pas des Algériens. » Mon mari avait vécu pendant plusieurs années en Afrique du Nord, il s'était fait beaucoup d'amis parmi les Arabes et il avait gardé pour eux une estime toute particulière. Pour nous il ne faisait aucun doute que cette guerre était une sale guerre coloniale, une guerre d'intérêt pour défendre les gros colons et les grosses fortunes.

Jean disait : « C'est normal que les Algériens se révoltent... Ici personne n'a idée de la manière dont tous ces parvenus les traitent, les colons prennent les Arabes pour des moins que rien, ils les exploitent et ils les volent en tirant de leur terre toutes les richesses possibles. Je suis avec eux et je ne veux pas que mon fils participe à ce génocide. »

Mais que pouvions-nous faire ? Rien, ou si peu. Quand nous entendions parler d'une manifestation pour la paix ou pour l'indépendance, nous allions rejoindre les rangs des contestataires. Nous prenions de vieux draps et nous les préparions pour en faire des banderoles. Jean sortait ses pinceaux et ses pots de peinture et il nous dessinait des slogans. Avec Marie nous descendions à Briançon, j'avais cinquante-sept ans, mais je n'étais pas la dernière à crier « Paix en Algérie », nous parcourions les rues avec nos calicots en jouant à cache-cache avec des C.R.S... Une fois je me suis trouvée isolée avec ma pancarte et un bonhomme est venu vers moi : « Mais ne restez pas là, me dit-il, vous allez vous faire tabasser par les flics.

— Eh ! dis-je, qu'est-ce que vous voulez que j'y fasse ? Ce sont des brutes, et puis il vaut mieux que ce soit une vieille comme moi qui prenne les coups plutôt qu'un jeune. »

Les Briançonnais en faisaient une tête ! Les commerçants surtout, derrière leur vitrine. Ils me connaissaient tous et de me voir dans les rues en train de crier et de brandir des banderoles, ça leur coupait le souffle. Là, je me suis rendu compte qu'il restait beaucoup à faire pour les décrasser. Je savais que le lendemain, entre eux, ils se diraient que j'étais une personne qui n'avait aucun sens commun, alors qu'au contraire c'étaient eux qui n'en avaient pas. J'eus quelques accrochages sérieux à ce sujet. Dans ces cas-là, je disais ce que je pensais sans mâcher mes mots : « Mais qu'est-ce que les Français sont allés faire là-bas en 1830 ? Qu'est-ce que c'est que cette conquête d'un pays qui vivait tranquille et qui ne demandait rien à personne ? De quel droit les Français ont-ils décrété que l'Algérie c'était la France ? Du droit du plus fort. Eh bien, maintenant, tout ça c'est fini, on les a exploités, on les a pillés, ils se rebiffent, ils vont nous mettre dehors comme des malpropres et ils auront raison. »

D'Algérie, Michou nous écrivait, il nous disait que ce qu'il voyait était bien pire que ce que nous pouvions imaginer depuis la France. C'était insupportable et il en souffrait beaucoup. Un jour il nous dit : « Une section est revenue avec 2 prisonniers algériens, le capitaine les a fait mettre entre 4 tôles en plein soleil au milieu de la cour, sans boire ni manger. Il y en a un qui est mort de soif et d'épuisement au bout de 24 heures, le second est mort le lendemain, le pire est que tout le camp a continué de vivre comme si de rien n'était pendant tout ce temps-là. »

Quand je lisais des lettres comme celle-là, j'en tremblais d'indignation et de peur. Je disais à mon mari : « Mais Jean, tu te rends compte, imagine que la censure ou je ne sais qui ramasse cette lettre, ils le prendraient pour l'exemple et ils le fusilleraient et nous avec. » J'écrivais à mon fils de se tenir tranquille, lui disant : « Tu nous raconteras tout ce que tu voudras à ton retour, mais je t'en supplie, tant que tu es là-bas ne nous envoie plus rien sur ces atrocités. » Je l'avoue, j'ai eu une peur terrible, c'était l'époque où le F.L.N. agissait en France et la D.S.T. ne ménageait personne. Partout on ne parlait que d'atteinte à la sûreté de l'Etat et je ne voulais pas que mon fils en fasse les frais à cause de sa sincérité.

Un peu plus tard, nous reçûmes une carte dans laquelle il nous annonçait qu'il venait d'être sélectionné pour les championnats militaires de ski et qu'il viendrait bientôt en France pour disputer les compétitions. Jean ne se tint plus de joie à l'idée de revoir son fils et surtout, il pensait qu'il trouverait un moyen de l'empêcher de repartir en Algérie. Il me disait : « Jamais je ne le laisserai repartir, je suis capable de faire n'importe quoi, de prendre une pelle et de lui casser une jambe, mais je peux t'assurer qu'il restera ici. » Hélas ! ce n'étaient que des rêveries. Il y eut des changements dans la composition des équipes, notre fils ne vint pas et Jean retomba dans l'apathie qui le minait.

Il s'étiolait chaque jour un peu plus. Je voyais bien que ça ne tournait pas rond et lui, quand il était trop fatigué, me disait : « Oh ! ce n'est pas grave, ce n'est qu'un coup de pompe, je vais aller m'allonger une heure ou deux et ça n'y paraîtra plus. » Mais les coups de fatigue revenaient de plus en plus souvent et Jean récupérait de plus en plus difficilement. Il essayait de se trouver des raisons : « Ce n'est rien, c'est passager, c'est Michou qui me tracasse », répétait-il souvent et je le croyais. Le médecin lui-même se laissa prendre au jeu, lorsqu'il l'eut ausculté, examiné, analysé, il me rassura sans hésiter : « Vous êtes folle de vous alarmer, madame Carles, votre mari a un cœur de jeune, des poumons d'acier, il est solide comme un roc et il vivra jusqu'à cent ans. »

Les médecins ne font pas de miracles, même avec de

bonnes paroles. Huit jours plus tard, Jean nous quittait pour toujours. Sa mort fut si soudaine, si inattendue que sur le moment je n'ai pas voulu y croire... La veille encore il était debout, il avait exigé que je lui laisse faire la cuisine pour quelques clients. Marie et moi pouvions nous en charger, mais nous n'avons pu l'empêcher de se mettre à ses fourneaux.

Le médecin affirma sans sourciller : « C'est une grippe intestinale.

— Mais, lui dis-je, il y a une semaine vous m'avez dit qu'il avait un cœur de vingt ans.

— Ça n'a rien à voir, me répondit-il, c'était imprévisible. »

Plus tard, beaucoup plus tard, je dis à une jeune médecin amie de mon fils : « Tu sais, c'est moi qui ai versé le dernier bassin de mon mari. Dans ces moments-là il y a toujours un mieux que l'on appelle le mieux de la mort, quand j'ai vu ce bassin je lui ai dit : "Tu vois, tu me dis que tu n'urines plus mais le bassin est plein", c'était un liquide rouge orangé et lui me répondit : "Mais, je n'ai pas uriné, j'ai fait mes selles." A ce moment-là je me suis dit : "Mon Dieu s'il fait des selles comme ça, c'est terrible." »

Le jour de sa mort, il n'était pas plus mal que d'habitude, mais je n'arrivais pas à le quitter, je restais dans la chambre et tournais en rond alors que j'avais mille choses à faire. Ça l'avait irrité.

« Mais enfin, me dit-il, tu es ridicule, j'ai bien dormi, je vais bien et je vais me lever pour t'aider à soigner les lapins. »

Lorsque je me suis décidée à quitter la chambre, au moment de passer la porte, je suis restée paralysée et je me suis retournée vers lui. J'étais incapable de faire un pas de plus.

« Mais enfin, qu'est-ce que tu as ? me dit-il encore, va donc à tes affaires.

— Rien, rien », dis-je. J'avais la gorge nouée.

« Tu le vois bien que je vais mieux, tu le sais bien. »

Non, je ne savais rien. La preuve, quelques instants plus tard tandis que je donnais l'herbe aux lapins, Marie est accourue, elle avait une figure de catastrophe. Je dis : « Mon Dieu, qu'est-ce qu'il y a, Marie ? » et elle me répondit :

« Tonton a fait une faiblesse. »

Le temps de me précipiter au téléphone, d'appeler le médecin, quand je suis arrivée dans la chambre il m'a regardée, il a encore eu la force de me dire « Laissez-moi », et c'était fini, Jean Carles était mort.

Sa mort laissait un vide immense, pendant trente ans il avait rayonné comme un soleil qui réchauffe tous ceux qui l'approchent, par lui Les Arcades étaient devenues un lieu de vie et de liberté et il avait été notre guide à tous. En triant dans nos papiers j'ai retrouvé quelques feuilles de notre ami le juge Rabinovitch dans lesquelles il a essayé de tracer le portrait de Jean Carles. Ces quelques phrases sont éloquentes dans leur simplicité.

« J'aime aller voir Carles à Val-des-Prés, il me reçoit dans sa maison qui est sans aucun doute la plus belle maison du pays. Il m'offre un verre de cassis et puis il me parle de sa vie, Carles a voyagé, l'Espagne, le Maroc, la Grèce, il a fait le tour de la Méditerranée avec ses quatre pinceaux de peintre en bâtiment, c'est un homme cultivé et un esprit libertaire, il a non seulement lu la littérature anarchiste mais aussi des revues comme *Le Nouvel Age littéraire,* le premier *Nouvel Age* du temps de Poulaille. A Val-des-Prés il se sent seul, isolé, on le considère toujours comme un étranger.

« Carles est resté l'anar qui reste pur et le restera jusqu'à la fin, il a connu tout le mouvement militant d'avant-guerre, ce sont les milieux ouvriers qui l'ont formé, qui lui ont donné discernement et esprit critique. Ils lui disaient : "Il faut lire ça et ça et pas n'importe quoi", il s'agissait de *Clarté, Monde, Avant-Garde...* Il avait connu les anars à l'époque où certains préconisaient encore la reprise individuelle, lui n'avait pu se faire à cette idée, c'était un travailleur et un non-violent. "Vous comprenez, me disait-il, mon père est resté cinquante-deux ans dans la même entreprise, mon grand-père vingt-sept ans, j'avais une hérédité."

« Carles était un pacifiste jusqu'au bout des ongles, il était contre toutes les guerres y compris contre une révolution sociale qui serait violente, il me disait souvent : "La guerre c'est la fin de l'humain" et il préconisait les actes individuels de refus et de contestation. Il était hostile à toute forme de corporatisme intellectuel, adversaire farouche des fascistes il réprouvait les communistes. Carles était pour l'homme nu.

« Il me dit : "Nous autres nous sommes de l'Ardèche, mon père avait l'honnêteté dans la peau, il me l'a enseignée, ce qui fait qu'à âge égal je me débrouillais moins bien que les autres. Quand mon père est mort ma mère est allée se placer à Paris, moi j'étais gosse, je sais ce que c'est que d'avoir faim et la misère de Paris et les hommes qui vous mettent la main au cul pour un café-crème. Et les asiles de nuit ? J'y ai couché deux ou trois fois, le soir quand vous arrivez on vous donne une soupe et l'on vous prend vos habits pour les passer à l'étuve, le lendemain on vous les rend frippés. C'est alors que pour le coup, on sent qu'on a dégringolé tout à fait. Ce ne sont pas les gamins de Paris qui sont corrompus, ce sont les hommes."

« Me parlant de Val-des-Prés, il me dit : "Ce sont des rustres et des égoïstes. Ça fait plus de dix ans que je vis ici et je n'ai pas un seul ami, pas une personne à qui je puisse parler à cœur ouvert comme à vous. Pour eux je suis un étranger, c'est chaque jour qu'ils me le font sentir, non pas directement mais par en dessous, pas une de mes initiatives ou de mes idées n'est appréciée. Lorsque je leur dis que je n'aime pas l'argent ils deviennent comme fous, par exemple à propos des fleurs, je leur dis que c'est beau, qu'il faut en cultiver, ils en rient et ils passent à côté de la beauté uniquement parce que les fleurs ça ne se mange pas"... "Ah ! si je pouvais écrire, ça ferait un sacré bouquin, malheureusement je commence à penser quand je quitte la maison, quand je marche et que je suis seul il y a un tas de choses qui bouillonnent en moi et je me dis que je devrais les écrire tout de suite, mais quand je reviens chez moi je ne me souviens plus de rien. Avec cette vie-là, celle que j'ai eue, si je pouvais, ça ferait un roman je vous dis." »

Ces quelques phrases d'un ami véritable reflètent bien les sentiments de tous ceux qui ayant connu mon mari surent le comprendre et l'apprécier. Quant à moi que pourrais-je ajouter de plus ? Il m'arrive de le comparer non pas à un loup solitaire mais à un chien errant, ivre de liberté et qui refuse le collier et le maître. Pas une seule fois dans sa vie Carles ne capitula devant les manœuvres et les compromissions. Je le vis après un travail refuser sa paie plutôt que d'accepter un marché qui lui paraissait frelaté, disant au patron : « Je n'ai que faire de vos sous, puisse mon geste vous apprendre à mieux traiter les ouvriers. » Je l'ai vu refuser ses titres et ses décorations militaires, refuser sa retraite des anciens combattants en leur disant : « Nous ne sommes pas des anciens combattants mais des cons battus, on ne m'a jamais demandé mon avis pour prendre les sept plus belles années de ma vie, si j'acceptais votre retraite j'accepterais alors votre façon de gouverner et ça je ne le pourrai jamais. » Ce jour-là, ensemble, nous avons déchiré son livret militaire sur lequel était écrit à l'encre rouge : « Esprit rebelle, a refusé de ramper. »

C'est lui qui m'a appris à lire tous les auteurs qui avaient quelque chose dans le cœur, de Louvain à Henri Miller en passant par Louis-Ferdinand Céline, c'est lui qui m'a ouvert toutes les portes qui mènent à l'humanisme : Selma Lagerloff, Neel Doof, Knut Amsun, Blaise Cendrars, Panaït Istrati, Del Castillo, Emile Arnaud, Henri Bérault, Ignace Silone, Remarque et bien d'autres. On était sûr en venant aux Arcades d'y trouver le livre du mois, Jean était connu et admiré pour ça par tout le monde, mon inspecteur quand il passait me voir n'en revenait pas. Il me disait : « Mais enfin pour avoir une culture pareille d'où l'avez-vous sorti ? » Il avait du mal à admettre que mon mari soit un simple ouvrier et qu'il connaisse tant de choses. Je lui répondais : « Mon mari n'a été à l'école que jusqu'à onze ans, tout le reste il l'a appris dans les livres. »

Nous l'avons enterré avec tous ses amis. Sur sa tombe je fis mettre cette simple inscription : « Jean Carles pacifiste. » Parlant de son enterrement il m'avait dit un jour : « Surtout je ne veux ni fleurs ni couronnes, ce sont des imbécillités », mais je n'ai pu faire autrement que de mettre ce mot-là « Pacifiste », c'était la moindre des choses et, en le faisant, je crois être restée fidèle à sa pensée et à sa vie. Une vie exemplaire.

Ma vie est devenue une autre vie. Le vide que Carles avait laissé, ce trou énorme dans le cœur, s'est comblé. Cent détails y ont contribué. Le souvenir d'abord, la marque qu'il avait imprimée sur les êtres et sur les choses restait comme le témoignage vivant de son existence. Carles continuait à vivre à travers tout ce qu'il avait fait. Curieusement, pendant les trente années de notre vie commune, une partie de moi était restée dans l'ombre. Le rayonnement c'était lui, quant à moi, comment dire ? J'avais marché dans ses traces. Mes enfants me le dirent un jour : « Tu sais, maman, toi on ne t'a jamais reconnu aucune valeur parce que tu vivais tellement dans le sillage de papa que nous ne voyions que lui. » C'était vrai mais je n'en ai jamais souffert ni eu de regrets, au contraire, mon bonheur fut justement cette communion. Carles disparu, je n'en fus que plus forte et plus décidée. Souvent je repensais à cette « Vieille dame indigne » de René Allio ; certes, j'étais loin de sortir de l'ombre totale mais, comme elle, je me sentais prête à avaler le monde. Ce fut à cette époque que je connus vraiment le prix de l'Amitié. Je veux parler de ces amitiés indestructibles qui durent depuis cinquante ans et plus, celle de mon amie Justine de Puy-Saint-Vincent, celle d'Isabelle Guignon, dentellière d'Amiens, que j'avais connue en 1918 quand elle était réfugiée à Val-des-Prés et avec laquelle je corresponds depuis soixante ans. Il en est une autre qui bat tous les records. Quand elle vient ici en vacances, c'est pour s'occuper de la veuve éplorée. Curieuse façon de passer des vacances pour une infirmière. « Il faut, dit-elle à mes enfants, il faut que votre maman sorte et je m'en charge, je vais l'emmener avec moi, ensemble nous voyagerons et nous ferons les excursions qu'elle n'a pu faire avec votre père. »

C'est ainsi que j'ai connu La Bérarde avant qu'elle ne soit brigandée et mise à sac par les promoteurs, je ne la connaissais qu'à travers le livre de Pierre Scize *Gens des cimes*. Je connus aussi la Vallée Sauvage du Fournel, les cascades de Dormiouze dans la vallée Fressinière, la montagne du Casset avec son glacier bleu et le lac d'Arcine, et Rif Belle, un sommet sauvage où l'on accède par un sentier étroit. Cette nature simple et rude est de toute beauté, c'est la solitude, la pureté qui sont offertes. Je me souviens de ces instants-là. Quelles journées ! Qu'il était bon le petit verre d'anis à l'eau de source, le melon rafraîchi au ruisseau, le jambon du pays et le fromage de ferme, le tout arrosé avec une bouteille de vin dont l'étiquette disait : « Buou n'en che cantaras » : « Bois-en et tu chanteras. »

Ensemble nous avons visité Bouchié, un village suspendu et abandonné, quatorze hommes tués ou disparus pendant la guerre, toutes les femmes étaient parties après cette hécatombe, et Ratier, et le fond de la Vallée Verte et les Ayes, ce chalet épinglé au flanc de la montagne. Mon amie avait trouvé de quoi remplir mon cœur. C'est là que j'ai vraiment compris ce que Carles voulait dire lorsqu'il parlait de la séparation et de la mort. Il disait : « Il restera toujours les fleurs... des fleurs il ne faut prendre que les couleurs et le parfum, il restera le soleil, les rivières, les oiseaux, il restera la salade que l'on va cueillir au jardin. » Au détour d'un chemin, ivre de bonheur, je pus fermer les yeux et me dire : « Adieu, Jean, aujourd'hui notre seconde vie commence. »

« Il restera toujours les fleurs ! » Certes, comment imaginer que les fleurs de cette vallée puissent un jour se flétrir et disparaître ? Comment imaginer que ce pays, vierge de toute pollution, puisse un jour se dégrader sous les coups de boutoir des technocrates et des affairistes. L'idée seule en est insupportable.

Pourtant au début des années 70, des bruits alarmants ont commencé à circuler, des bruits qui peu à peu se sont précisés pour devenir une réalité. Le gouvernement avait, paraît-il, l'intention de construire une autoroute — un grand projet d'intérêt national — pour relier Marseille-Fos à Turin-Gènes en passant par le col de l'Echelle et la Vallée de la Clarée.

Quand j'ai entendu cette monstruosité, la première indignation passée, j'ai réagi violemment. A tous ceux que je rencontrais je disais : « Il ne faut pas qu'un projet pareil puisse se réaliser, nous devons agir et nous défendre et le plus tôt sera le mieux. » Nous avons fait une réunion aux Arcades, une dizaine de propriétaires de la commune et moi, et nous avons discuté de ce que nous devions faire. Tous étaient d'accord pour créer une association pour la défense de la vallée, mais en dehors de cette décision de principe personne ne se décidait à prendre des responsabilités et nous allions nous quitter comme ça, sans avoir défini quoi que ce soit de précis. A la fin, un des paysans dit :

« Eh bien, si on me demande ce que nous avons fait nous allons avoir une drôle de bouille quand on répondra "rien". Il faut au moins constituer l'association, élire un président et un bureau, même provisoire. »

Il y eut un silence gênant. Personne ne voulait se mettre en avant. Moi je dis :

« Ça m'embête à mon âge, mais plutôt que de laisser les choses dans le vague je veux bien être présidente de cette association.

— Ah ! bon, dirent-ils, alors ça va. »

J'ai donc été nommée présidente. On a aussi élu un secrétaire et décidé de réunir tout le pays à la mairie.

Le maire n'était pas encore dans le coup, il était même contre cette initiative et, la première chose qu'il fit, c'est d'aller voir le sous-préfet et de lui dire que nous avions tenu une réunion dans un local vétuste sans confort et sans sécurité. Nous l'avons quand même informé de nos intentions, nous lui avons écrit une lettre qui disait à peu près ceci : « Au cours de la réunion privée qui s'est tenue à Val-des-Prés, il a été décidé par les représentants de la population de la commune qu'un Comité de défense contre la voie express qui doit être construite dans la vallée de la Clarée était créé. Un bureau provisoire a été élu avec pour président Madame Emilie Carles. La prochaine réunion qui sera publique se tiendra courant janvier 1974 afin d'élire un bureau définitif qui aura pour tâche d'établir les statuts du Comité et de demander aux pouvoirs publics sa reconnaissance en référence à la loi de 1901. »

Dans une seconde lettre nous lui demandâmes de nous laisser la salle de la mairie pour y tenir notre réunion publique. La date en était fixée au 12 janvier 1974.

Il fut bien obligé d'accepter et la réunion eut un succès sans précédent. Pratiquement tous les gens de la commune étaient présents. A partir de ce moment-là, le Comité commença à avoir une existence effective. Pendant toute l'année l'association ne cessa de s'activer pour gagner de nouveaux adhérents à la cause de la vallée. Réunions d'information à Briançon, réunions avec les associations des autres communes, tracts, affiches, lettres aux ministres, audiences à la préfecture, tout ce qui était en notre pouvoir nous le fîmes afin de sensibiliser et de mobiliser l'opinion.

A la fin de l'année, au cours d'une ultime réunion au Casino de Briançon, nous dûmes nous rendre à l'évidence : les Briançonnais ne s'intéressaient pas à l'avenir de leur région. Ce soir-là, lorsque je pris la parole devant un auditoire de cent cinquante personnes, je ne pus cacher mon désappointement et je les avertis : « Pour être entendu il faut être nombreux, si l'intérêt général n'est défendu que par une poignée, le mouvement court à sa perte. »

Ce n'étaient que de belles paroles. Pour avancer nous devions faire autre chose que des réunions et des réunions au cours desquelles les discours et les discussions finissaient par lasser les adhérents. J'avais conscience de cette dégradation et je n'en dormais plus, pendant des heures je cherchais une idée, quelque chose, qui permette de tirer le mouvement de l'impasse dans lequel il se trouvait.

L'idée vint par hasard, au moment où j'y pensais le moins. J'étais dans le car de La Ciotat, je m'en allais me reposer quelques jours sur la côte et, à Gap, nous fûmes bloqués par une manifestation de paysans. Cent cinquante tracteurs qui défilaient au pas interdisant toute circulation. Aussitôt ce fut un tollé général contre les paysans, tous les passagers de l'autobus n'avaient que mépris et colère pour les manifestants. Moi, c'était tout le contraire, en voyant ça je jubilais et je me disais : « Bon sang, c'est la première fois que je vois des paysans qui se réveillent, c'est formidable. » J'étais tellement enthousiaste que les gens du car ont commencé à me poser des questions. Ils ne comprenaient pas pourquoi je réagissais comme je le faisais alors qu'eux ne voyaient que les inconvénients. Ils disaient : « On va perdre une heure sinon plus, c'est tout ce que l'on va gagner à ça, à quoi riment ces singeries ? » Et moi je leur répondais :

« Mais vous ne savez pas ce que vous dites, vous ne savez pas ce que c'est que d'être paysan, jusqu'ici le paysan n'a jamais eu le blanc du poireau, c'est pas dommage qu'il se réveille et qu'il manifeste ! »

J'avais tellement été emballée par cette manifestation qu'à mon retour à Val-des-Prés je n'avais pu faire autrement que d'en parler aux gars du Comité. Dès la première réunion que nous avions eue je leur avais dit : « J'ai vu à Gap cent cinquante tracteurs qui défilaient et de ma vie je n'ai jamais rien vu d'aussi beau, enfin les paysans se réveillent, ce n'est pas à vous que je vais apprendre ce qu'est une vie de paysan, vous êtes des pigeons à longueur de vie, mon père a été plumé tout comme vous l'êtes et je vous le dis, si vous étiez des hommes on ferait un défilé tout comme ceux de Gap. »

Ils ont commencé par rigoler et ça m'a mise en colère. Je leur ai encore dit :

« Vous savez ce qu'il disait Jean Carles ?... — Là, la voix m'a manqué rien que d'évoquer mon mari qui aurait tellement été d'accord avec ce que nous faisions, mais je me suis reprise et en tapant du poing sur la table je leur ai crié — il disait que nous avons le plus beau pays du monde et ça, vous ne le savez pas ! Et votre pays vous ne l'aimez pas ! Et vous ne le défendrez pas parce que n'êtes jamais sortis de votre écurie, parce que vous ne savez pas qu'il coule des sources de partout, que tout rayonne de lumière et de pureté... Bien sûr, on ne sera pas cent cinquante comme à Gap, mais si nous y allons tous pour défiler à Briançon, pour aller dire au sous-préfet que notre vallée personne ne pourra nous la prendre, alors on aura fait un pas en avant. »

Ce soir-là j'ai tellement été virulente et passionnée que je les ai convaincus et qu'ils se sont tous mis derrière moi. Tous les hommes de Val-des-Prés entre vingt et quarante ans. Tous avaient été mes élèves.

« Alors qu'est-ce qu'il faut faire ? m'ont-ils demandé.

— Eh bien, j'aimerais qu'on décide d'une date pour cette manifestation et que vous y veniez tous.

— Oui, madame.

— Oui, madame ! Ce n'est pas tout de dire "oui, madame"... écoutez-moi bien, je ne veux pas que vous me répondiez "oui, madame" et puis que le jour prévu vous vous disiez : "Ah ! moi je ne peux pas, mon foin est sec — Ah ! moi je suis à 2000 mètres je ne vais pas descendre..." Nous serons en pleine saison, je vous connais et je connais la terre, je ne veux pas que ce jour-là vous me fassiez faux bond, si vous faites ça vous n'êtes pas des hommes. »

Ils n'en revenaient pas que je leur parle comme ça, et j'ai continué :

« Ecoutez, pour savoir ce que vous valez et si je peux compter sur vous, nous allons tous aller au Casino de Briançon samedi prochain. Les gens du Larzac y passent un film dans lequel vous verrez comment des paysans se défendent.

— Bien, madame. »

Ils me disaient madame comme au temps où je les avais dans ma classe. Le samedi en arrivant au cinéma je les ai comptés. Ils étaient tous là et ils vinrent me saluer, car ils tenaient à ce que je sache qu'ils étaient venus. Le film sur le Larzac les a intéressés et ils en ont discuté entre eux. A partir de ce jour je savais que je pouvais compter sur eux. Je leur ai dit : « Maintenant j'ai confiance en vous et je sais que vous viendrez. » La manifestation était fixée pour le 13 août à dix-sept heures.

Pendant les jours qui précédèrent notre descente sur Briançon j'ai préparé ce qu'il fallait. Avec des jeunes nous avons fait des pancartes. J'avais déchiré des draps et acheté des pots de peinture, et ensemble nous avons peint nos slogans : « Des moutons, pas de camions » — « La vallée de la Clarée aux paysans » — « Laissez les montagnards en paix »... nous avions aussi une affiche qui représentait un village pris dans les griffes d'une pelle mécanique et des tracts pour les Briançonnais.

Nous avons fait tout ce travail de préparation pendant que nos paysans continuaient de faucher et de râteler l'herbe pour les agneaux. La veille, un voisin était venu me voir :

« Madame Carles, me dit-il, il faut renoncer à cette manifestation parce que nous allons être à peine cinquante, on sera ridicule et on va se moquer de nous dans tout le Briançonnais.

— Ecoute, Marcelin, dis-je, tu fais comme tu veux mais moi, même s'il n'y en a qu'un je serai sur le tracteur, j'irai à la sous-préfecture porter mes signatures. Je serais seule que j'irais quand même, je ne me dédis pas. »

Il n'y avait pas que Marcelin qui avait essayé de me faire changer d'avis. J'avais eu droit aux coups de téléphone de tout le gratin de Briançon. Le commissaire m'avait téléphoné, le sous-préfet aussi et tous se demandaient ce qui allait leur tomber dessus et tous chantaient la même chanson : « Madame Carles, il ne faut pas que cette manifestation prenne de l'ampleur, il ne faut pas que les touristes soient choqués, madame Carles, méfiez-vous des provocations et des violences, et dites-nous par où vous allez passer, ce que vous allez faire et combien vous aurez de tracteurs et combien vous aurez de monde à cette manifestation »

Moi je leur disais : « Vous m'en demandez trop, les tracteurs vous les verrez et vous les compterez sur place, moi je ne suis sûre de rien, de même pour les manifestations, vous verrez par vous-mêmes, quant aux violences, s'il y en a ce n'est pas nous qui en serons responsables. »

Le jour dit nous avions tous rendez-vous à Briançon. Evidemment je suis arrivée à l'avance et j'ai commencé par attendre mes gars. Chaque minute comptait double ou triple et je me disais : « Pourvu qu'ils viennent, pourvu qu'ils ne se dégonflent pas. » Ce n'étaient pas des pensées en l'air, car je savais ce que ça représentait pour eux de descendre en tracteur du Granon, un 13 août. Ils étaient tous en train de couper le « pied de poule », certains jusque sous le fort de l'Olive, à 2000 mètres et plus, et venir à Briançon c'étaient des heures et des heures de perdues.

Quand ils sont arrivés j'ai poussé un grand soupir de soulagement et je les ai comptés, ils étaient tous là. Il y avait treize tracteurs dans la commune, les treize étaient là et les hommes aussi, tous les moins de quarante ans. Il y avait des familles de cinq, eh bien, les cinq étaient là. Au départ nous n'étions pas loin de trois cents, déjà ça c'était un succès. J'ai pris mes gars et nous sommes allés voir le sous-préfet. Nous étions une délégation de cinq, c'est tout ce qui avait été autorisé, le préfet était assis derrière son bureau, l'air plutôt distant, mal à son aise, il a écouté nos doléances en feuilletant le cahier de signatures que je venais de lui remettre. Quand on eut fini, il me dit :

« Madame Carles je ne vous comprends pas, il n'a

jamais été question d'autoroute dans la région mais d'une voie rapide et vous, vous ameutez tout le pays, vous vous amenez avec des tracteurs, des manifestants, des pétitions, mais dites-moi donc à quoi ça rime ? Il n'y a pas le feu aux poudres. »

Je lui répondis sur le même ton : « Ecoutez, monsieur le sous-préfet, nous ne sommes pas des enfants de chœur, on ne va pas attendre que les jalons soient plantés parce qu'à ce moment-là ça sera trop tard. »

L'un des propriétaires de Val-des-Prés enchaîna :

« Mme Carles a raison et nous sommes tous derrière elle parce que nous voulons garder nos champs, nos maisons et notre vallée. Naturellement vous appelez ça une voie rapide mais vous la débaptiserez et du jour au lendemain ça deviendra une autoroute. »

Le sous-préfet ne dit plus rien. Nous sommes sortis et nous avons retrouvé nos gars qui attendaient avec leurs tracteurs, moteurs au ralenti. Le juge Rabinovitch prit la parole en premier et moi après. J'ai parlé au nom de nous tous, j'ai dit nous : « C'est nous qui entretenons la terre, c'est nous qui entretenons la vie, que deviendraient nos villages si la terre n'était pas cultivée, ça en serait fini de nos champs de coquelicots, de nos champs de bleuets. Vous avez quelquefois rencontré un amputé et vous n'avez pas honte d'avoir vos deux bras quand lui n'en a pas ? Eh bien, la vallée de la Clarée ils veulent nous l'amputer. Il ne faut pas nous laisser faire. »

Encore une fois le métier d'institutrice avait pris le dessus. Ils m'écoutaient comme des enfants sages, entre chaque phrase on aurait pu entendre une mouche voler tellement le silence était total. Plus loin je voyais briller les casques des C.R.S., eux aussi pouvaient m'entendre, je souhaitais qu'ils me comprennent aussi, la plupart étaient des fils ou des petits-fils de paysans, et qu'ils en retiennent quelque chose.

Quand j'eus terminé mon speech, les gars sont venus voir ce que nous allions faire. Beaucoup voulaient descendre la Chaussée avec les tracteurs.

« Non, dis-je, personne ne passe par là, j'ai donné ma parole qu'on éviterait la Chaussée pour ne pas gêner la circulation et ne pas effrayer les touristes et je ne veux pas de bagarre. Jusqu'ici on a fait une manifestation magnifique, il faut la terminer magnifiquement. »

Quand on interdit quelque chose on a toujours l'air idiot et il y eut comme un flottement, je sentais bien que tous voulaient marquer le coup, mais sans la Chaussée ils semblaient désemparés. Brusquement un jeune s'est avancé et dit :

« Mais, madame, vous n'avez pas promis qu'on ne passerait pas par l'avenue du Lautaret. »

Je n'avais pas pensé à ça, c'était une idée formidable et j'ai dit : « Ah ! non, à part la Chaussée, je n'ai rien promis. »

Je n'ai pas eu besoin de le répéter deux fois, tous les tracteurs se sont mis en route en direction de l'avenue du Lautaret. On l'a remontée jusqu'au bout, jusqu'au rond-point et puis on est redescendu vers les casernes, toujours au pas, avec nos affiches, nos tracts et nos slogans.

Je me souviendrai toujours de cette balade. Moi j'étais sur le plus gros tracteur, il y avait juste un siège pour le conducteur et j'étais restée debout pendant les trois heures que dura le défilé. Trois heures sur un machin pareil, il faut le faire, j'avais quand même soixante-quinze ans.

On est remonté dans la vieille ville et quand nous sommes arrivés dans la Gargouille mon chauffeur a commencé à se faire des cheveux blancs. « Nom de Dieu de nom de Dieu, jura-t-il, je leur avais pourtant dit de ne pas passer par là, il y a des étalages, des cageots de fruits qui débordent sur la chaussée, si l'on accroche on va avoir des histoires. » Moi je riais, j'étais heureuse et je lui disais : « Mais non, nous n'aurons pas d'ennuis, avance donc », et lui continuait à rouspéter, il appelait son fils qui se trouvait devant sur un autre tracteur :

« Hé ! Pierre, Pierre !

— Qué tu veux ?

— Et les vaches ?

— Eh bien, les vaches elles ne se perdront pas, on les retrouvera demain si on ne les trouve pas ce soir, on fait du bon travail ici, ça vaut mieux que d'aller chercher les vaches. »

Plus personne ne voulait s'en aller. La manifestation avait pris un tour formidable, pour une fois les Briançonnais voyaient les paysans prendre le taureau par les cornes et ça les étonnait. Il y avait pas mal de gens qui s'étaient joints à nous et qui reprenaient nos slogans...

Le plus formidable c'était la solidarité qui se dégageait, tous sentaient que nous étions vraiment ensemble, unis comme un seul homme. Les jeunes étaient les plus enthousiastes, ils prenaient conscience de leur unité et de leur force, ils pesaient dans la balance et ils le sentaient, tous avaient des sourires qui allaient d'une oreille à l'autre, c'était beau de les voir ! Le sous-préfet aussi s'était rendu compte que notre manifestation n'était pas une petite balade de rien du tout, il avait pu voir que tous les gens qui étaient sur les tracteurs étaient les hommes jeunes de Val-des-Prés, il les avait entendus crier leur volonté de ne pas se faire avoir et peut-être avait-il compris que tous ces hommes tenaient à leur vallée, qu'ils tenaient à leur terre et qu'ils voulaient vivre et rester au pays. Notre manifestation loin d'être ridicule avait au contraire été un succès total.

A partir de ce jour, je devins la bête noire du sous-préfet et je fus cataloguée comme une meneuse, au point que, l'hiver suivant, lorsque se tint à Briançon l'émission de Guy Lux, Interneige, je fis encore trembler ces messieurs du département. Malheureusement, il ne s'est rien passé, car les événements étaient allés trop vite et je n'avais pas eu le temps d'alerter tous les sympathisants et de préparer une manifestation digne de ce nom.

Le soir de l'émission, nous n'étions qu'une poignée mais, lorsque nous sommes arrivés sur le Champ de Mars, un type est venu vers nous et il m'a apostrophée :

« Alors, madame Carles, qu'est-ce que vous allez nous sortir aujourd'hui ? »

J'ai regardé le bonhomme d'un peu haut et je lui ai demandé :

« Moi ? C'est à moi que vous parlez, mais monsieur, je ne vous connais pas, qui êtes-vous ?

— Ah ! vous ne me connaissez pas ! Eh bien, je suis le premier commissaire de Gap et nous, on vous connaît, on ne parle que de vous dans tout le département depuis vos exploits du mois d'août. Mais aujourd'hui ce n'est pas la peine de vous faire des idées, si vous avez quelque chose en tête, ça ne passera pas à l'Eurovision.

— Ah bon !

— Oui, à la moindre tentative, si vous sortez vos pancartes ou si vous poussez vos cris on arrête tout, l'Europe n'a pas besoin de savoir qu'on a des emmerdeurs en France.

— Ecoutez, dis-je, si ça peut vous rassurer, je ne vous emmerderai pas aujourd'hui. »

Je n'allais pas lui dire pourquoi nous avions décidé de rester tranquilles ce jour-là. Nous n'étions pas assez nombreux, pour nous c'était évident, mais lui n'était pas obligé de le savoir et puisqu'il craignait le pire autant le lui laisser croire... Eux n'avaient pas lésiné sur les moyens. Nous étions peut-être une cinquantaine et il y avait pratiquement un gorille par personne, sans compter les C.R.S. Dès que nous faisions un mouvement ils nous suivaient comme si nous étions des bandits prêts à faire un mauvais coup. Je me souviens, tous ensemble nous partions d'un bout du Champ de Mars pour aller à l'autre, aussitôt tous les flics nous emboîtaient le pas. C'était d'un comique !

En fin de compte, je suis montée en haut des escaliers de la poste et j'ai congédié tout mon monde. « Il y en a assez pour aujourd'hui, leur ai-je dit, nous n'avons pas préparé cette journée, autant nous séparer sans histoire, nous recommencerons bientôt, et en grand. »

Nous ne pouvions pas rester sur un échec, d'autant que les retombées de notre défilé du mois d'août continuaient à nous parvenir. Je recevais des témoignages de sympathie et des signatures des quatre coins de la France et même de l'Europe. Ce n'étaient plus 5 000 signatures de sympathisants que nous avions, mais 8 000. Pour relancer le mouvement, des amis de l'association eurent l'idée d'organiser une conférence de presse à Paris et ils vinrent me demander d'y participer. Ce jour-là j'étais fatiguée, affaiblie par une bronchite et mal disposée.

« Certes, dis-je, c'est une bonne idée, mais je ne vais pas à Paris. Regardez dans quel état je suis, je suis trop vieille pour faire une conférence de presse. »

Mes amis insistèrent.

« Madame Carles, on ne vous demande qu'une chose, c'est de venir. On louera une salle, on la décorera, on s'occupera des invitations, des journalistes, des dossiers... tout ce que l'on vous demande c'est d'être là et que vous preniez la parole.

— Ah ! dans ce cas... »

C'est comme ça que l'affaire a démarré, par la suite nous avons soumis le projet aux gens de Val-des-Prés, ils ont été d'accord sur le principe et nous avons commencé à nous préparer pour cette nouvelle action.

Il nous fallait trouver de l'argent. J'eus l'idée d'organiser une fête dans le pays, ce n'était pas une mauvaise idée et aussitôt le village se mobilisa. On fit venir des artistes de Marseille, on organisa des jeux, des loteries, un bal et un buffet. C'était au mois de juillet, le jour prévu il se mit à pleuvoir, mais la fête fut un succès total. Les femmes du pays avaient confectionné des corbeilles de ce que nous appelons ici les merveilles du Granon, les hommes découpaient les jambons et servaient les verres de vin. Malgré la pluie les gens sont restés et ils ont dansé jusqu'à dix heures du soir... lorsque nous avons fait nos comptes, nous avions ramassé suffisamment d'argent pour financer notre conférence de presse.

Je suis arrivée à Paris avec tous mes supporters. Jamais je n'aurais pu imaginer que j'en avais autant, entre ceux de ma famille, mes amis et des inconditionnels, ils n'étaient pas loin de vingt-cinq. La conférence avait été organisée sur la péniche du Touring-Club de France près du pont Alexandre III, mes amis avaient tout décoré avec des affiches et des photos de la vallée et il y avait même un buffet prévu pour les journalistes et les invités. Une fois de plus, cette manifestation fut un succès complet. M. Richard présidait la réunion. C'est lui qui présenta les différents orateurs, le juge Rabinovitch, M. Vallier et moi. Il dit aux journalistes : « Je vous présente Mme Carles, elle a soixante-seize ans, c'est elle qui est à l'origine de ce mouvement, elle est de Val-des-Prés et elle est l'âme de cette bataille. D'ailleurs elle va vous parler avec la chaleur et la spontanéité qui lui sont habituelles. »

Je n'avais rien préparé, pas un mot, pas un plan. Au diable si aujourd'hui je peux me souvenir de ce que j'ai dit ce jour-là, je ne me souviens de rien, mais il paraît que c'était chaleureux, que ce que j'ai dit partait du cœur et tous les journalistes furent conquis par la vieille dame de la vallée. A la fin de la réunion ils sont venus me voir et ils m'ont interrogée. Qui j'étais ? Qu'est-ce que je faisais pour défendre la vallée ? Pourquoi je le faisais ? Ils avaient tous l'air épaté. Pourquoi ? A cause de mon âge ?

A cause de ma spontanéité et de ma virulence ? En tous les cas ils ont écrit des articles dans leurs journaux et ça nous a fait une bonne publicité.

Depuis, hélas ! il ne s'est rien passé d'important. Nous en sommes revenus aux réunions et aux discours. C'est le calme plat des deux côtés, mais à mon avis c'est un calme qui ne présage rien de bon. Au début de cette année 1976 j'avais pour la troisième fois écrit au président de la République. Dans cette lettre je lui disais ceci :

« Je suis Emilie Carles, institutrice en retraite, j'ai soixante-seize ans et j'ai toujours vécu dans cette vallée, sans aucun doute la plus belle des Hautes-Alpes. La menace qui pèse sur nous m'avait fait vous écrire à Chamallières en août dernier. Votre réponse était pour nous un encouragement mais les mois passent et tout nous permet de penser que notre vallée va disparaître. Nous ne sommes que de modestes paysans et notre attachement à la terre ne nous rend pas hostiles à tout progrès, mais les projets connus nous priveront de nos ressources en nous spoliant de nos terres. La vallée de la Clarée, grâce à son micro-climat, est le dernier refuge des grands malades des voies respiratoires. Des enfants y viennent pour retrouver une santé perdue dans la fumée des villes, et, si la voie rapide était implantée, dans quelques mois nous serions ici comme vous l'êtes le soir place de la Concorde, asphyxiés !

« Le samedi 24 janvier, un reportage filmé d'Antenne 2 présentait notre Briançonnais et, parmi les séquences diverses, monsieur le Ministre P. Dijoud, maire de Briançon, parlait des projets de la cité. Bien sûr, il fut question de notre problème et je me vis qualifiée de « Brave femme qui dit n'importe quoi », cette insolence me navre et tous ceux qui m'ont écrit les jours suivants pour me manifester leur soutien, sauront que je suis femme à ne pas tolérer des propos déplacés. Certes, mon âge est là, je n'ai pas le brio de monsieur le Ministre, mais ce n'est pas avec un coup bas de ce genre que se taira notre revendication, ce serait trop facile.

« Ces champs, ces prairies, nous les avons gagnés sur la montagne au cours des siècles. Je me revois petite fille aidant mon père et mes frères à édifier et à consolider ces « clapiers » qui sont des amas de pierres sèches servant à retarder l'érosion des terres ; c'est le travail de ces hommes et de ces femmes que je veux préserver du béton. Comment croire qu'un axe routier Fos-Turin serait limité à deux voies rapides... Complétées par une voie ferrée unique ? Pour des raisons de sécurité et de moindre coût la circulation se ferait pratiquement au centre de la vallée alors que nous suggérions une circulation protégée le long de la barrière rocheuse, ce qui préserverait le site et limiterait toute extension abusive. De plus, le bon sens de nos paysans s'insurge lorsque la possibilité de désenclaver Briançon est utilisée comme argument. Comment imaginer un détour d'une dizaine de kilomètres pour séjourner dans une ville sans attrait alors que Grenoble toute proche offrira ses avantages d'une ville structurée. Et puis, le propre d'une voie rapide n'est-il pas de permettre une liaison entre des points éloignés sans avoir de contrainte d'arrêts excentrés et ce, à grande vitesse ? Cette vallée, paradis des touristes, providence des amateurs de ski de fond et de randonnée, ne doit pas mourir. Nous n'avons pas la renommée des stations qui vous accueillent, nous sommes modestes, mais si vous honoriez de votre visite notre village, vous seriez conquis et vous ne nous laisseriez pas sans défense, face au béton, au bitume et à la pollution.

« Je pourrais vous transmettre le dossier de notre association, les projets, les votes hostiles du conseil municipal, les listes des pétitionnaires, ou me rendre à Paris. Mais ces documents vous seraient-ils remis et recevriez-vous une vieille dame ? Je devrais me contenter d'attendre une réponse anonyme avant que de renouveler ma démarche auprès de vous. »

J'avais chaque fois reçu une réponse, cette fois-ci, dans la lettre qui me fut transmise, il était question d'une vague remise à l'étude du projet afin de voir quelle serait la solution la mieux adaptée. Je ne fus pas dupe, ce n'étaient que des mots. Depuis le temps je commençais à avoir l'habitude de ce genre de réponse, que ce soit le préfet, les députés ou les ministres, ils avaient tous l'art et la manière de jouer à ce petit jeu des mots et des promesses, un jeu qui me faisait penser à celui du chat et de la souris.

Aujourd'hui c'est difficile de savoir comment notre affaire va se développer. Ici, dans le village, les paysans me donnent l'impression de se fatiguer... C'est normal, à force de crier au loup ils finissent par ne plus y croire ! Dernièrement le maire les a réunis pour leur montrer le plan d'occupation des sols et le tracé de l'autoroute, en même temps il leur a dit : « Vous feriez bien d'accepter le tracé tel qu'il est, sinon vous risquez de vous voir imposer des décisions sans qu'on vous demande votre avis. » Il y a actuellement seize familles de cultivateurs à Val-des-Prés, au début toutes étaient inscrites à l'association, aujourd'hui il y en a déjà quelques-unes qui l'ont quittée, pas beaucoup, deux ou trois, mais si le maire continue de leur parler comme il le fait ça risque de faire tache d'huile. Il y a les vieux, les sceptiques, qui s'efforcent de miner les jeunes, ils leur disent : « Elle peut faire ce qu'elle voudra la mère Carles, s'ils ont envie de la faire elle se fera cette autoroute. » Les jeunes leur répondent : « Evidemment avec des ânes comme vous elle se fera. »

Etre inscrit n'est pas suffisant. Ils ont perdu leur enthousiasme et ils viennent de moins en moins aux réunions. Moi je leur dis pourtant : « Il faut faire attention au temps, il y a un moment où le temps joue contre nous, et nous y sommes. Attention de ne pas vous endormir. » Il y a pire encore, ce sont ceux qui sournoisement sont noir et blanc, à la fois pour l'autoroute et inscrits à l'association. J'en connais quelques-uns et ce sont les plus dangereux. Tout ça fait que la situation n'est pas bien brillante et que l'on est loin de l'enthousiasme du 13 août 1975.

Ce qu'il faudrait c'est que les gens de la commune prennent conscience que cette autoroute n'est pas faite pour eux. Ceux qui croient une chose pareille se trompent, l'autoroute est et sera pour ceux qui se déplaceront sur de longues distances. Peut-être que cela avantagera le tourisme, mais quel tourisme ? Celui qui poussera les gens à passer dans la vallée à 140 à l'heure... A part ça, personne ici n'en tirera avantage. J'essaie de leur expliquer, je leur dis : « Cette autoroute quand est-ce que vous vous en servirez ? Pour aller à Briançon ou à Névache ? Peut-être, à condition qu'il y ait une bretelle à Val-des-Prés ? Rien n'est moins sûr. Alors ? Pour aller d'un bout à l'autre du village, pour aller à Plampinet ou à la Vachette, quelle route prendrez-vous ? Toujours la même, la vieille route, pendant que les autres vous passeront au-dessus de la tête en vous envoyant leurs gaz d'échappement... A moins que ne se construise là aussi une nouvelle route, plus large et plus rapide. Cette déviation s'ajoutera au reste, à la voie express et à la voie ferrée elle aussi prévue. Notre vallée ne sera plus qu'un immense couloir de béton, avec le bruit, l'odeur, et la pollution. Cc sera par là que passeront les camions qui transportent le fluor, dès le début il en est prévu au moins deux à trois mille par semaine, ce fameux fluor dont la poussière se dépose partout et qui brûle et détruit la végétation, l'herbe et les poumons. La Clarée deviendra comme la vallée de la Maurienne, un endroit mort où le feuillage est détruit, les moutons obligés de s'en aller ailleurs. »

C'est ça qu'ils doivent se mettre dans la tête, cette autoroute et tout ce qui va avec, ce n'est pas conçu pour le bien du village et pour le bien des paysans. Si cette monstruosité devenait une réalité Val-des-Prés ne serait plus Val-des-Prés. En quelques mois la vallée perdrait tout son caractère et, ceux qui venaient ici pour se refaire une santé, pour respirer l'air pur, pour camper ou faire du canoë, s'en iraient ailleurs eux aussi.

A cette pollution écologique, lente mais inévitable, viendrait s'ajouter la pollution humaine, plus rapide, et s'il faut vingt-cinq ans et plus pour faire mourir les arbres et tuer l'herbe, cette seconde pollution irait beaucoup plus vite. En quelques années Val-des-Prés deviendrait un endroit ridicule et infernal où les amoureux de la nature n'auraient plus de raison de venir.

C'est de cela que les paysans doivent prendre conscience, c'est sur ces thèmes qu'ils doivent se mobiliser et se battre. Aujourd'hui plus que jamais.

Evidemment tout est une question de pouvoir. Il est difficile de parler de l'autoroute sans évoquer ce qui se prépare ici pour les élections prochaines. Encore que, quels que soient les résultats, je crains qu'il n'y ait guère de changement. C'est dur de dire ça, mais il faudrait être fou pour y croire... Autour de moi, dans les journaux, à la télévision, je ne vois et je n'entends que des hommes uniquement préoccupés de réussite et de pouvoir. Ce qui m'écœure le plus c'est le blablabla, cet éternel blablabla qui monte de partout : du centre, de la droite et de la gauche. Ce qu'ils veulent ces hommes, c'est gagner des voix, être élus et claironner partout qu'ils sont les meilleurs et les plus forts. Ils sont loin des intérêts véritables et des désirs profonds de ceux qui travaillent et produisent. Pour moi tous les gros, ceux que l'on appelle les gros de la politique, ne font que répéter les mêmes mots, Liberté, Egalité, Fraternité, le pire c'est que pour beaucoup de gens ça marche, ils sont tellement forts dans la démagogie que beaucoup les croient et les suivent. Pourtant je suis comme Gilles Vignault, dans sa chanson, lorsqu'il dit : « Liberté vous ne m'entendez guère, Egalité vous ne m'entendez pas, Fraternité alors n'en parlons plus. »

Depuis 89 que les hommes répètent ces mots on devrait bien finir un jour par savoir ce qu'ils signifient réellement. Mais non, ils promettent, ils se font élire et après ils oublient ou bien ils s'excusent de manquer de moyens. Je trouve que ces professionnels de la politique on devrait les mettre à travailler dans une mine, ne serait-ce qu'un jour, à mille mètres de profondeur, peut-être qu'alors ils comprendraient ce qu'est la condition ouvrière, celle d'un mineur qui passe le tiers de sa vie sous la terre, peut-être qu'ils comprendraient qu'une journée de quatre heures c'est bien suffisant pour un mineur de fond ! Mais non, les meneurs de jeu, les meneurs de fric ne savent pas ce que c'est que la sueur... Je voudrais les voir faire la chaîne, descendre dans les égoûts, ramasser les ordures, creuser la terre, labourer ou faucher... Je voudrais qu'ils sachent ce que c'est qu'une journée d'ouvrier ou de paysan. Après l'avoir senti dans leur chair et dans leur esprit peut-être qu'ils seraient les premiers à crier : « Ça suffit ! », et qu'ils seraient d'accord pour réduire la durée de la journée de travail.

Mais ça, c'est comme pour l'autoroute, jamais ils ne le feront que contraints et forcés. Ce ne seront ni les patrons, ni les politiques qui feront ce changement-là... Ni les élections. Le changement ne peut venir que par ceux qui travaillent et qui luttent. « Il faut s'unir et lutter », c'est ce que je leur dis, ce qui est valable pour l'autoroute l'est aussi pour le reste, je leur dis : « Arrêtez de prendre vos désirs pour des réalités, arrêtez de jouer aux nouveaux riches ! ce n'est pas parce que vous avez connu la misère et la pauvreté et qu'aujourd'hui vous avez quatre sous pour mettre du beurre sur vos épinards qu'il faut croire que c'est arrivé... Ce n'est pas une bonne mentalité de penser ça. Pour qui vous prenez-vous ? vous êtes des salariés, des ouvriers comme les autres, il est temps d'abandonner vos querelles et de dépasser vos principes ridicules. Depuis toujours on vous a appris que l'ouvrier n'aime pas le paysan et en retour on vous a appris à mépriser l'ouvrier, eh bien moi je ne vois pas de différence entre vous, vous êtes tous des prolétaires et si vous vous donniez la main je crois que les patrons et les banquiers pourraient oublier leurs aumônes et plier les genoux, je crois qu'ils ouvriraient leurs coffres et qu'ils partageraient sans discuter. Jean Carles me disait : « Une grève des bras croisés de tous les travailleurs pendant une semaine mettrait les capitalistes au pied du mur. Plus rien ne marcherait, plus rien ne se ferait, car ce sont les ouvriers et les paysans qui produisent les richesses du monde et qui font tourner la terre. »

Hélas ! trois fois hélas ! les hommes n'en sont pas encore à ce niveau-là. Les gouvernements leur bourrent la tête de fadaises et pour finir ils ne rêvent que d'imiter les riches. J'ai connu une femme, une simple institutrice comme moi, qui suait sang et eau pour élever ses enfants, et qui un jour m'a dit : « Dire que je travaille comme une forcenée et que je ne peux même pas me payer un solitaire ! » Quand j'entends ça, des prolétaires dont l'idéal est de posséder un solitaire, il ne me reste que mes larmes pour pleurer. Qu'est-ce qu'un solitaire vient faire dans la vie ?

En attendant cette prise de conscience, il faut voter... A Val-des-Prés nous avons en ce moment un maire socialisant. C'est nouveau mais ce n'est pas très clair, comme n'est pas clair le jeu des socialistes en général. D'ailleurs, le problème n'est pas là, le vrai problème réside dans l'union de tous les gens de gauche et, dans un pays comme ici, au-delà de cette union, la question est de savoir si les gens accepteront de voter pour les communistes. Je me souviens de ce qui s'est passé ici pendant cinquante ans, de 28 à aujourd'hui... Il y a d'abord eu une voix communiste — celle de Jean Carles — puis il y en eut deux, puis trois... Lorsque les femmes ont voté cela fit quatre et cinq voix et, à la fin, avec quelques jeunes on atteignit le chiffre record de treize voix. Treize votes communistes à Val-des-Prés, c'était un miracle.

Je dis un miracle, car, dans un pays comme ici ils votent depuis toujours capitaliste parce qu'ils se prennent pour des capitalistes. Sous prétexte qu'ils ont une maison, quelques terres, un tracteur, une botteleuse et un bas de laine, ils se croient devenus riches et ils votent pour la droite. Pour ces gens-là il n'y a aucune différence entre le Programme commun et le communisme, et pas n'importe quel communisme, le vieux, l'absurde communisme, celui qui se présente sous la forme d'un ours sanguinaire avec un couteau entre les dents. Comment pourraient-ils avoir une idée différente ? Ils ne lisent jamais les journaux et quand Marchais parle à la télévision, ils se dépêchent de tourner le bouton.

Si au moins tout était clair à gauche ! Mais à quelques mois des élections c'est la guerre là aussi. Socialistes et communistes s'accusent et se déchirent... et ils font de la surenchère ! Eux aussi ont choisi l'armée, la force de frappe, le nucléaire, eux aussi, le moment venu, seront pour la Patrie en danger et, pourquoi pas, pour l'union sacrée du sabre et du goupillon.

Dans ces conditions qui peut savoir comment voter et pour qui ? Celui qui le sait a bien de la chance, moi je n'y vois qu'un pis aller. En définitive les Français n'ont pas d'autre choix que de voter pour le moins mauvais, chacun selon son cœur. Où est le progrès dans tout ça ? Où est l'ouverture ? Où est l'homme et la dignité de l'homme ? Et à quel jeu jouent les communistes ? Après cinq ans de Programme commun les voilà qui deviennent puristes. Ils ont bonne conscience d'accuser le capitalisme, c'est une grande découverte que de répéter en 1977 que les capitalistes sont la cause de tout le mal ! Moi j'appelle ça une lapalissade. Là-dessus, le Parti définit un nouvel objectif : un million d'adhésions ! Pourquoi faire ce million de cartes ? Pour l'imprimer sur des affiches ? Pour le crier dans des discours ? Pour prendre le pouvoir on n'a pas besoin d'un million d'inscrits mais d'idées justes et de détermination. Que les communistes prennent le pouvoir, qu'ils se lancent dans l'arène, qu'ils se battent avec les difficultés économiques, pied à pied, qu'ils appliquent leurs principes sociaux et qu'ils mettent à bas les capitalistes autrement que sur le papier. S'ils le font, s'ils le font vraiment, ce n'est pas un million de cartes qu'ils auront mais des millions et des millions de partisans convaincus.

Ce n'est pourtant pas compliqué ! Pour donner le bien-être aux ouvriers il faudrait que quelques-uns prennent enfin le taureau par les cornes, il faudrait tout foutre en l'air, repartir à zéro et surtout s'attaquer sérieusement au capital, abolir les richesses et les fortunes abusives. Mais personne n'ose, car en France le capital, grand ou petit, c'est sacré.

Quand je pense au luxe et à l'argent dont certains disposent tandis que les autres triment et suent, que dans le tiers monde des peuples entiers se battent contre la faim, j'ai honte pour l'espèce humaine. Jamais je n'oserai mener une vie que je pourrais taxer d'injurieuse vis-à-vis d'autres hommes. Un jour un « bon ami » me dit : « Toi tu ne peux pas être communiste parce que tu as des maisons, des terres, que tu es institutrice et que ton mari tient un hôtel. » J'ai répondu à cette personne : « Ah ! tu crois ça. Eh bien, je vais te dire, le jour où dans ma classe j'ai vu des gosses qui avaient un sabot percé à un pied et un soulier éculé à l'autre, si je me suis retenue pour ne pas leur donner une paire de chaussures, c'est par décence et pour ne pas tomber dans la charité, mais ce jour-là j'ai su que je ne pourrais jamais dormir tranquille tant que ces gosses-là n'auraient pas les mêmes avantages que mes enfants. Ma vie sera comblée lorsque tous les enfants du monde seront nourris et vêtus comme les miens. Pour ça je suis prête à donner tout ce que j'ai... Qu'est-ce que j'ai à faire du superflu ? Je serais bien plus heureuse si je savais que tous les êtres humains ne souffrent pas. Aucun. »

11 NOVEMBRE 1977

Les premières neiges viennent de tomber, en quelques heures tout le paysage s'est métamorphosé, les chaudes couleurs automnales ont laissé la place à la blanche couche de neige sur laquelle se découpent les silhouettes noires des arbres. Après l'automne voilà l'hiver. Cela me fait souvenir que ce livre — son écriture tout au moins — aura duré le temps des quatre saisons. C'est à la fin du mois de mai que j'ai commencé à composer ce bouquet d'herbes sauvages, novembre est là et je crois bien que le voilà terminé.

Il y a des années et des années que je pensais écrire un jour ce livre... du temps de Jean Carles nous en parlions déjà. Nous nous disions : « Il faudrait écrire un livre, nous nous y mettrons un jour, nous avons encore le temps d'y réfléchir », et le temps passait sans que rien ne se fasse. Eh bien voilà qui est fait. En l'écrivant j'y ai mis tout mon cœur et toute ma sincérité, puissent ces pages communiquer mon amour des hommes et de la nature et ma révolte contre les injustices.

Depuis le mois de mai la vie a continué... La fatigue, la maladie, l'hôpital et maintenant la convalescence se sont succédé comme les éléments inéluctables d'un jeu de hasard. Plutôt que d'aller vers la guérison j'aurais pu tout aussi bien en mourir... Mais la mort n'a pas voulu de moi, pas encore.

Ce n'est pas que j'aie peur de la mort. A son propos Jean Carles disait : « Elle est l'aboutissement logique de la vie, chaque homme sait qu'un jour il lui faudra mourir et il n'y a aucune honte, ni aucune peur, à l'attendre et à l'accepter quand elle se présente. »

Je suis comme lui et je ne crains pas l'au-delà de la mort. Lorsque je me dis que la mort ne devrait surprendre personne je pense aux croyants et aux incroyants. Les croyants doivent être heureux de mourir puisqu'ils vont enfin rejoindre le Paradis éternel, quant aux autres, aux incroyants comme moi, que peuvent-ils craindre d'un au-delà auquel ils ne croient pas ? Je me dis : « Si réellement il y a quelque chose après, qu'est-ce que je risque ? Je ne peux être punie de rien, je n'ai pas fait le mal, au contraire, toute ma vie je me suis efforcée de faire le bien. »

Je trouve que c'est beau de quitter la vie en se disant que l'on a fait le maximum pour défendre les idées que l'on croit justes et humaines et aider ceux qui ont besoin d'être aidés, sans distinction. Pour moi ce sentiment est quelque chose de formidable. Le jour où j'ai appris que je pouvais encore être utile en donnant mon corps à la médecine, je n'ai pas hésité, j'ai fait don de mon corps et de mes yeux puisqu'il paraît que mes cornées peuvent donner la vue à un aveugle. C'est la dernière chose que je puisse faire.

Ce que je crains le plus c'est la souffrance et la déchéance physique ou intellectuelle. Je n'ai pas à me plaindre, tout autour de moi concourt à faire de ma vieillesse une vieillesse dorée. Je suis chez moi, dans mon village et mes enfants vivent près de moi. Que pourrais-je demander de mieux, c'est formidable de pouvoir se promener autour de sa maison, de faire une belote quand on le veut avec de vieux amis, d'être dans son pays natal avec ses habitudes... Je suis tellement attachée à ce village, jamais je n'aurais pu vivre ailleurs. Je vois lorsque je m'en vais en voyage dans le Midi ou ailleurs, je languis de revenir. Val-des-Prés est mon berceau rien ne peut le remplacer... J'ai tout ici, mes joies, mes peines, mes souvenirs.

Certes il y a des difficultés à vivre seule, même avec mes enfants qui s'occupent de moi, je les sens. Il faut que je me lève, que je me prépare mon petit déjeuner et quand on est seul, il y a des jours où l'on se laisserait facilement aller... Ces jours-là je pense à ceux qui n'ont pas ce que j'ai, à ces vieux qui n'ont pas de quoi subvenir à leurs besoins les plus simples. C'est révoltant, inadmissible mais hélas ! il y en a encore beaucoup trop. Moi qui ai la chance d'avoir une bonne retraite je voudrais que tous et toutes bénéficient des mêmes droits, qu'après quarante ou cinquante ans de travail chacun soit assuré d'avoir de quoi vivre décemment sans être à la charge de personne et sans être obligé de demander l'aumône à l'Etat.

Il y a quelques jours de cela, j'ai par hasard regardé la télévision un matin. C'était le 11 novembre et je suis tombée sur la cérémonie de remise de décorations aux anciens combattants par le président de la République. Il y avait là quelques vieillards rescapés de 14-18 qui attendaient leur médaille, en voyant ces hommes semblables à des revenants se prêter à cette mascarade je n'ai pu m'empêcher de pleurer de rage. J'avais devant moi la représentation d'un temps que je croyais révolu. Derrière les vétérans de Verdun, venaient des visages plus jeunes, tous des héros de 45, d'Algérie et d'ailleurs, émus et fiers d'être promus dans la Légion d'honneur. Invention de Napoléon ces petits rubans rouges ne sont pour moi que le symbole du sang versé par des innocents. Au lieu d'exalter et de récompenser le patriotisme, de faire jouer *La Marseillaise* « ce chant stupide » comme dit François de Closet on ferait mieux de chanter la mémoire de ce brave Louis Lecoin, le plus grand pacifiste qui par ses 52 jours de jeûne et ses lettres quotidiennes à son ancien camarade de classe Charles de Gaulle est parvenu à obtenir un statut pour les objecteurs de conscience. Brave Louis ! Je te salue comme le jour où je te vis à Bruxelles... Nous y étions allés voir le film de Claude Autant-Lara *Tu ne tueras point* qui était interdit en France, cette terre des libertés...

Par toi Lecoin, nous avons fait un grand pas vers la paix et nous t'en remercions, mais il reste beaucoup de choses à faire et cela je l'attends des femmes... Ce sont elles qui mettent au monde les enfants. Un jour, j'ai vu une jeune agnelle foncer tête basse sur des chiens parce qu'elle croyait son agneau menacé, elle a été prise et saignée par les chiens en quelques secondes... Quelle est la femme au monde capable d'en faire autant ? Nous laissons nos enfants faire leur service militaire autant dire s'accoutrer en brigands, car sous l'uniforme il ne leur reste que peu de sentiments humains. Nous les laissons partir en Corée, en Indochine, en Afrique ou bien ailleurs, même en France où on leur fait faire des manœuvres ridicules où ils risquent stupidement leur vie... Femmes qui avez eu un enfant, qui en portez un dans votre sein ou qui désirez en avoir un, ne regardez jamais un homme en uniforme, un porteur d'arme, un fabricant ou un marchand d'armes, non pas qu'ils n'aient pas droit à l'amour, mais qu'ils le méritent d'abord en se recyclant... Si l'on mettait le budget de l'armée dans tous les services hospitaliers, laissant les jeunes chez eux et employant l'armée de métier à des œuvres humanitaires, ce n'est pas ce qui manque, ils seraient moins guindés et plus humains. Pourquoi la France qui a donné à l'Europe le signal de la révolution en 1789, ne donnerait-elle pas la paix au monde en jetant la semence du désarmement général ? Nous serions vite suivis j'en suis sûre, car c'est sauver l'humanité d'une fin cruelle et monstrueuse vers laquelle nous avançons chaque jour.

A qui profite le progrès ? Pourquoi des journées de huit heures ? On pourrait supprimer le chômage en ne faisant que des journées de quatre à cinq heures et employer tout le monde. Apprendre à vivre très simplement : une table, quatre chaises, un lit, cela suffit, apprendre à profiter de nos loisirs, s'approcher le plus possible de la nature... Apprendre à lire, car lire c'est se fortifier l'esprit avec l'esprit des autres, s'imbiber le cœur de sentiments qui vous agréent, c'est lutter avec un auteur suivant que nos idées ou nos sentiments s'accordent avec les siens ou s'en séparent. Apprendre à vivre en sachant vivre et laisser vivre. Ne prendre dans la vie que les fleurs, des fleurs le parfum, laisser tomber cette religion qui a le plus d'adeptes, je parle de la religion de l'argent. Un auteur belge a dit : « Puissance de la bonté et de la douceur, c'est toi qui devrais gouverner le monde. Hélas ! cette monnaie par trop idéale n'a pas cours sur notre planète... » Ce n'est pas vrai, il existe fort heureusement des êtres pour lesquels elle existe, je connais des couples, des familles où il n'y a que cette monnaie-là qui fonctionne, et c'est beau, c'est splendide et c'est vers ça que nous devons tendre tous autant que nous sommes.

Je sais bien que l'on va me traiter d'utopiste, c'est vrai ! et je dis : pourquoi pas ! Il faut des utopies pour qu'un jour elles deviennent des réalités. Il y a moins d'un siècle, la sécurité sociale, les allocations de chômage, les congés payés étaient des utopies, aujourd'hui nous les avons et tout le monde trouve ça naturel. C'est pareil pour toutes choses, ce qui paraît irréalisable pour l'heure sera une réalité demain. Avec moins d'égoïsme, moins d'indifférence nous devons arriver à plus de justice et plus d'égalité entre les hommes. Mais il faut s'y mettre tout de suite, ne rien attendre des « Enarques ».

Ainsi à la fin de notre vie nous aurons une chance de ne pas nous retrouver seul et triste comme ce capitaine à la retraite que nous rencontrions Jean Carles et moi et qui nous disait : « Ah ! vous pouvez être fiers de votre vie, vous avez accompli de beaux rôles, vous avez fait des choses utiles... mais moi, je vais m'en aller en ne laissant rien de bon. Vous ne pouvez pas savoir ce que le vide et l'inanité de ma profession me pèsent. » Brave capitaine qui avait compris que l'armée c'était zéro...

Voilà !

Pour finir, puisqu'il faut finir, que dire de plus ?

Non à la violence, non à l'injustice.

Oui au pacifisme et à l'Humain.

Tant pis si cela ressemble à un slogan, pour moi c'est un slogan d'amour. J'y ai cru, j'y crois encore et toujours, jusqu'à mon dernier souffle de vie.

Table

I

II

Le Livre de Poche Biblio

Extrait du catalogue

La Pochothèque

Une série au format 12,5 × 19

Classiques modernes

Chrétien de Troyes. *Romans* : *Erec et Enide, Le Chevalier de la Charrette* ou *Le Roman de Lancelot, Le Chevalier au Lion* ou *Le Roman d'Yvain, Le Conte du Graal* ou *Le Roman de Perceval* suivis des *Chansons.* En appendice, *Philomena.*

Jean Cocteau. *Romans, poésies, œuvres diverses* : *Le Grand Ecart, Les Enfants terribles, Le Cap de Bonne-Espérance, Orphée, La Voix humaine, La Machine infernale, Le Sang d'un poète, Le Testament d'Orphée...*

Lawrence Durrell. *Le Quatuor d'Alexandrie* : *Justine, Balthazar, Mountolive, Clea.*

Jean Giono. *Romans et essais* (1928-1941) : *Colline, Un de Baumugnes, Regain, Présentation de Pan, Le Serpent d'étoiles, Jean le bleu, Que ma joie demeure, Les Vraies Richesses, Triomphe de la vie.*

Jean Giraudoux. *Théâtre complet* : *Siegfried, Amphitryon 38, Judith, Intermezzo, Tessa, La guerre de Troie n'aura pas lieu, Supplément au voyage de Cook, Electre, L'Impromptu de Paris, Cantique des cantiques, Ondine, Sodome et Gomorrhe, L'Apollon de Bellac, La Folle de Chaillot, Pour Lucrèce.*

P.D. James. *Les Enquêtes d'Adam Dalgliesh* :
  Tome 1. *A visage couvert, Une folie meurtrière, Sans les mains, Meurtres en blouse blanche, Meurtre dans un fauteuil.*
  Tome 2. *Mort d'un expert, Un certain goût pour la mort, Par action et par omission.*

P.D. James. *Romans* : *La Proie pour l'ombre, La Meurtrière, L'Ile des morts.*

La Fontaine. *Fables.*

T.E. Lawrence. *Les Sept Piliers de la sagesse.*

Malcolm Lowry. *Romans, nouvelles et poèmes* : *Sous le volcan, Sombre comme la tombe où repose un ami, Lunar Caustic, Le Caustique lunaire, Ecoute notre voix, ô Seigneur, Choix de poèmes...*

Carson McCullers. *Romans et nouvelles* : *Frankie Addams, L'Horloge sans aiguille, Le Cœur est un chasseur solitaire, Reflets dans un œil d'or* et diverses nouvelles, dont *La Ballade du café triste.*

Naguib Mahfouz. *Trilogie* : *Impasse des Deux-Palais, Le Palais du désir, Le Jardin du passé.*

Thomas Mann. *Romans et nouvelles I* (1896-1903) : *Déception, Paillasse, Tobias Mindernickel, Louisette, L'Armoire à vêtements, Les Affamés, Gladius Dei, Tristan, Tonio Kröger, Les Buddenbrook.*

François Mauriac. *Œuvres romanesques* : *Tante Zulnie, Le Baiser au lépreux, Genitrix, Le Désert de l'amour, Thérèse Desqueyroux, Thérèse à l'hôtel, Destins, Le Nœud de vipères, Le Mystère Frontenac, Les Anges noirs, Le Rang, Conte de Noël, La Pharisienne, Le Sagouin.*

François Rabelais. *Les Cinq Livres :* Gargantua, Pantagruel, le Tiers Livre, le Quart Livre, le Cinquième Livre.

Arthur Schnitzler. *Romans et nouvelles :* La Ronde, En attendant le dieu vaquant, L'Amérique, Les Trois Élixirs, Le Dernier Adieu, La Suivante, Le Sous-lieutenant Gustel, Vienne au crépuscule... au total plus de quarante romans et nouvelles.

Anton Tchekhov. *Nouvelles :* La Dame au petit chien, et plus de 80 autres nouvelles, dont L'Imbécile, Mort d'un fonctionnaire, Maria Ivanovna, Au cimetière, Le Chagrin, Aïe mes dents ! La Steppe, Récit d'un inconnu, Le Violon de Rotschild, Un homme dans un étui, Petite Chérie...

Boris Vian. *Romans, nouvelles, œuvres diverses :* Les quatre romans essentiels signés Vian, L'Écume des jours, L'Automne à Pékin, L'Herbe rouge, L'Arrache-cœur, deux « Vernon Sullivan » : J'irai cracher sur vos tombes, Et on tuera tous les affreux, un ensemble de nouvelles, un choix de poèmes et de chansons, des écrits sur le jazz.

Voltaire. *Romans et contes en vers et en prose.*

Virginia Woolf. *Romans et nouvelles :* La chambre de Jacob, Mrs. Dalloway, Voyage au Phare, Orlando, Les Vagues, Entre les actes... En tout, vingt-cinq romans et nouvelles.

Stefan Zweig. *Romans et nouvelles I :* La Peur, Amok, Vingt-Quatre Heures de la vie d'une femme, La Pitié dangereuse, La Confusion des sentiments... Une vingtaine de romans et de nouvelles.

Romans, nouvelles et théâtre II : Dans la neige, L'Amour d'Erika Ewald, Histoire d'une déchéance, Destruction d'un cœur, Ivresse de la métamorphose, Clarissa...

Paru ou à paraître en 1995 :

Thomas Mann. *Romans et nouvelles,* t.2 et t.3.

Arthur Schnitzler. *Romans et nouvelles,* t.2.

La Saga de Charlemagne.

Ouvrages de référence

IMPRIMÉ EN FRANCE PAR BRODARD ET TAUPIN
Usine de La Flèche (Sarthe).
LIBRAIRIE GÉNÉRALE FRANÇAISE - 6, rue Pierre-Sarrazin - 75006 Paris.

ISBN : 2 - 253 - 02153 - 9   ✛ 30/5226/3